Violette Ledux

Ravages

Gallimard

Violette Leduc (1907-1972) est née à Arras. Elle fut secrétaire dans une maison d'édition, où elle se lia avec Maurice Sachs, Jean Genet et Simone de Beauvoir, avant de se consacrer à l'écriture. C'est avec la publication en 1964 de *La Bâtarde*, préfacé par Simone de Beauvoir, qui frôle le prix Goncourt qu'elle se fait connaître du grand public. Elle est notamment l'auteur de *Thérèse et Isabelle* (1966), de *La folie en tête* (1970) et d'un livre posthume, *La chasse à l'amour* (1973).

A Simone de Beauvoir

PREMIÈRE PARTIE

J'écoutais les grandes voix abstraites. L'ouvreuse ouvrit les portières capitonnées : les voix plus proches eurent la même résonance antique. L'ouvreuse chercha avec sa lampe où elle pourrait me caser. Pas un strapontin n'était libre. Je m'appuyais à la cloison, je me demandais à quoi rêvait le machiniste. La colonne horizontale de lumière sortait du hublot à la hauteur de ma bouche, l'ouvreuse, à ma stupéfaction, regardait l'écran. Je l'imitai. L'avion sur skis atterrit, les explorateurs sortirent, équipés, de la carlingue, ils déplièrent les toiles, ils montèrent les tentes, ils rangèrent leurs caisses de vivres sous un fortin de glaçons. Un spectateur se leva, quitta le rang. L'ouvreuse m'emmena jusqu'au fauteuil libre. Je m'assis, je me mis dans le plaisir des autres. Le commentateur expliquait comment le chef de cordée avait creusé six mille marches avec son piolet. Je tournai la tête : mon voisin se tenait droit. Son attention me toucha. La voix du commentateur m'accompagnait pendant que je regardais à ma droite avec insistance. Un profil d'homme dans la pénombre est une présence vigilante. Je laissai le profil pour l'équipe d'ascensionnistes qui plantaient le drapeau sur un pic de neige éternelle. Je tournai la tête du même côté. La rigueur de celui qui se savait dévisagé me troubla. Au documentaire succéda un dessin animé. Mon voisin ne rit pas. Un froid tomba du plafond, le ronflement dans la cabine changea après une glissade métallique, la salle explosa : le canard avait enfoncé le bout rouge de son cigare dans la bouche de l'ogre. Mon voisin ne gloussa pas. C'était fini : l'ogre était la victime du canard. Quelqu'un dans le rang se leva, cogna nos genoux. L'inconnu en profita. Il fit très vite connaissance avec mon visage. Je massacrai mon paquet de Camel pendant que je lisais des noms sur le générique du grand film. Nous fûmes projetés dans un quartier pauvre de New York la nuit. Un petit garçon incommodé par la chaleur s'étendit sur le balcon d'une habitation à bon marché. Je pris ma cigarette avec ma main qui avait massacré le paquet, je m'appliquai à ne rien montrer, je préparai l'aventure dans le fond de ma poche. Je sortis ma main et ma cigarette avec précaution, sans quitter l'écran des yeux, je dépliai les pétales sur mes doigts, j'offris ma cigarette à un profil. Un metteur en scène invisible me dirigeait. L'homme accepta ma cigarette sans

14

tourner la tête de mon côté, les ciseaux du meurtre tombèrent sur l'oreiller du petit garçon, ma main sortit ma boîte d'allumettes, les assassins traînèrent le cadavre sur la terrasse, ma main frotta avec crainte l'allumette sur la boîte, le petit garçon vit que le couple d'assassins traînait le cadavre sur la terrasse. J'allumai sa cigarette et la mienne. L'odeur de pâtisserie des Camel fut nôtre. Il fumait sans avidité, l'enfant jouait à cache-cache sur les toits, avec les meurtriers. C'était la première fois que je faisais des avances à un homme mais je n'y pensais pas. Courses, bagarres, enquêtes, rapts, évasions, interrogatoires se succédaient sur l'écran. Je souhaitai et redoutai la fin de la séance. Il éteignit cette cigarette avec ses doigts, il ne remit pas son coude sur l'accoudoir mitoyen. Je me désaltérai longtemps avec le profil immuable dans l'ombre. L'homme profitait du spectacle et de mon impudeur, l'enfant poursuivait l'assassin sur la poutre d'une maison en démolition. Le meurtrier se tua avec la poutre vermoulue, la salle s'éclaira. J'aperçus son corps fluet : je tournai le dos à cet inconnu, je me cambrai. J'eus peur dans l'allée centrale. Je m'enfuis de la rangée mais je me peignai, me poudrai, affinai ma taille avec la ceinture de mon imperméable. Je descendis l'escalier avec une fausse désinvolture, je bravai la salle de cinéma, je reçus dans le hall une giclée de vitalité. Un long cortège attendait la séance sui-

vante. Lui, je le revis dans les glaces. Nos imperméables se ressemblaient. Je me retrouvai sur le
trottoir avec le vague remords d'avoir déserté la
lumière, les bruits, les promeneurs. Le jour était
dur : je marchai à grands pas. Je m'arrêtai devant
la vitrine d'une maison de confection pour hommes, je regardai dans la glace s'il me suivait. Il ne
me suivait pas. Il avait disparu autant de fois qu'il
y a de rues dans Paris. J'avançai sur le boulevard,
je rejetai la tête et les épaules. Je me serais coupé
un sein pour ressembler à une amazone. Il me
suivait. L'œil moqueur des badauds, des came-
lots, des soldats, des touristes me le disait. Il me
suivait. J'avais une brûlure sur ma nuque, sur mes
reins. Je roulais des épaules, je voulais lui prouver
que je m'étais libérée de la salle de cinéma. Je
tournai la tête à gauche : il me suivait, l'aventure
cheminait. Je ralentis.

Nous marchions l'un à côté de l'autre, nous
évitions de nous regarder; nous allions silencieux,
étroitement désunis. J'étais hautaine parce que
satisfaite de l'avoir retrouvé. Quand je suis heureuse, je m'élève au-dessus de moi-même, je me
durcis. Je regardai. Cet homme flottait dans ses
vêtements qu'il devait brosser souvent. Je refusais sa misère décente, mais je ne me détachais
pas d'elle. Je regardais, mes yeux mi-clos, le bas
du pantalon frangé. Il marchait les pieds en dehors : le bas du pantalon s'enroulait et se déroulait

autour de la cheville, battement continuel d'une loque sur un cou-de-pied. Le soulier acajou était admirablement ciré. Sa démarche pressée le féminisait. Nous descendions, nous remontions d'autres trottoirs, nous frôlions les chevalets avec les photographies des films dans les autres cinémas. Nous marchions, nous marchions. Nous ne nous décidions pas. Je ralentis par coquetterie, je m'approchai par fourberie de la vitrine d'une bijouterie, je crus que je le forcerais à parler le premier. Un bouddha doré, au milieu des bagues, des bracelets et des colliers, entre les feux des émeraudes, des saphirs et des solitaires, sourit à l'inconnu. J'espérais que l'homme me renverrait le sourire du bouddha. L'homme avait disparu. Je courus dans la foule, je revins devant la vitrine de la bijouterie. Mon pain de chaque jour me manqua. Toute la ville m'affama. Je l'avais devant moi. Comment s'y prenait-il pour s'éclipser et réapparaître? Il ne m'avait pas quittée : nous allions sans commencement, sans fin. Je ralentis, je le détaillai, je sacralisai le col graisseux de son imperméable, ses cheveux ingrats, sa nuque pauvre, ses oreilles décollées. J'eus des frémissements dans les bras et dans les mains, frémissements de sa taille fine, de la ceinture de son imperméable serrée comme la mienne jusqu'au dernier œillet. Il avançait à petits pas rapides, évitant par temps sec des ruisselets sur le macadam.

L'agent leva sa main considérable, gantée d'un gant blanc à crispin. Nous nous arrêtâmes avec la foule au bord du trottoir.

— Vous me suivez? dit-il.

Des chauffeurs de taxi forcément désœuvrés regardaient de notre côté. Des hommes-sandwiches nous séparèrent.

— Qu'est-ce que vous décidez? dit-il.

Je l'entraînai dans le passage Choiseul :

— Vous ne voulez plus me parler?

Je lui disais cela parce que je l'avais toujours connu.

L'alignement des boutiques fermées et des volets ne fut pas un repos.

— J'aime me taire, dit-il.

Nos pas résonnaient dans le passage, les paupières en fer des vitrines souffraient, la lèvre inférieure de l'inconnu s'affichait, une lèvre fendue comme un fruit.

— Voulez-vous accepter l'apéritif? dit-il.

Il souleva un pan de son imperméable. Il me donna le bleu nécessaire des paquets de gauloises.

— Vous venez?

— Je vais voir, dis-je.

Je refusai la cigarette qu'il m'offrait : j'avais encore le fil des principes à la patte.

— Vous fumiez tout à l'heure...

Il réprima un sourire.

Il tapait le bout de la cigarette sur son ongle que la nicotine avait teint en marron.

— Il faudrait que vous vous décidiez, dit-il.

— C'est la première fois... Vous ne me croyez pas?

— Sans blague!

Son ironie me glaça.

Il sortit un bon vieux briquet de fer-blanc de son imperméable, il alluma la cigarette avec une main experte. Je me souvenais des hauts talons de la fille que nous avions croisée dans le passage, je me souvenais qu'il l'avait regardée avec bonté. Une cigarette le rajeunissait, une cigarette le fortifiait, une cigarette l'encanaillait. Il jouissait de la fumée qui montait devant ses yeux.

Nous marchions sur les Boulevards.

— Vous ne voulez pas parler. Je m'en vais, dis-je.

Il fit tomber la cendre de la cigarette avec son petit doigt, il prit mon coude.

— Comment avez-vous trouvé le film? Nous entrons ici? C'est oui?

Ce sera oui puisque la ville ouvre ses cuisses à six heures du soir, puisque la ville sent la poudre de riz, le tabac oriental, le narcisse, l'essence d'automobile, la grenadine, puisque le ciel s'effondre sur Paris.

— Je préfère un café où il y a de la musique.

— C'est rare, dit-il.

Mais je désirais m'installer tout de suite avec lui à la terrasse du premier bistrot. Je voulais boire à petites gorgées ses gestes de fumeur, son profil. Je sentais la moiteur d'une main adolescente où mon coude s'emboîtait. J'enlevai mon coude.

— Vous non plus vous ne parlez guère. Que pensez-vous du film? dit-il.

La main était revenue, mon coude était bien.

— Je ne l'aimais pas. Et vous?

La main brûlait l'étoffe de mon imperméable.

— Le petit était remarquable, dit-il.

— Vous aimez les enfants?

— Comme ci comme ça. Et vous?

— Je ne crois pas que je les aime, dis-je.

Un garçon de café nous sépara avec son plateau. Il se faufila entre les tables de la terrasse.

— Entrons, nous serons mieux, dit-il.

— Le film semblait vous absorber pourtant.

— Si l'on veut, dit l'homme.

Les consommateurs dans la brasserie levèrent la tête, ils nous classèrent, ils s'ennuyèrent. Les consommateurs nous vieillissaient et nous affadissaient. Les musiciens attaquèrent, l'orchestre tzigane avec ses bras de satin rouge nous fêta et nous entraîna dans son galop.

Je choisis une table au milieu de la foule.

— Otez votre imperméable. Vous aimez cette musique?

— Elle est sauvage et elle est hospitalière, dit-il. Pernod?

— C'est la première fois que je bois du Pernod.

— Avec deux sucres, cria au garçon l'inconnu. C'est vrai ce que vous me dites?

— Si vous ne me croyez pas il vaut mieux se quitter.

Je me levai.

— Ne faites pas l'idiote. Rasseyez-vous, dit-il. Dans une minute vous saurez ce que c'est, un Pernod bien tassé. Vous êtes de taille à le supporter.

— Je l'espère bien. Qu'est-ce qu'un Pernod bien tassé?

— C'est un apéritif que l'on ne vous sert pas au compte-gouttes, dit-il.

— Écoutez le xylophone. Il me fait penser à un forgeron qui jouerait du piano sur l'enclume.

— Vous aimez la musique?

— Regardez! Nos Pernods qui viennent...

J'imaginais que ma tête tournerait et que je tituberais après la première gorgée.

— Je les préparerai, dit l'inconnu au garçon.

— Vous, vous aimez la musique?

— Je vais au Châtelet le samedi à cinq heures, dit-il.

Le violoniste jouait en surface, comme il fallait jouer ces quelques mesures. C'était platement lyrique.

L'inconnu posa la cuillère au-dessus de mon verre, il pencha la carafe d'eau, il humecta le morceau de sucre.

— Comment vous appelez-vous?

— ...

Il regardait le sucre fondu.

— Un prénom, ça n'engage pas, dit-il.

Il m'enleva la carafe des mains :

— Malheureuse! Il ne faut pas le noyer, votre Pernod!

L'eau qu'il versait dans mon verre me remit en mémoire les expériences et les changements au cours de chimie. Il faisait des jonquilles avec de la topaze.

— Fumez. Vous fumiez dans...

Il s'arrêta, il mordit sa lèvre inférieure.

— Comme vous tenez à ce que je boive un Pernod bien tassé, comme vous tenez à ce que je fume cigarette sur cigarette!

— Je déteste les mauviettes.

— Je m'appelle Thérèse.

Il dit oui avec la tête.

— Vous buvez trop vite. Il faut le savourer.

— Ça flambe là-dedans, dis-je.

Je frappais ma poitrine avec mon poing, il appuyait le bout rouge de sa cigarette sur la mienne.

Je me demandais s'il pourrait payer et je décidai qu'il paierait, dût-il mendier de table en table. Je voulais qu'il payât.

Je fumais d'une main, et de l'autre j'assouplissais le cuir du porte-billets dans la poche de mon imperméable. Il paierait, il fallait qu'il payât, et à chaque gorgée que j'avalerais il dépenserait un peu plus.

— Vous brûlez les étapes, dit-il. Regardez où j'en suis...

Je me disais qu'il faisait trop durer ses lames de rasoir, qu'il enflammait sa peau, qu'il se couvrait d'égratignures.

— Vous êtes bohème, dit-il.

— A quoi voyez-vous cela?

— A votre mégot. Vous l'avez mis dans l'eau.

Il échangea nos soucoupes.

— Dans ma chambre j'écrase mes cigarettes avec mon talon...

— Sans blague!

Il baissa les yeux à cause d'une émotion, il tourna son verre dans la cendre.

— Ne dites plus « sans blague ».

Il sourit :

— Ça vous déplaît tant que cela que je le dise?

Il évita de me regarder; il suivit les mouvements du garçon de café qui rangeait le billet de banque d'un client dans la liasse de coupures.

— Vous êtes toutes les mêmes. Vous avez la manie de vouloir tout changer. Vous voulez réformer mon vocabulaire.

— Vous êtes lent. Vous ne buvez pas.

— Oui, je suis lent, dit-il.

— Vous êtes libre après tout.

— Pour être libre je suis libre!

Il se pencha en avant, il suivit avec son doigt la veine sur le dessus de ma main. J'enlevai ma main.

— Je suis en train de devenir une représentante de dentelles, dis-je. J'ai deux grandes valises. Tenez-vous bien!

J'enlevai la main sur la mienne. J'avais fait connaissance avec une main d'homme.

— Vous frissonnez, dit-il.

— Je frissonne? Vous rêvez.

— Mettons que je rêve, dit-il.

— Vous ne parlez pas, vous ne buvez pas. Vous souriez. Vous vous amusez tout seul...

— Je pensais à votre métier. Je suis messager.

Mon rire l'égaya.

— Commissionnaire si vous préférez, mais je suis dans la messagerie.

— Aux Messageries Maritimes?

— Vous voyez grand, dit-il.

Je croyais tenir la saveur du Pernod après une nouvelle gorgée mais la saveur ne restait pas dans la bouche.

Je lui pris une cigarette. Lui prendre ce qu'il ne m'offrait pas me donnait de l'assurance.

— Je fais leurs commissions, dit-il. Les commissions pour des fermières isolées de tout.

Il allumait les cigarettes tantôt à la flamme du

briquet, tantôt à la flamme d'une allumette. Il n'était pas dépourvu.

— Des fermières isolées de tout. Ça ne me dit pas où.

— La région de Clermont.

Il abrita la flamme dans la paume de sa main, il me donna la nostalgie du vent de la mer, de l'odeur du tabac dans l'air salin.

— Clermont-Ferrand?

Il rit largement, il me montra sa canine effrontée.

— Clermont dans l'Oise. Décidément vous voyez grand. Nous en boirons un autre ailleurs, dit-il.

Il étoffait l'avenir.

— Il économise mais ce n'est pas un avare, me suis-je rassurée.

Il sortit la chose fourbue, gonflée, éventrée, patinée, poisseuse, il la sortit de l'intérieur de son veston après s'être frôlé le cœur et moi je désirais embrasser à travers l'étoffe le sein d'un homme. Mon baiser est intègre lorsque j'embrasse indirectement la peau. La bouche s'épuise, la faim persiste. Cette chose molle est quand même un portefeuille d'homme, manié par des mains d'homme, gonflé de papiers d'homme. Il en sort des listes, des adresses, des formules, du courrier défraîchi. Il arrache ses identités de sa poitrine.

Il déplia une feuille de papier sur la table, il

versa un peu de son Pernod dans mon verre.

— Nous irons en boire un autre dans un bar. Vous voulez?

Il n'y eut plus de soucis. Je comptais sur lui.

Nous nous sommes regardés mais je n'ai rencontré personne. Je trouvais ma subsistance dans ses rides. Rides, entailles de générosité.

— Je vais vous lire ce que je leur achèterai demain. Et puis non! Je ne peux pas lire mon écriture.

Sa main tremblait.

Il escamota son vieux portefeuille qu'il dissimula sous la table.

— Ce sont des achats délicats. Elles me laissent de l'initiative. Je crois même qu'elles ne les feraient pas elles-mêmes si elles avaient le temps de se déplacer. Elles se fient à moi.

— Quoi par exemple?

— Une cage pour des oiseaux empaillés, des fleurs artificielles, une corbeille de fruits en faïence dans laquelle tout se tient, du ruban, du linge, quelquefois une robe, des bas... Je cite au hasard.

— Ce n'est pas du travail d'hommes!

— C'est du travail.

— Mais est-ce suffisant pour vivre?

— Vous le voyez : je vis.

Je repoussai mon verre :

— Partons! C'est un sale endroit.

26

Il appela le garçon.

— Vous voulez bien que je fasse quelques pas avec vous? dit-il.

Il rangeait des journaux dans ses poches déchirées. J'étais fascinée et j'avais honte de son costume.

Le garçon reçut un gros pourboire.

— Vous ne remettez pas votre imperméable pour sortir?

— Vous vouliez que je l'enlève. Vous ne savez pas ce que vous voulez, dit-il.

Il n'était pas dupe.

Il essuya sa lèvre finement sensuelle avec un mouchoir de batiste, il rangea l'enveloppe sur laquelle était inscrit : Commandes. Ses poches déchirées me préoccupaient.

— Maintenant nous partageons les frais, dis-je.

— Pas question. Je vous ai dit que j'avais des principes. Voulez-vous dîner avec moi?

« Il faudra que tu paies, il faudra que tu rembourses si tu acceptes. Tu paieras, tu rembourseras », me disait la voix.

Dehors, la foule nous sépara. Je me poudrai vivement.

— J'ai cru que vous vous étiez enfuie, dit-il. Est-ce que nous marchons dans votre direction?

Il ne m'invitait plus à dîner. Il prit mon bras :

— Dites, est-ce que je parais mes vingt-huit ans?

— Mais c'est une question de femme que vous me posez là! Un homme se fiche de son âge et c'est si réconfortant de penser cela.

— Personne n'aime vieillir. Et nous, nous n'avons pas les fards, dit-il.

— Vous semblez les regretter, nos fards. Pourtant vous n'êtes pas coquet! A voir la façon dont vous vous coupez avec votre rasoir! Vous avez des rides mais vous ne paraissez pas votre âge. Je me sens toute drôle en disant cela à un homme.

— Vous ne leur parlez pas souvent?

— Aux hommes? Rarement.

— Dînons ensemble, Thérèse.

La lumière charmait les pierres : dans chaque grain de la pierre, sur les murs d'une banque, ce n'était que balbutiements de clarté.

Il appela un chauffeur de taxi.

— Je ne monterai pas là-dedans avec vous'

Le chauffeur nous insulta.

— Si vous n'êtes pas libre, dites-le tout de suite, me dit-il.

— Je le suis et je ne le suis pas. Je vis chez ma mère et chez le mari de ma mère.

— Un beau-père? Pauvre petit bonhomme...

— Je dîne avec vous! me suis-je exclamée.

Il se précipita dans un bureau de tabac, il puisa dans la même enveloppe aux Commandes, il mit dans ma poche deux paquets de Camel, cinq étuis d'allumettes. La vitre avait reflété, avant, toutes ces intentions.

— Vous pouvez monter là-dedans sans crainte, dit-il.

Le grognard en uniforme bleu marine me rassura; je montai dans le taxi.

— Et vous, vous êtes libre? Vous me répondrez oui, mais je ne vous croirai pas.

— Vous avez beaucoup d'idées toutes faites, dit-il. J'ai une mère, une sœur. A part ça, je suis libre.

Nous nous étions installés chacun dans notre coin, nous avions laissé entre nous une place suffisante pour un autre couple. J'avais la sensation d'être un gros compte en banque promené entre quatre roues. Finis les corps à corps avec les odeurs de Chypre, d'anis. Il vida un tube d'essence dans le réservoir de son briquet et, avec sa main de mécanicien expert, il n'en perdit pas une goutte malgré les cahots du taxi démodé qu'il avait choisi. Nous fumions et nous nous taisions comme au cinéma pendant que l'âme du crépuscule errait sur les façades.

— Parlez de votre sœur...

J'attendais de lui la confession surprenante d'une passion.

— Comment s'appelle-t-elle?

— Elle s'appelle Liliane. C'est une brune bien en chair, dit-il.

Notre taxi roulait tranquillement, ce qui nous permettait de regarder au fond des cours. Il s'arrêta à côté d'un autobus : nous communiquions dans le provisoire avec les voyageurs. L'autobus repartit avant nous.

— Moi aussi je vais vous poser une question : Vous aimez Paris?

— Je n'aime pas Paris. J'étais en province, j'étais dans un collège, dis-je à voix basse.

— Il ne faut pas être triste, il ne faut pas baisser la tête.

— Je ne baisse pas la tête.

— Quand je suis seul et que je prends un taxi je m'assieds toujours à côté du chauffeur. Ça les vexe. Ils se croient déchus. Ce n'est pas commode quand on veut se rapprocher, dit-il.

Le taxi traversa la cour du Louvre. Nous sommes descendus plus loin.

Je l'attendais dans l'essaim de lumière bleue, j'étais entourée de maquettes pendant qu'il payait la course avec l'argent des Commandes. Il donnait plus qu'il ne pouvait. Quelqu'un se mit à jouer du violoncelle dans un appartement.

Des femmes interpellaient des hommes, des hommes interpellaient des femmes entre des claquements de portières. Des jeunes filles qui ressemblaient à des éphèbes sortaient d'un hôtel. Leur maquillage blafard, leurs cheveux brillantinés révélaient qu'elles se levaient lorsque Paris est un doux marchepied.

Il me poussa dans un bar.

— Vous semblez chez vous, ici.

— Je suis chez moi partout, dit-il. Buvons et sortons vite d'ici.

Nous avons bu deux gorgées de Pernod, nous sommes vite ressortis.

La lumière de salle de garde projetée sur les toits venait du ciel. Les façades, les fenêtres rêvaient, les yeux vides des jolies femmes s'ouvraient sur les vitres noires des immeubles. Un homme s'est enfui de l'impasse des Deux-Anges avec les vêtements d'un autre sur les bras.

— C'est seulement un dévaliseur, me dit le spectateur de la salle de cinéma.

« Pourra-t-il payer le restaurant, le pourra-t-il? »

— Vous vous tenez mal, monsieur...

— Je vous donne le bras. Vous appelez cela se tenir mal?

— Je vous préviens : je paierai mon dîner.

— Qu'est-ce que vous allez chercher!

Nous avons levé la tête ensemble, nous avons regardé le plumage luxueux des acacias. La touffe africaine palpitait, la brise était galante avec chaque feuille. Nous avons baissé les yeux pour la ville, pour la statue éparpillée.

— C'est rudement beau ce soir, dit-il.

J'eus de la répulsion : il me donnait la main et je ne pouvais pas retirer ma main.

— Je vous donne chaud, dit-il.

Il épongea sa main avec son mouchoir de batiste.

— Vous vivez vraiment chez vos parents?

— Ma mère veut que je ne la quitte pas, mais je la quitterai.

— Oh! c'est ici, dit-il.

Nous nous sommes assis au fond de la salle. Nous avions toutes les tables de marbre.

— Comme vous avez bien choisi!

Il se rengorgea :

— Je connais au moins trente-cinq petits restaurants.

— Je crois que vous êtes un rouleur. Vous êtes fâché?

— C'est vrai je traîne.

Je me sentis aérée et libérée pendant que j'accrochais mon vêtement au portemanteau. La nuit à travers la vitre du restaurant me regardait avec ses doux yeux de fakir. Je cheminais vers des présages indéfinissables : la nuit affinait le premier soupir des amants, la nuit décidait des premières fredaines. Je m'assis en face de lui.

— Mettez vos pieds entre les miens, dit-il.

Il évitait d'appuyer ses genoux contre ma jupe plissée.

— Vous sentez cette odeur de lessive qui bout? Est-ce que je rêve?

— Vous ne rêvez pas. Tournez-vous, dit-il.

— Une lessiveuse sur un poêle, dans la salle, pas loin de nous. Ah! ce Paris...

— Je savais ce que je faisais en vous amenant ici.

Je me suis dit : « Un bar, un taxi, du Pernod, une lessiveuse, un orchestre tzigane... »

Nous avons choisi sur le menu pâteux polycopié à l'encre violette, nous avons souvent regardé la lessiveuse, le couvercle qui se soulevait.

J'avalais l'ananas au kirch pendant qu'il mâchait et remâchait les feuilles de salade. Il mangeait trop lentement, il se penchait en avant chaque fois qu'il buvait une gorgée de vin et il me coinçait davantage sous la table. Nous tournions la tête, nous apercevions les paquets de linge mouillé. Le couvercle retombait sans bruit.

« Il dépense sans compter, mais il se rembourse avec des pressions, avec des pressions d'amitié », me dis-je. Le mot « amitié » passait dans un flottement de drapeau de la Croix-Rouge, le repas durait.

— Je veux partager.

— N'oubliez pas que j'ai des principes. Vous ne paierez pas, dit-il.

Il serra plus fort mes jambes entre les siennes, il puisa dans l'enveloppe aux Commandes puis il jeta dans son assiette la boulette de papier : l'enveloppe vide.

Je vis sur la poche de mon imperméable un cœur

rouge. C'était mon cœur cousu sur mon argent. Il paya l'addition.

— Nous boirons une fine ailleurs. Regardez-la une dernière fois, dit-il.

Il regardait la lessiveuse.

Nous allions, préoccupés par nos soucis d'argent. Sa longue main tenait mon avant-bras.

— Où m'emmenez-vous?

— Boire une fine, mon petit bonhomme.

Les spectacles étaient commencés, l'entrée des cinémas déserte. Nous marchions, nous échangions les titres des livres, des films, les noms des musiciens que nous aimions.

— Je me permets, dit-il.

Il me prit par la taille mais nous étions en marge.

— Après le dîner, dans ma chambre... je lis étendue sur mon lit. Je n'aurais pas imaginé tant de bruits, tant de lumières, tant de fièvre.

— Les autres soirs, vous ne sortiez pas?

Il me le demandait avec intensité.

— Les autres soirs, je ne sortais pas.

— Pourtant, vous tenez le coup. Vous supportez l'alcool.

L'horloge lumineuse d'une gare témoigna de la réalité des horaires, du qui-vive des locomotives, de l'impatience des rails.

— Vous vous promenez toujours seule? Vous n'avez pas un camarade?

— Pas le moindre.

Nous étions arrivés devant un des caravansé-
rails de Montparnasse. Des habitués se promenaient le long des terrasses, d'autres circulaient
entre les tables, stationnaient près de leurs amis
qu'ils avaient laissés au même endroit deux heures avant. Ils le disaient. Cette vie nocturne semblait indispensable. Il m'installa le mieux possible
au fond de la salle, il ne voulut pas s'asseoir. Il me
promit qu'il reviendrait bientôt et que nous irions
ailleurs.

« Il cherche à emprunter », me dis-je quand il
fut parti.

Des clients commençaient à souper, des filles,
chacune à son guéridon, buvaient de la bière à
côté du champagne, un jet d'eau, de fausses verdures massacraient la saison. Je changeai de place
et m'assis près de la vitre. Je le voyais : il faisait les
cent pas devant la brasserie, il tenait un carton à
dessin sous le bras. J'ai cru qu'il attendait
quelqu'un. J'ai pris le journal sur la table inoccu-
pée, je me suis dissimulée derrière les crimes, les
catastrophes, les célébrités. Il dénoua les cordons
du carton, il sortit du papier à dessin, il appuya le
bord du carton au creux de son estomac, il se
faufila entre les tables. C'est un homme, ce n'est
pas autre chose. « Tu l'as voulu », me suis-je dit.
Ses dandinements de jeune fille me troublaient. Il
se pencha sur de l'invisible, son visage fut aimable
et commercial. On le chassa. Il refit les cent pas.

Un obèse, une espèce de Cubain coiffé d'un panama l'appela. Je ne voyais pas les visages échantillons sur les dessins qu'il montrait. Il s'assit en face de l'homme qui jouait par timidité avec le diamant qu'il avait au doigt, il prit les mesures du visage de son client, à distance il couvrit la face de signes géométriques. Quand ce fut fini, le Cubain sourit de toutes ses dents. J'étais trop près et trop loin du dessinateur. L'idée me vint de commander trois fines, de les faire porter à leur table, de m'asseoir à côté d'eux. « C'est impossible, me dis-je, je ne sais pas pourquoi mais c'est impossible. » Il avait commencé de dessiner le visage de l'obèse qui semblait regarder dans le lointain des troupeaux d'autres obèses. J'enviais l'homme aux petits métiers : il avait un but. Je n'avais pas soif, je n'avais pas faim, je n'avais pas de projets. J'étais enfermée dans le bas de laine de mes ancêtres. Le bruit, la lumière, la fumée m'endormaient. J'attendis dans un nuage.

— Vous!

Il avait donné un coup de poing dans mon journal. Il rayonnait : il avait de l'argent en poche.

— Vous ne m'avez pas vu à la terrasse?

— Je vous avais perdu de vue, dis-je, mais j'attendais.

— Je vous emmène dans une boîte. Nous prenons un taxi.

Où avait-il pris le carton à dessin, où l'avait-il rangé? Je l'ignorerai toujours.

Le trajet dura quelques minutes.

Il prit une carte d'adhérent à l'entrée du club puis nous enjambâmes dans l'escalier des jeunes gens qui écoutaient assis sur les marches et la tête dans les mains les musiciens de jazz qui jouaient dans le sous-sol. On refusait du monde. Il glissa un billet dans la poche du barman.

— L'endroit vous plaît? dit-il avec fierté.

Le barman nous fit traverser la salle et la piste étonnamment petite. Le clarinettiste svelte jouait droit devant lui. Le barman nous installa à une table d'où l'on voyait bien, il se perdit dans la foule près du bar.

— Quel tonique ce jazz, dit l'homme.

Je serrai plusieurs fois sa main mais c'était la main de chaque musicien que je pressais et que je remerciais.

— C'est le vieux style et c'est mon style préféré, dit l'homme.

Je mis ma main sur sa bouche pour le faire taire et je fis cesser le baiser auquel nous ne nous attendions pas.

— C'est le vieux style... Vous n'aimez pas vous instruire?

— Pas ici, dis-je.

— C'est beau comme un combat de boxe, dit-il. Buvez votre whisky.

— Du whisky!

— Pourquoi pas?

— Ce sera cher.

— Ne vous tourmentez pas.

— Je vous donnerai tout ce que j'ai dans mon porte-billets.

— Vous ne paierez pas. Écoutez plutôt, écoutez bien ceci.

Il approcha le verre de mon oreille, il remua le liquide. La glace pilée faisait un bruit de chaînes au fond de la mer.

— Je vous supplie d'écouter encore.

— Vous êtes gentil.

Je me sentis chétive après lui avoir dit cette niaiserie.

J'ai frotté ma joue contre la sienne, en témoignage d'amitié : ses yeux se sont éteints. Il s'illuminait si je me tenais sur mes gardes.

Un jeune homme vêtu d'un imperméable de soie verdâtre, comme arrivant de voyage, ouvrit le piano au rebut, à proximité de notre table. Il enfonça son poing dans sa poche puis la main ressortit bien accouplée à la crosse. Le jeune homme plongea son bras jusqu'à l'épaule dans le piano, il laissa son revolver avec les marteaux et les cordes, il entraîna une jeune fille sur la piste. Un Noir qui venait d'arriver sauta sur l'estrade, il attaqua avec sa trompette.

— Je ne peux plus, dit-il.

Il ferma les yeux, il baissa la tête.

— C'est au-dessus de mes forces, dit-il.

Il cachait son visage dans ses mains, il enfonçait les paumes de ses mains dans ses orbites. Il se voûtait.

— C'est la musique?

— Oui. La musique si vous voulez.

Le trompettiste tremblait de tout son corps en jouant.

— Vous n'avez pas les nerfs solides.

— Vous n'y êtes pas, dit-il. Je ne peux plus, je ne peux plus.

Il croisa son imperméable sur ses jambes, il dissimula le mal. Le feu de la trompette éclatait, les tisons se brisaient sur lui, traversaient l'imperméable, mettaient le feu au sexe. Yeux fermés, il s'adossa au mur. Il s'engageait dans l'incendie.

— Comment vous appelez-vous?

— Je m'appelle Marc, dit-il.

Il n'ouvrait plus les yeux.

Le trompettiste le retrouva avec une plainte plus longue, plus stridente.

Marc donnait des coups de tête contre le mur, il frissonnait, yeux fermés, il tâtonnait. Il chercha ma main, il laissa la sienne sur mes genoux. L'imperméable se décroisa : une tourterelle s'affola.

— Partons, dis-je.

Je lui arrachai ma main.

Il s'affala sur la table, son verre se brisa, la glace pilée tomba sur nous.

— Ne croyez pas que je suis ivre. Je ne suis pas ivre.

Il cachait son visage dans ses bras, il entendait le bruit du bouton-pression de mon porte-billets.

— Vous ne paierez pas!

— Dans ce cas faites-le. Partons.

J'aurais écouté volontiers la musique et les clameurs jusqu'à la fermeture de l'établissement, mais la tourterelle m'effrayait.

J'aimais sa main lucide qui mettait en vrac les billets du Cubain sur la table, j'aimais la main que j'avais ôtée de mes genoux. Nous sommes partis.

— C'est bon l'air frais, dit-il. Vous êtes triste?

— Préoccupée. Je ne pourrai plus rentrer par le métro.

Nous nous taisions dans le taxi. Les rues étaient désertes, la méditation dans l'air, la ville abandonnée par des millions de dormeurs.

Marc s'affaissa, sa tête tomba sur ses genoux : la lumière des lampadaires isolait sa nuque. En m'abattant sur elle, je m'étais abattue sur une des nuques tant convoitées pendant que tinte et grelotte la cloche de l'élévation. Je le pris par les épaules, je taquinai la racine des cheveux avec mes lèvres, je m'entêtai sur la vertèbre au-dessous du col, je commençai un travail de vampire. Il gémit; il se méprit, il s'abandonna. Sa tête se détacherait comme un pétale. Il croyait que je cédais, il se trompait. Il me donnait les nuques sur lesquelles je m'étais nourrie comme une guêpe. Les couperets ne tombaient plus, les condamnés patientaient. Il faisait le mort, il prolongeait la primeur d'un premier baiser.

— Pourquoi ne m'aviez-vous pas dit que vous dessiniez à la terrasse des cafés?

— ...

— Parlez. J'aime qu'on parle.

— Je voulais faire un peu d'argent pour notre soirée. Pourquoi y pensez-vous maintenant?

Il se redressa, je me détournai. La ville chantait éperdument de tous ses toits, de toutes ses cheminées.

— Thérèse... Je ne peux plus.

Son masque suppliant m'a émue. Il me prit la main, il m'attira. Je me détournai encore : les étendards de lierre sur la muraille descendaient dans le fleuve, le cadenas d'une boîte de bouquiniste étincelait. La feuille d'un arbre salua.

— J'ai peur. Laissez-moi partir. J'ai peur...

— Peur de quoi?

A un carrefour, l'horloge ronde marquait deux heures dix. Le temps harcelé par les grandes aiguilles publiques m'effraya. J'entrouvris la portière : il la referma, il jura.

— Je ne vous ferai rien.

Il me repoussa, il reprit mon bras.

— Votre main, dit-il.

Le blanc des yeux suppliait, le blanc s'écoulait comme du pus au coin de la paupière, la main moite retenait mon poignet. Je sortis mon porte-billets avec ma main libre :

— Je veux payer mon dîner, je veux payer la soirée, je veux tout payer, je veux rembourser. Je veux rentrer à pied. Faites arrêter le taxi.

— Taisez-vous!

Il avait remis sa tête dans ses bras. J'aimais trop sa tristesse.

Je m'abattis encore sur sa nuque mais en même temps je serrais mon porte-billets de toutes mes forces.

— Laissez cet argent!

Mon porte-billets tomba.

Il prit ma main, il l'emmena.

J'essayais de compter les ampoules électriques sur les traits infinis de lumière de chaque côté de la rue de Rivoli. Le taxi roulait dans un souterrain à la surface du sol. Je résistais : je ne voulais pas délivrer le prisonnier qui voulait naître. Marc appuyait, appuyait.

Cet homme n'est pas dangereux. Il ne m'a rien fait, il ne me fera rien. Je peux et pourrai me défendre. Il veut que je sache qui il est. C'est l'épilogue de la soirée. « Tu te berces, tu te racontes des histoires, Thérèse... » J'ai peur, je me révolte sans gestes, sans paroles. Ma main n'ose pas s'en aller. Je dois à celui qui a dépensé. Je ne cours pas un danger puisque je me défendrai.

J'ai honte sur la plage du poids de leur sexe sous le jersey du maillot de bain. Les hommes en robe me rassurent, un prêtre qui surveille la baignade d'une colonie de vacances me ravit. Je touche, je comprime ce qui me faisait honte, ce que j'évitais de regarder. Je ne lui fais rien, il ne me fera rien et c'est dangereux. Je veux tout de suite une règle de vie, je veux devenir un mannequin de pureté. Me lever à six heures du matin, me coucher à huit heures du soir. Je ne peux pas l'abandonner. Je suis allée le chercher, je lui ai donné de l'appétit. Je ne peux pas le reléguer.

Je suis soulagée quand ils s'élancent vers la vague, quand ils entrent dans l'eau, quand ils me tournent le dos, quand ils font demi-tour dans l'eau et que je ne vois que leur buste, leur visage. Je lis avec tranquillité lorsque la vague les habille amplement.

Qui m'a poussée vers lui au cinéma? Moi-même. Je l'ai choisi, je l'ai voulu. J'ai de la répulsion mais je ne peux pas me détacher. Je ne suis pas coquette. Je suis timide et je me suis trop engagée. Je ne suis pas honnête et je ne suis pas malhonnête. Je déteste et je ne déteste pas le sexe. Je suis une ennemie indécise. Je lis sur la plage, je crois qu'un chien fou envoie du sable mouillé sur mon livre, je lève la tête, je les revois : ils ont quitté la mer, ils accourent le slip sec, vers le bain de soleil. Le renflement est noir, luisant sous le jersey mouillé. C'est provocant. Je ferme les yeux, je me fiance avec moi-même. Pas d'homme : « A aucun prix il ne te faut de ça », a dit ma mère.

J'enlevai ma main.

— Vous êtes fâchée?

Il ramena ma main. J'appuyais, j'étais charitable et brutale. Le sexe avait la fièvre, l'oiseau de feu se débattait sous l'étoffe contre les barreaux de mes doigts.

— Faites un long détour, dit-il au chauffeur.

« Qu'il est timide », me disais-je pendant qu'il mettait une série de petits baisers quelconques sur mes lèvres. Pourtant je voyais un jeu farouche d'ombre et de lumière dans ses yeux. Je repoussai la bouche avec ma main.

— Je vous déplais? dit-il.

— ...

Il s'est niché dans mon cou. « Après, Cécile embrasse ainsi, mais seulement après », me suis-je souvenue. J'ai toussé. Qu'il sache que ses fadaises ne me troublent pas.

Marc s'inquiéta :

— Vous voulez bien?

Il est entré sans attendre la réponse. C'était une effraction de voleur peureux. Cette langue rapide, gourmande, maladroite, voulait conquérir et

44

anéantir. J'ai d'abord riposté plutôt que répondu; j'ai démontré que je pouvais embrasser lentement et secrètement. Je me suis arrêtée comme l'araignée qui attend meurtre et profit de son travail délicat. Marc a gémi. Il était mené, il n'avait pas le temps d'apprendre. Il embrassait trop vite et trop gloutonnement, mais chaque maladresse était excès de force. C'est le goût âcre du tabac dans sa bouche qui m'a fait persévérer. Je goûtais au quotidien minable de Marc, je goûtais aux cigarettes qu'il avait fumées. Je le repoussai.

— Mais si! dit-il.

Il caressa mes cheveux mais cette fraîcheur d'affection ne dura pas. Ma main était portée et soulevée. Il la prit et, par rancune, il la couvrit de baisers. Il voulait se mutiler et il voulait me dévorer. De sa main libre, il fit sauter boutons et boutonnières pendant qu'il m'embrassait.

— Touchez!

C'était un ordre. Je frissonnai, j'enfonçai ma main dans l'aine.

— Pas là! Ici! Laissez-vous guider. Mon petit, mon petit...

Il broyait ma main mais il ne se décidait pas. Sa timidité me bouleversait : je l'imaginais attendant la mort; le pantalon déboutonné. Je le pris dans mes bras, ma joue frôla sa tempe.

Il forçait ma main, il se méprenait dès que je devenais sentimentale.

— Je ne veux pas.

— Ce n'est pas dangereux... Faites quelque chose...

Il me guida. La première fois que je pénétrais dans l'intimité d'une lingerie d'homme.

— Faites quelque chose!

Ma main effleurait un amas de tendresse, comme dans le sein d'une femme.

— Vous ne voulez plus?

Je m'étais réfugiée dans mon coin.

— Revenez. Si vous saviez...

Je ramassai mon porte-billets :

— Quel gâchis! Laissez-moi partir.

— Vous ne descendrez pas. C'est trop tard.

Nous avons lutté près de la portière. Nous avons encore vivoté dans notre coin. Le moteur fredonnait dans une rue grimpante. Il dit dans mes cheveux :

— Vous ne savez donc pas que c'est intolérable?

Il faut que je lui paie la soirée et il n'y a qu'une sorte de monnaie.

Sur lui, je cherchai, je tâtonnai, je trouvai. Je touchais la peau fripée, fragile comme une paupière. Je me sauvai mais il me ramena avec autorité. Ce serait bientôt un règlement de comptes. Il se laissa glisser sur la banquette, il s'offrit. J'étouffai mon cri.

46

« C'est la première fois, dis-je.

. . . .

. . . .

— Je suis un salaud, dit-il.

Je ne répondis rien. Je me jetai sur la vitre. Je haïssais sa bouche intacte. J'avais dans la mienne un cheveu dont je ne me débarrassais pas.

Il demanda :

— Je vous ramène chez vous?

— Emmenez-moi à votre hôtel. Dites-lui.

Il saura enfin où il va cet homme.

— Vous ne voulez pas me quitter?

— Je ne sais où aller.

Marc donna de l'air. Le vent salubre est venu par petites touffes, le vent a purifié la ville en se jouant d'elle.

— L'eau Perrier... La menthe... La pâte dentifrice...

— Pourquoi dites-vous cela?

— Pour la fraîcheur.

Un chasseur de boîte de nuit se précipita sur notre taxi.

— Ce n'est que moi, dit Marc. Comment va?

— Excuse. Je vous ai dérangés, dit le chasseur.

Ce jeune athlète en uniforme courut vers une autre voiture. Marc se penchait sur le compteur.

— Nous partageons!

— Vous ne paierez pas quand je suis avec vous. Oui, les principes, toujours les mêmes principes, dit-il.

Deux femmes avec un homme entre elles montèrent dans notre taxi. L'homme ramassa une pièce d'un franc sur le tapis, il ne sut qu'en faire. Notre taxi avait disparu.

— On ne va pas dans votre chambre?

— Allons prendre un cordial, dit-il.

Il croyait qu'un cordial pourrait faire passer le cheveu.

— Encore boire...

— Se remettre, dit-il.

Nous nous entendions mal dans le bruit des klaxons.

— Je vous demande une minute. Je veux voir comment Jo se débrouille.

Le chasseur emmenait des clients. Il souleva pour eux la portière en velours d'une boîte de nuit.

— Vous le connaissez?

— ...

— Je vous parle...

Marc s'était mis sur la pointe des pieds pour voir entre les automobiles le chasseur qui ressortait de la boîte.

— Vous le connaissez?

— ...

J'ai eu ça dans ma bouche et ça ne daigne pas me répondre.

Le chasseur se promenait sur le trottoir.

J'étais seule et je faisais bande à part. J'ai tourné les talons. Marc courut derrière moi :

— Vous me quittez?

— Oui puisque vous êtes ailleurs. Je vous demandais si vous le connaissiez.

— Qui?

Sa question fut sincère. Le chasseur l'absorbait.

Son visage s'éclaira :

— C'est un petit gars qui se débrouille bien.

Les petits gars de Montmartre, des pralines, fondaient sur la langue de Marc.

— Ne partez pas...

Ses yeux brillaient dès qu'il se tourmentait.

— Allons boire. Ne vous raidissez pas.

Nous allions dans la rue illuminée, chargés de notre défaite, fermés de toutes parts.

Il joue au grand frère. C'est louche, c'est irréprochable.

— Ce que vous êtes pensive, dit-il.

Nous avons bu le cordial à un comptoir où venaient se rafraîchir des marchandes de fleurs, des entremetteurs, des prostituées. Tous se taisaient.

— Écoutez, Thérèse... je n'ai qu'un lit. Il est étroit.

— Montons, nous verrons.

— Vous voulez?

Il avala un autre cordial d'une seule gorgée.

Il prit ma main qu'il crut consentante puis il douta. Marc était un martyr sans bornes qui avait la nostalgie des coups.

Il me poussa hors du café. Il me montra son hôtel. Il n'y avait eu que la chaussée à traverser.

J'étais dans l'escalier de son hôtel coquet, éveillé.

— Marc, Marc...

C'était une fille bleu pervenche qui sortait d'une chambre qui l'appelait ainsi.

— Comment va? lui dit-il.

— J'ai la flemme, mais il faut chasser, dit-elle.

Je me mis à l'écart.

— Vous n'êtes pas de trop, me dit la demoiselle.

On voyait le brun mystérieux, la pointe des seins dans les trous de la broderie anglaise.

— J'aime bien Marc, dit-elle.

Elle s'arrêtait entre chaque mot, elle palpait les marguerites qu'elle avait aux oreilles.

— ... On peut tout lui raconter. Il comprend. Je me sauve.

— Boulot-boulot! dit Marc.

Il riait.

Le bruit des hauts talons de la demoiselle dans la rue ressemblait au bruit boiteux des échasses.

— Montons, dit Marc.

D'étage en étage, nous traversions le parfum barbare de la chasseresse.

— Elle est belle, dis-je.

Un saxophoniste enfermé dans une chambre modulait sur le velouté de la nuit.

— Comme elle est belle, comme elle est simple... Quelles fines attaches elle a! Porter des souliers bleu pâle aux aurores... C'est la première fois qu'une...

— Qu'une fille vous parle! dit-il.

— Pourquoi dites-vous ce que je ne voulais pas dire? C'est une belle demoiselle.

— Pas de clef. Il faut que je redescende.

— Ne partez pas! Cette demoiselle. Est-ce que vous couchez avec elle?

— Elle habite l'hôtel. C'est commode. Laissez-moi prendre la clef au tableau.

— Est-ce que vous la payez?

— Elle ne veut pas que je la paie.

— Est-ce que vous lui demandez ce que vous m'avez demandé dans le taxi?

— Ah non! Avec elle c'est simple. Je la prends et je la laisse.

— Elle vous aime?

— Je n'ai pas besoin qu'on m'aime.

— Qu'est-ce qui vous attriste?

— De parler de cela avec vous, dit Marc.

— Je ne suis pas une femme.

— C'est vrai. Vous n'en êtes pas tout à fait une.

Il descendit avec une cigarette.

C'est un homme. Le mouvement le régénère.

— Entrez vite dans mon trou, dit-il quand il fut revenu.

— C'est votre fenêtre? Qu'est-ce que c'est?

— L'aération, dit-il.

C'était plutôt sur le mur, au fond de la chambre, une grande reprise avec du fil d'or.

— Elle n'est pas ordinaire, votre chambre.

Il sourit, il me montra sa dent effrontée. Marc vidait ses poches, il jetait ses vieux journaux à terre, il était bien chez lui.

— Vous vous servez d'un prie-Dieu?

— Je l'ai trouvé quand je suis arrivé ici.

— On étouffe dans votre chambre.

— On me la loue au rabais. Ce n'est pas ce qu'il y a de mieux dans l'hôtel. Enlevez votre imperméable.

Il voulut m'aider, il m'effraya.

— Otez-le, vous n'étoufferez pas, dit-il.

On ne faisait pas son lit. Les traces de rouge à lèvres sur les draps étaient sans doute celles de la beauté bleu pâle que nous avions rencontrée. Ce désordre amoureux m'angoissait. Avec elle c'était simple. Elle tombait sur le grabat, elle ouvrait les jambes, il la prenait, il la laissait.

— Pourquoi reculez-vous jusqu'au grillage? Vous vous êtes fait mal. Vous vous êtes donné un coup à la tête. Enlevez votre imperméable.

— Oui. Oui.

— J'aurais dû vous prendre une autre chambre... Vous avez voulu venir.

— Je l'ai voulu, dis-je.

J'ai vu dans un coin de la chambre l'escabeau, les balais, l'aspirateur, les chiffons.

— Oui, dit-il. C'est le débarras. Le gérant ne m'aurait pas accordé un aussi gros rabais...

— Ne vous excusez pas, dis-je.

— Ça ne vous choque pas?

Sa voix muait, son complet usé adhérait à la chambre comme la peau au squelette.

— Je vous demande pardon pour le taxi.

— Oh! n'en parlons plus, c'est fini.

— Vous m'en voulez?

— N'en parlons plus.

Il se jeta à mes genoux.

— Tenez-vous.

— Je vous demande pardon, dit-il.

Il avait son visage de martyr.

Mon cœur battait dans du marbre. C'est un châtiment lointain de ne pas aimer qui vous aime. Une loque qui ne me réchauffait pas couvrait mes pieds. Je répétai :

— Relevez-vous.

Il se leva. Une larme coulait sur sa joue.

— Je vous demande pardon pour ce que j'ai fait dans le taxi...

Marc était enlisé dans l'humilité. Il est encore tombé à genoux.

Ma main qui s'ennuyait caressait rêveusement sa tête. Marc frissonna :

— Thérèse... J'ai deviné, j'ai tout deviné.

— Qu'est-ce que vous avez deviné?

— Vous... C'est le premier homme.

— Vous avez bien deviné. C'est le premier homme.

Il serra mes chevilles de toutes ses forces. L'idée qu'il me remerciait m'effleura. Marc se mit à songer par bribes à haute voix :

— Le premier... Bien sûr le premier... Pourquoi...

Il serra encore mes jambes :

— Vous n'êtes pas de bois et vous n'aimez pas les hommes en particulier.

— Je les aime, je les aime...

Je le dis très vite parce que je me demandais si je mentais ou non. Je ne savais plus.

Je fourrageais dans les cheveux de Marc. Le parfum de sa brillantine les féminisait. Des yeux moqueurs dans les trous du grillage me demandaient ce que je ferais de Marc.

— C'est la première fois. Pourquoi?

— Elle s'appelait Isabelle, dis-je.

Il mit sa tête dans ses mains comme si, moi, je le confessais.

— Il ne faut pas être triste, dis-je doucement.

— Je vous ai questionnée, je n'aurais pas dû, dit-il avec difficulté.

Marc m'offrit ses yeux rouges, ses cheveux défaits, sa cravate glissée sur un côté. Sa mise négligée, sa mine défaite me bouleversèrent.

Mes entrailles vaguement intéressées se rendormirent. Il me tendait la main pour l'amitié.

— Plus tard, dis-je.

J'étais une sœur de charité qui désire égarer sa main sous le drap du blessé et j'avais près de moi un jeune homme de seize ans qui vérifiait sa virilité avec des doigts qu'il passait et repassait dans ses cheveux.

— Parlez-moi d'elle... J'ai besoin de savoir, dit-il.

Son visage s'illumina.

— Étendons-nous. Vous devez être fatiguée. Ayez confiance.

Il s'exaltait, ses pommettes rosissaient. Marc avait la fièvre. Le sacrifice est une maladie pernicieuse. Tant pis pour lui, me suis-je dit, en voyant battre le cœur de la tourterelle affolée. Tant pis. Il faut que chacun se débrouille seul. Marc avait mis entre nous un cendrier qui ressemblait à une sirène verte.

— Parlez-moi d'elle... mon petit bonhomme... Si vous saviez...

Sa main dans la mienne était une sangsue.

— Est-ce que vous vivez ensemble? Est-ce qu'elle est à Paris?

— Je l'ai perdue.

Marc s'accouda sur l'oreiller :

— Morte?

— Disparue.

— Mon pauvre petit... Où l'aviez-vous connue?

— Nous étions au collège... Ma mère m'a reprise. J'ai été séparée d'Isabelle.

— Vous l'aimiez ou bien c'était elle?

Je n'ai pas répondu tout de suite. J'ai éteint.

— J'aimais. On m'aimait.

— Est-ce que c'était... platonique?

Il profitait de l'obscurité. J'ai allumé. Marc s'est tourné sur le ventre.

— Ce n'était pas platonique. Nous avons été séparées. Je lui ai écrit, j'ai écrit aux externes, j'ai écrit aux surveillantes, aux professeurs. Je ne vivais que pour les facteurs, le courrier pendant des semaines, des mois...

— Et puis?

— Mes lettres me revenaient. Je ne saurai jamais.

— En somme vous êtes libre, en somme vous n'avez personne.

— J'ai Cécile.

— Non, n'éteignez pas. C'est plus que je ne peux, dit-il.

Marc cherchait ma main :

— Qui est-ce, Cécile?

— Elle était surveillante dans le collège. Elle

faisait beaucoup de musique. Elle a raté le Convervatoire et elle est devenue institutrice. Quand elle jouait, je l'écoutais pendant les récréations.

— Par elle, vous n'avez pas eu des nouvelles de votre amie?

— Cécile était surveillante d'externat. Elle ne faisait pas attention à nous. Je l'ai reconnue dans un concert à Paris. Je l'ai questionnée. Elle ne se souvenait même pas du nom d'Isabelle. Nous étions plus de trois cents internes. J'ai revu Cécile dans une autre salle de concert... Je découpais pour elle des articles sur la musique, je lui prêtais des livres que je lui envoyais par la poste. Elle n'est plus au collège. Elle est institutrice. Elle a été nommée dans un village à trois cents kilomètres de Paris. Mais elle se rapprochera. Elle a une maison. J'y vais chaque samedi, chaque dimanche. Elle aura sa nomination, nous habiterons dans un pavillon. Je vais la voir là-bas...

— Vous n'y étiez pas hier. Pourquoi n'y étiez-vous pas hier?

— Question d'argent.

Marc quitta le lit avec résolution. Il alluma, il desserra sa cravate qu'il lança sur la pile de journaux. Il ouvrait sa chemise, il s'offrait au grand large. Il but trois verres d'eau en se peignant. Il revivait comme s'il était seul dans sa chambre.

— Vous irez, Thérèse, vous irez samedi. Je

vous donnerai ce que j'ai, je vous donnerai tout ce que j'aurai. Vous irez, je vous le promets.

Il fit des projets dans ma main, il me posa des questions précises sur le village, sur la gare. Il commença de rouler une cigarette avec des doigts méticuleux de célibataire.

— C'est un homme, me dis-je, il ne fait qu'une chose à la fois. Un homme. Quelqu'un qui met son innocence dans ses actes.

Tout à coup il se déshabilla en terrassier brisé.

— Cachez-vous, dit-il.

Je trichais et j'épiais comme j'aurais épié une actrice dans sa loge. Il dégrafa son pantalon :

— Je maigris. Mes vêtements me quittent.

Il se parlait, il se dorlotait.

— Éteignez une minute, dit-il.

Je ne lui ai pas obéi.

La nuit n'aurait pas cet homme mal foutu : ma Vénus sortant des galets du Tréport.

Marc à moitié déshabillé attirait le supplice. De tendres épaules, des avant-bras de femme-enfant. Il regarda de mon côté avec méfiance, il crut que je ne le voyais pas, mes bras autour de ma tête le rassuraient. Il avait à chaque pied des cicatrices, la marque bleue de souliers bon marché. Marc ramassa ses vieilles misères éparpillées. L'aiguille de pin bouffie de puissance oscillait, frappait et refrappait l'air vicié de la chambre, se cognait aux points cardinaux, divaguait de pesanteur. Marc avançait avec son sceptre bistre. Il enleva le couvre-lit sur lequel je m'étais recroquevillée, il le secoua, il s'enveloppa dans sa literie.

— Maintenant, vous pouvez regarder.

Nous avons ri à cause de cette fausse danseuse au visage d'homme, drapée dans l'étoffe gaufrée. Il fermait le couvre-lit avec des épingles, il épinglait avec l'agilité d'un couturier. Il ramassa son pantalon, il mit les jambes l'une sur l'autre, il vérifia et pinça le pli avec l'ongle.

— Levez-vous. Mon pantalon, c'est sacré.

Il le tenait avec conviction sur son bras. Marc souleva le matelas, il allongea le pantalon sur le sommier : le matelas retomba.

— J'aime qu'un pli soit un pli.

Ce fut sans réplique.

Il se regarda dans la glace :

— Quelle barbe!

Il la flattait avec le revers de la main.

— Marc...

— Vous voulez que je me rase?

— Non, ne vous rasez pas. J'ai triché tout à l'heure. Je vous ai vu.

— Nu?

Il monta sur le lit avec son châle enroulé autour du corps.

— Oui : nu.

Il se laissa tomber.

— Que voulez-vous qu'on y fasse? Un homme c'est un homme.

Il se mit au lit avec son travesti.

— Déshabillez-vous, dit-il. Vous devez être fatiguée. Je me tourne du côté du mur. Moi, je ne tricherai pas.

J'éteignis, j'ôtai ma jupe, mes souliers, je m'allongeai près de lui.

Marc geignait, il palpait la manche de mon corsage :

— Mon pauvre petit bonhomme... Comme vous avez tort d'avoir peur. Venez donc vous reposer...

Il trouva ma main qu'il emmena comme dans le taxi. Il appuyait un vieux coussin déchiré dessus : le sexe était reparti dans les limbes.

— Dites quelque chose, dites que vous me pardonnez.

Ses litanies me révoltaient. Je n'osais pas lui expliquer que pardonner c'est ternir ce qui n'est plus.

— Enlevez ce couvre-lit!

Il maintenait à deux mains l'emplâtre sur son ventre.

— C'est horrible. Enlevez ce coussin!

Il se tourna de mon côté :

— Vous voulez?

Il s'offrit, il attendit dans l'obscurité. Un moment j'hésitai.

Je ne peux pas. Je me veux jeune fille jusqu'à la fin, je me veux séparée d'eux, je me veux hors d'atteinte. Je ne veux pas qu'ils entrent dans mon trésor. Quand Cécile sera partie je serai seule, j'irai avec ma pieuvre assoupie dans mes entrailles, j'entrerai dans l'eau, je marcherai au-devant des vagues qui me creuseront et me prendront. Je ne veux pas me joindre au troupeau, je ne veux pas me perdre, je ne veux pas m'oublier, je ne veux pas être leur carpette. Je m'aime jeune fille. Je veux être une tombe surplombant la mer. Une vierge d'ébène en moi veille. Je veux être honnête avec elle.

Il guette, il espère, il pense que je calcule et nous nous devinons avec nos nerfs. Je serre sa main, je me trahis par compassion pour lui. Si je cédais par amour des blessures cicatrisées qu'il a aux pieds... J'ai une sueur froide. Je frissonne mais je ne faiblis pas. J'aime bien lui donner la main pour l'assagir. Je ne céderai pas. Je ne veux pas que le calendrier me tyrannise le mois prochain. « Pas de ça. Il ne te faut pas de ça. » A vos ordres, ma mère. J'ai eu un enfant : j'ai eu Isabelle qui m'a faite femme. Mon enfant, c'était elle. Marc espère jusqu'à la dernière limite et moi je nargue d'avance la croix que j'ai tracée à côté du vingt-trois. Marc calcule la prise, son corps ne comprend pas, Marc se traîne dans le lit. J'ai peur. Je referai ce que j'ai fait dans le cinéma. Qu'ai-je fait? J'ai offert une cigarette beaucoup plus bas que la bouche. Je veux bien mourir mais je ne veux pas reproduire. Il comprendrait si je l'expliquais mais c'est inexplicable : c'est moi-même. Il rampe dans le lit. Je tousse pour l'éloigner. Il s'éloigne, il évite de me frôler. Il se retient et je suis coupable. Sa joue est triste, sa joue me griffe l'épaule. J'étouffe à cause du désespoir dans la chair de Marc. Je respire l'air des bêtes massives qui ne parviennent pas à mettre bas.

Une larme de Marc tomba dans mon cou.

— Vous ne voulez pas?

— Non, je ne veux pas, dis-je.

Mes doigts glissèrent sur les yeux, sur les cils humides.

— Il y a des hommes qui vous tueraient, dit-il.

— Écoutez, Marc... Faites-le vous-même.

— Allez chercher la loque de satin dans le tiroir de la table de toilette.

Je lui donnai la loque de satin.

. . . .
. . . .

— Mon pauvre petiot qui n'a rien eu...

Il me tutoyait : il me changeait en pauvresse qui a trouvé une fortune en peau de lapin dans une poubelle.

— Je suis flapi.

Sa tête tomba sur mon épaule. Je remuais, je me sentais frustrée.

— Vous êtes bien loin, dit-il.

Comme lui, je confondais sa fatigue et son délassement avec la béatitude. Je me sentis intacte, je lui en voulus.

— C'est comment? Marc... Marc... C'est comment?

La chambre redevenait nulle. Marc réfléchissait ou bien il s'endormait.

— C'est un déchirement, dit-il.

Ce que j'avais imaginé disparut dans une bourrasque.

— Et après, et après?

— Vous ne voulez pas fumer? dit-il.

— Je ne veux pas. Et après?

— Je vous l'ai dit : un déchirement.

Il dormait.

J'écoutais la respiration du juste.

Je quittai l'hôtel avec timidité, à huit heures du matin. La nuit dans mes cheveux, dans les pores de ma peau ne finissait pas. Tous dormaient dans les chambres. Les bruits du dehors, le son des klaxons me révélaient dans les étages que la ville avait bien dormi, qu'elle ne perdait pas son temps. Je baissai les yeux derrière une épaisse voilette de femme adultère, j'évitai la porte vitrée du bureau de l'hôtel. La politesse désuète d'une vieille femme qui lavait le carrelage, qui s'effaça dans l'entrée, m'effaroucha. J'étais dans la rue, j'avais sur ma joue la fraîcheur du gant de toilette de Cécile enseignant dans un village, se levant à sept heures, se nettoyant dans une chambre non chauffée, à côté de la cendre froide dans le poêle. Les établissements de nuit se reposaient entre des magasins bien éveillés. Au grand jour, les enseignes avec leurs ampoules blanches et opaques étaient des enseignes mortes. Les éboueurs avaient vidé les poubelles de la rue Pigalle. Marc se fichait du jour, Marc dormait dans sa chambre-débarras, à la cime de la crasse et du calfeutrage, Marc grandissait, Marc n'était pas un esclave du quotidien. J'enfournai ma personne dans un wagon du métro, je lus, hébétée, les manchettes des journaux pardessus l'épaule des voyageurs. Des hommes et des femmes s'étaient entre-tués la nuit, pendant que le taxi nous avait emmenés.

J'avais découché : j'hésitai devant leur porte. Ma clef de noctambule fit trop de bruit. Je me glissai dans la salle à manger. Son mari n'était plus là.

— C'est toi? Tu n'es pas parti?
— Ce n'est pas lui. C'est moi qui rentre, dis-je.

Mon bol à ma place habituelle me découragea.

Ma mère se levait à neuf heures, mais avant, elle écoutait de son lit, dans l'obscurité des doubles rideaux, les allées et venues de ceux qui déjeu-

naient, qui se préparaient, qui partaient. Elle était
sur la brèche à peine l'œil ouvert.

Je me risquai dans sa chambre. Leur haleine
sentait le lait suri, leur nuit poissait. Leurs huit
heures de sommeil me soulevèrent le cœur.

Je tâtonnai autour du lit :

— Tu boudes?

— ...

— Tu ne veux plus me parler?

— ...

— Tu veux dormir?

— ...

— Tu ne te demandais pas ce que j'étais devenue?

Je cherchai sa joue dans la masse de cheveux, je
trouvai les rides précieuses, la peau affinée autour
de l'œil. Je ne l'embrassais plus entre les bonjour
et les bonsoir depuis que j'avais quitté le collège.
Ce matin-là, je l'aurais couverte de baisers parce
que je l'avais retrouvée.

— Dis-moi que c'est comme si j'arrivais d'Auvigny. Tu peux me croire : c'est comme si j'arrivais d'Auvigny.

Ma mère mit le drap sur sa tête. Elle me faisait
de la peine. Ma mère en se cachant devenait plus
importante. Je fixais l'oreiller et, sur cet oreiller,
une forêt, comme une petite ombrelle de papier,
s'était repliée.

— J'accours, je monte plus vite que l'ascenseur, je me dis je vais la revoir... Et tu fais la tête! Si tu préfères que je m'en aille...

Elle se fait désirer mais je ne la supplierai pas. Je prendrai mon gant de crin, je me frictionnerai, je cracherai le dentifrice.

— Je m'en vais : tu boudes. Est-ce que je peux déjeuner?

— ...

J'entrouvris la porte, je simulai un départ pour l'effrayer, comme si elle était mon bébé. Je revins près de son lit :

— Tu rumines?

Leur femme de ménage nettoyait le tapis de leur salle à manger avec l'aspirateur. Il y avait une âme plaintive dans l'appareil.

— Tu ne veux pas me répondre? Tu étouffes sous le drap.

— Cette fois, je m'en vais. Au lieu de se dire bonjour, au lieu de s'embrasser!

Je ne pouvais pas m'arracher de son lit.

Leur femme de ménage enleva la prise, ma mère rejeta le drap, la plainte de l'aspirateur finit toute souplesse. J'allumai. Ma mère avait son visage orageux des mauvais jours.

— Elle vous tourmente et quand elle revient ce sont des menaces!

Ma mère ferma les yeux, elle hocha la tête.

— Je ne t'ai pas tourmentée.

— Tu oses! dit-elle.

66

Elle renversa la tête, elle soupira.

— D'où viens-tu?

Elle s'était assise dans le lit, elle aurait froid.

Maintenant elle me fixe. C'est mon juge et c'est mon avocat. Je vois ce que je lui ai fait de minuit à neuf heures du matin.

— Je te défends de regarder ainsi ta mère!

Je la regarde avec bonté, mais elle ne veut pas.

— Je vieillis, je le sais.

J'avais huit ans lorsque je l'ai demandée en mariage, mais elle a refusé. Sur ma rétine, elle sera toujours la fiancée.

— D'où viens-tu? Ne prends pas cet air hébété.

— Je viens de Montmartre. Tu connais Montmartre? C'est sinistre. On est mieux chez soi.

— Mieux chez soi! C'est hier qu'il aurait fallu le dire. Elle a une chambre, un bon lit, des livres...

— Ce n'est pas tout au monde.

— Tu aimes lire. Les livres devraient te suffire.

— Tu sais bien que non! Tu sais bien que ce n'est pas vrai.

Il y eut un silence prometteur. J'espérais que nous allions nous réconcilier mais elle me fixait.

— Tu t'es vue?

— Je pense que j'ai besoin de me reposer. Ce soir je me coucherai tôt, ce soir je ne te quitterai pas. Si j'étais une vraie noctambule, je dormirais toute la journée et je recommencerais.

J'ai ri sans gaieté.

« Toi recommencer, tu n'en serais pas capable », me disait l'œil dur.

— Noc-tam-bu-le, reprit-elle avec dédain. Et puis crie moins fort. La brave Flore n'a pas besoin d'entendre. Elle se couche tôt et elle se lève tôt, elle. Approche, approche, dit ma mère comme si elle eût voulu m'apprivoiser.

Le grand jeu commençait. Je m'approchai de mon tarot le plus cher : le lit Borelly avec ma Catherine de Médicis dedans.

— Ce que tu as pu me tourmenter! dit-elle.

Ce tragique confidentiel me vieillissait. Je me demandais si je l'avais tourmentée pendant un demi-siècle.

— Tu m'as gâché ma soirée. Nous sommes sortis, nous avons dîné à la Lorraine. Plus de vingt fois il m'a demandé à quoi je pensais. J'avais le pressentiment qu'il t'arriverait quelque chose.

— Tu avais tort. Il n'est rien arrivé.

— Je ne te crois pas. Toute une nuit dehors...

— Je me suis promenée comme tu t'es promenée avec ton mari.

— C'est impossible, dit-elle. Toi tu ne t'es pas promenée avec ça à tes trousses. Tu pourrais être si libre, si heureuse! Est-ce que tu t'es vue? Tu es décomposée. Deux nuits comme celle-ci et je deviendrai folle!

— Mais qu'est-ce que je t'ai donc fait, cette nuit?

— Je t'ai vue morte, dit-elle.

Ma mère tourna la tête du côté de sa pendule Directoire :

— Je n'ai pas fermé l'œil.

— C'est que tu l'as voulu.

— Une mère, en quoi crois-tu que c'est fait? En marbre? Être mère… Je ne le souhaite à personne au monde. C'est un calvaire.

— Qu'est-ce que tu me reproches? D'avoir prolongé la soirée un peu plus que d'habitude?

— Un peu plus!

— Toi, dans ta chambre, tu as de la société.

— Et toi, tu as Auvigny, dit-elle, et tu ne peux rien répondre à cela.

— Hier, je n'avais pas Auvigny, hier je n'avais pas d'argent, hier je n'avais rien, hier j'étais seule sur les Boulevards.

— Tu es une touche-à-tout, dit ma mère.

— Qu'est-ce que tu en sais?

— Tu n'as pas traîné toute une nuit sans quelqu'un. On verra la suite! dit-elle à ses mains jointes.

— J'ai écouté un clarinettiste. Je ne vois pas où est le mal. J'ai écouté un clarinettiste à se mettre à genoux devant lui. De la moelle, maman.

— Innocente! dit-elle à un berger d'Arcadie que reflétait le miroir en face de son lit.

— Tu veux bien que je t'embrasse? Tu veux?

— Les baisers ne signifient rien, dit ma mère.

Mes doigts bredouillèrent des excuses autour de mes joues. Je m'emportai :

— Tu veux te ronger. Ronge-toi!

La bise était revenue. L'aspirateur aspirait la poussière de leur vestibule.

— On n'écoute pas toute une nuit... Comment appelles-tu ça?

Ma mère me le demandait du haut de sa tour de garde. Pourquoi ne suis-je pas toréador? Elle me lancerait son gant de chevreau.

— Je te parle! Comment appelles-tu ça?

J'ai honte d'en savoir un peu plus qu'elle. Je veux que ses lacunes me changent en analphabète.

— Il jouait dans le vieux style, dis-je tout bas.

— Il n'a pas joué pendant dix-huit heures.

— Pourquoi dix-huit heures?

— C'est tout le temps que tu as été partie, dit-elle.

Je posai ma main reconnaissante sur son épaule en crêpe de Chine saumon. Des petits pois blancs brouillaient l'étoffe. Ma mère sursauta :

— Ne m'approche pas! Tu sens l'homme.

— Ta chambre aussi sent l'homme.

— Me parler ainsi!

— Je te parle d'égale à égale. Il me semble que si j'avais une fille, je...

— Ne cherche pas. Tu n'en auras pas.

— Tu voudrais que je m'enferme dans ma

chambre pendant que tu te promènes avec lui?
C'est cela, que tu voudrais.

— Je veux que tu sois sage, dit-elle.

Je m'assis sur son bel édredon. Ma mère prenait
de l'âge. Je le voyais dès qu'elle ne me disait plus :
« Est-ce que je vieillis? » mais si elle me le demandait, je souffrais tant de son anxiété que je
voulais la rajeunir et que je la rajeunissais. Elle
vieillissait. C'était surprenant. J'eus un élan de
reconnaissance pour ses épaules tombantes qui ne
changeaient pas. La courbe et la nonchalance
bravaient les années.

— Il ne faut pas m'en vouloir, dis-je, il ne faut
pas. J'ai exagéré mais je ne t'ai pas oubliée. J'entendais ce que tu m'avais dit. Oh! je ne me suis pas
laissé faire.

Ma mère se réservait. Elle m'écoutait sans indulgence.

— C'est pour toi que j'ai été raisonnable. Je
montais les étages plus vite que l'ascenseur, je me
disais : « Elle sera fière de moi. »

— Elle découche et elle vous dit : « J'ai été
raisonnable, j'ai été sage... » Il y a des moments
où l'on se demande si elle a tout.

— J'ai tout.

Ma mère m'étudiait. A quoi bon me confesser
puisqu'elle passerait ma confession au crible.

— Si tu m'avais vue raccourant dans le métro
pour te dire qu'il ne m'était rien arrivé... J'avais

des ailes. Je me disais : « Comme elle sera contente... » Je le reconnais : les apparences sont trompeuses.

— Les apparences ne sont pas trompeuses. Cette nuit, tu traînais.

Ma mère travaillait contre elle en me disant cela. Elle gravait mon premier souvenir de la nuit

— Avec qui as-tu traîné?

— Je n'ai pas traîné. On m'a invitée. J'ai dîné au restaurant, je suis allée dans des endroits publics.

— Avant que l'on t'invite, on t'a accostée comme on accoste... Je préfère ne pas le dire. C'est pour voir cela que je me suis sacrifiée.

— C'est faux! Si quelqu'un a été sacrifié, c'est moi! Si je te dis que j'ai traîné tout l'après-midi, toute la soirée, toute la nuit pour oublier, tu me croiras?

— Pour oublier quoi? dit ma mère avec une grossièreté affectée.

— Que le dimanche et que les autres jours je suis de trop entre toi et lui.

— Jalouse!

— Je ne peux pas passer ma vie à t'attendre dans ma chambre. Il faut que je sois toujours là quand tu pars et quand tu reviens. Je suis sortie. Je n'ai pas commis un crime!

— Tu as tourmenté ta mère toute une nuit, tu l'as fait mourir à petit feu.

72

Une série de hasards malheureux me firent rencontrer son verre d'eau sur la table de nuit. C'était funèbre. Ce verre d'eau réclamait la branche de buis. Moi aussi je la voyais morte, morte avec sa cicatrice au front, avec ses cils drus, avec sa bouche. sans bassesse. Elle mourra. Je ne m'y habitue pas. Je me dis elle mourra : je frissonne. C'est un grand moment d'amour.

Elle vivait et elle réfléchissait.

— A quoi penses-tu? dis-je avec reconnaissance.

— Qu'il était trois heures dix quand tu as disparu.

— Tu savais qu'il était trois heures dix quand je suis partie en claquant la porte!

— Rien ne m'échappe.

Nous sommes exigeants. J'avais beau me répéter que mes départs étaient marqués en rouge sang sur le cadran de sa montre, j'avais dans la tête le parloir où je l'attendrais toujours, où elle ne venait jamais depuis qu'elle s'était mariée.

— J'ai défait ton lit. C'est pour la forme. Flore fera ta chambre, Flore n'a pas besoin de savoir, dit-elle.

— Que tu es bonne...

Je pris sa belle main martelée comme un visage du Moyen Age, mais elle me la reprit avant que je puisse mettre genou en terre.

— Tous les assassinats dans les journaux me

revenaient. Je te voyais étranglée, emprisonnée. Regarde-toi : tu es livide.

— Je ne reviens pas de la morgue! Tout cela parce que je ne veillais pas dans ma chambre lorsque tu es rentrée avec lui! dis-je.

Ma mère baissa la tête, elle appuya son front sur ses mains jointes, elle se recueillit.

— J'aurai tout vu, j'aurai tout entendu, dit-elle sans élever la voix.

Je m'approchai, je remis avec deux doigts immatériels la barrette de soie qui avait glissé de son épaule.

Ma mère leva la tête :

— Tu ne sais pas ce que c'est pour une mère. Si tu savais ce qu'il se passe dans une mère! Si tu savais ce que peut endurer une mère!

— Tu t'es mariée, tu as de bons moments. Je ne découche pas tous les jours.

— Je le saurai que je suis mariée! dit-elle avec colère. Ça voit loin une mère, ça réfléchit une mère!

J'en avais par-dessus la tête. Le vent d'hiver recommençait dans leur salle à manger avec ses plaintes fortes et ses plaintes faibles.

— Sais-tu d'où vient ta peur? dis-je.

— D'où vient-elle? dit ma mère.

— Tu as la frousse que j'en devienne une!

— Je ne comprends pas. Achève, dit-elle. Que tu deviennes quoi?

Elle avait compris, mais elle se faisait humble.

— Une mère! Que je devienne comme les autres, que je sois comme les autres...

— Je n'ai pas changé d'avis. Je ne changerai jamais d'avis, dit-elle. Tu n'en auras pas. Je te prie de ne pas donner des coups de pied au lit.

— Tu as voulu ressembler aux autres et tu y es parvenue, dis-je. A moi, tu me l'interdis.

— Je te prie de ne pas élever la voix. Je ne veux pas de scandale, dit-elle.

J'éteignis pour avoir le dernier mot.

— Je te portais et je me disais : « Si c'est une fille, ce ne sera pas une esclave! »

J'allumai :

— Ne me fixe pas comme ça!

— J'ai le droit, dit-elle.

— Ne me fixe pas comme ça! Je n'ai rien fait la nuit dernière. Je n'ai pas roulé, je n'ai pas traîné.

Je voulais tout lui donner : mon cœur se crispait.

— J'ai écouté un clarinettiste, qui jouait dans le vieux style. J'ai écouté un clarinettiste...

J'éteignais, j'allumais, j'éteignais, j'allumais. Elle veut me prendre ce dessinateur à la terrasse des cafés comme elle m'a pris Isabelle. Elle prend, elle supprime : c'est infaillible, c'est irrésistible.

— Je m'en irai, je m'en irai le plus vite possible, dis-je dans l'obscurité.

Il m'appellera bonhomme dans un hôtel de passe et le règne d'une mère finira.

— Écoute!

— Qu'est-ce que je dois écouter? dit-elle avec tristesse.

C'était trop tard. La dernière chambre dans cet hôtel venait d'être louée.

Le vent d'hiver dans l'aspirateur fut désespérant.

— Donne de la lumière, dit-elle.

Je vais lui dire : « Moi, c'est dans la bouche... moi, c'est ainsi que cela a commencé... »

Là-bas, dans leur salle à manger, la vieille Flore parlait toute seule. Je n'ai rien dit.

J'allumai. Je me remerciais de ne lui avoir rien raconté.

— Tu m'a donné mal à la tête, dit ma mère.

Je pris son dé à coudre sur la table de nuit, mais il était trop grand. Mon doigt se perdait dans la tombe de ma mère morte d'un mal de tête, d'un mal que je lui avais donné. Je remis le dé à la même place.

— Je m'en irai. Je ne te tourmenterai plus...

— Tu feras ce que tu voudras du moment que tu n'attrapes pas de ça! Tu ne peux pas laisser ces beaux merles tranquilles? dit ma mère.

Je courus à la fenêtre, j'ouvris les rideaux. La soie de leur chambre à coucher n'avait plus de valeur. Cette loque de satin que j'avais cherchée

pour Marc devenait le pansement radieux des solitaires qui s'aiment. Je m'assis près de la fenêtre.
Ma mère faisait claquer ses ongles.

Elle ne me pose pas de questions précises. Il
dort dans son débarras, il est seul. Elle est autori-
taire, mais elle n'est pas mesquine. Il dort tout son
soûl au dernier étage de son hôtel à Montmartre.
Elle m'en détourne mais elle ne tripote pas les
petites questions malsaines. J'aime l'odeur fanée
de son tabac dans mes cheveux. Il n'aurait pas
plongé dans ma bouche si je n'avais pas été entre-
prenante.

— Tu ne me demandes pas ce que j'ai fait
hier... On m'a suivie, dis-je.

— Un homme?

— Un homme. C'est avec lui que je suis allée à
Montmartre.

— Tu ne te disais pas : je torture ma mère?

— Je ne me disais rien. Ce n'était pas aussi gai
qu'on pourrait le croire.

La vieille Flore laissa tomber l'aspirateur,
l'étui, les fils, la prise devant la chambre de ma
mère.

— Quand ils veulent prendre un taxi, il ne faut
pas les suivre, dit-elle.

— Je n'ai plus deux ans.

— Si, ma petite fille. Tu ne seras jamais rou-
blarde. Pas gai. Tu as dit pas gai. Qu'est-ce qui est
arrivé? Il ne faut plus recommencer, Thérèse. Ce

sont des ordures. Elle fait ta chambre. Elle le
verra à la cuvette que tu étais sortie.

Ma mère écoutait :

— Il s'est bien tenu? dit-elle en prêtant
l'oreille.

On se demandait ce que Flore complotait dans
ma chambre. On ne l'entendait plus.

— Il m'a fait du genou sous la table.

— C'est banal, dit ma mère. Moi j'imaginais
que j'entendais ta respiration à travers le mur
comme je l'entends les autres nuits mais j'avais
beau écouter... Tu m'avais oubliée.

— Parle encore.

— Parle aussi, dit-elle. Je ne m'endors jamais
avant d'entendre ta clef. J'ai guetté les taxis toute
la nuit, je suis allée voir, j'ai cru que j'avais mis la
chaîne et que tu ne pourrais pas rentrer. J'ai ouvert, j'ai regardé sur le palier. Je m'étais mis dans
la tête que je te verrais couchée sur le tapis-
brosse. Tu m'en donnes des battements de
cœur!

Ma mère ferma les yeux. Je lui pris la main :

— Je te comprends, dis-je, mais je ne peux pas
m'enfermer toute ma vie dans une chambre à côté
de la tienne. Tu sors avec lui, tu te promènes avec
lui... C'est loin Auvigny, c'est coûteux. Pourquoi
n'aurais-je pas un camarade? Tu ne te dirais plus
que je suis seule le dimanche soir. Je ne traînerais
plus.

Ma mère allongea ses mains sur le drap, en malade que la toilette matinale assainit.

— Je préfère que tu me quittes, dit-elle. Je ne me dirai pas : « Thérèse est malheureuse... »

— Je le suis depuis que tu m'as enlevée du collège. Si tu savais ce que tu as fait!

Ma mère ne voulait pas entendre.

— Qu'est-ce que tu te dis encore? dis-je.

— Je me dis que tu as une mère comme il n'y en a pas deux au monde.

Elle caressait les initiales entrelacées sur leur drap brodé.

— ... Je me dis que tu as les concerts, les livres. Je me dis que tu as des ressources en toi. Je me dis que tu n'en voudrais pas de cette vie-là : la mienne.

— Tu te dis tout ce qui t'arrange.

— Tu n'exigerais quand même pas que je me défasse de lui pour te faire plaisir! dit ma mère.

— Ce qui est fait est fait!

Elle tourna mollement la tête de mon côté sans perdre le confort sur l'oreiller.

— Si tu savais comme je t'ai aimée! dis-je. Je n'avais que toi, je n'aurais eu que toi.

— Tu te roulais, tu avais des crises pour ne pas aller en pension...

— Je t'aimais : je ne voulais pas te quitter.

— Écoute, Thérèse... Je ne veux pas de ça

pour toi. Tu m'entends? A aucun prix, il ne te faut de ça. Tu serais malheureuse. Réponds.

Ses yeux bleus suppliaient.

— A aucun prix, il ne me faut de ça. Tu peux être tranquille.

— Tu m'as comprise, mon petit fieu?

— Je t'ai comprise, dis-je, je t'ai bien comprise.

La vieille Flore recommençait de promener le vent d'hiver dans les chambres.

— Cécile a demandé son changement. Je partirai le plus vite possible, dis-je. Je ne peux pas passer ma vie à dîner sur mes genoux, dans ma chambre, pendant que vous êtes au restaurant.

— Tu vois, la jalousie te reprend, dit ma mère.

C'est elle qui est jalouse, c'est elle qui m'accuse de sa jalousie parce que la nuit dernière je n'étais pas de l'autre côté du mur...

— C'est vrai, dit-elle, tu n'as rien fait?

C'était une obsession solennelle.

Je suis allée devant la fenêtre :

— Pas de jaune, pas de ça! Je le sais par cœur. C'est un homme extraordinaire, ce type que j'ai rencontré...

— Doument, doument, dit-elle, au lieu de doucement.

« Des femmes, me suis-je dit, des femmes qui ont cédé simplement à des hommes dans des chambres d'hôtel ont mis au monde ce boulevard, ces immeubles, ces grillages autour des pla-

80

tanes, cette file d'automobiles, cette caserne, ce chapelier. »

— Et Cécile? Qu'est-ce que tu en fais? dit ma mère avec de la compassion.

— J'irai. J'irai dans cinq jours. Cécile aura son changement et je ne serai plus seule le dimanche... Je vivrai avec elle. Es-tu satisfaite?

— Je n'ai pas de battements de cœur quand je te sais près d'elle. Je me dis que tu es en sécurité... Maintenant va te reposer et éteins. Que je me repose aussi, dit ma mère.

Je sortis de sa chambre.

Je ne me reposai pas. Je me souvenais : le bébé de la ruelle n'a pas de culotte. Il est venu vendredi, il est venu samedi, il est venu dimanche. Aujourd'hui nous sommes lundi, aujourd'hui il est en retard. La femme le mettait dans mes bras pendant que dix heures sonnaient à Saint-Nicolas. Il est dix heures mais ils ne viennent pas. Elle aura trouvé une autre fillette — elle m'appelait fillette — qui lui garde son bébé comme je le gardais, qui le tient comme je le tenais. J'ai froid. Je ne peux pas sortir de la ruelle. On me verra, on saura que je ne cherche pas des pissenlits. On me croit dans les champs, on me croit loin. J'attends le bébé. Le bébé de la ruelle n'a pas de culotte. Ses petites fesses sont froides, ses petites fesses sont trop

froides en été, ses petites fesses sont encore froides après que je l'ai porté une heure. Aujourd'hui
ils ne viennent pas. Elle ne peut pas savoir ce que
je lui ai fait puisque le bébé ne peut pas le raconter.
Je l'ai taquiné. Non, je l'ai chatouillé. Quand on
vous chatouille, on rit. Le bébé ne riait pas. Ils ne
viendront pas. Je cueillerai vite mon herbe dans le
jardin. Je peux cueillir puisque c'est le jardin aux
mauvaises herbes. Je prendrai l'herbe entre les
pierres. Je ne prendrai pas l'herbe à la terre. C'est
le jardin de personne mais, ils verront qu'on a
cueilli du cerfeuil. Je le vois. Une branche vendredi, une branche samedi, une branche dimanche. C'est clair au milieu de la touffe. Il fait froid
dans une ruelle en été. Elle ne viendra pas avec
son bébé. Si je cueille, dans cinq minutes mon
panier sera plein. Qu'est-ce que je ferai? Je m'en-
nuierai. On croit que je cherche des pissenlits. Je
ne cherche pas. J'attends. C'est une petite fille qui
ne porte pas de culotte. J'ai levé trop longtemps sa
robe. Il ne peut pas le raconter. Il faut que je le
cueille. Non. Je penserai d'abord à la maison. A
notre maison. Je lui ai bien lavé son carrelage
tout à l'heure. J'aime bien travailler pour elle, oh!
que j'aime travailler pour elle. Je veux qu'elle se
repose, je veux qu'on m'embauche dans une
usine. Le samedi je lui dirai compte, compte, c'est
à toi. Elle ne veut pas. Elle dit qu'elle se mariera
bientôt et que nous serons à l'abri. Je ne veux pas

qu'elle se marie. Elle dit qu'on m'instruira quand elle sera mariée. Je ne veux pas la quitter. Elle ne se mariera pas et je travaillerai pour elle. Demain je frotterai les marches de notre maison, demain elle aura trois pierres bleu ciel. Elle verra ce que je peux faire pour elle. Elle ne ressemble pas aux autres mères. Elle apporte la cuvette, elle se lave les dents sur la table de notre salle à manger. Qui se lave les dents dans notre quartier? Elle. Elle les lavera toute la journée pendant que je travaillerai pour elle dans une usine. Le bébé qui n'a pas de culotte ne viendra pas dans la ruelle. La femme m'a dit :

— Fillette, es-tu sérieuse?

— J'ai onze ans.

— Où allais-tu avec ton sac?

— A l'herbe aux lapins. Si ma mère voulait, je travaillerais pour elle dans une usine.

— Tu es trop jeune, mon petit, mais c'est gentil. Puisque tu es sérieuse je vais te donner mon bébé. Pose ton panier, approche, prends-le. Est-ce qu'il est trop lourd?

— Je veux bien mais qu'est-ce que je ferai de lui si vous ne revenez pas? Oui, je peux le porter. Il n'est pas lourd.

— Tu verras, il n'est pas sauvage. Entrons dans la ruelle. Entre...

— Vous me le reprendrez, c'est vrai?

— Je te dis, quelques courses dans le quartier.

— Ma mère n'en voudrait pas. Qu'est-ce que j'en ferais?

— Puisque je te dis que tu peux le porter sans crainte.

Le bébé sur mes bras a fait sa première, sa pauvre grimace quand sa mère est partie. Il se retenait, il faisait la moue, il était vieux. J'avais de la peine parce qu'il ne pleurait pas. Il me regardait trop. J'avais peur de lui. Je le portais et il me disait avec les yeux que je ne voulais pas de lui. J'ai caché sa tête dans mon cou, je l'ai serré, j'ai tourné avec lui, j'ai inventé une chanson, j'ai voulu voir ce qu'il était devenu. Il n'avait pas changé : il se retenait. Je me demandais s'il se déciderait à pleurer.

— Partie, elle est partie, lui ai-je dit.

Le bébé a fait sa deuxième grimace.

— Ris ou bien pleure, lui ai-je dit.

Je sautais mais il était lourd à la longue. J'ai eu honte de jouer avec un bébé sérieux : j'ai caché ma tête dans sa robe. J'ai cru qu'il changerait dans le soleil. Je l'ai amené du côté des oiseaux qui se cachent pour chanter. J'ai tourné la tête parce qu'il fallait voir où étaient mon panier, mon couteau depuis que j'avais un bébé sur les bras. Le petit a cru que je l'avais abandonné en le tenant serré contre moi. Il a fait sa troisième grimace. Ris ou bien sanglote. Crie. Je te consolerai. Il a guetté dans mes yeux ce que nous ferions. Il a fait sa quatrième grimace quand le merle a sifflé. C'est tout mon bébé, il siffle, c'est tout. Ils ne viendront pas. Ses petites fesses glacées rebondissaient sur mon bras. Il faut que je cueille mon herbe comme les autres jours. Je ne peux pas. Maman me l'a pris mon bébé. Si maman savait que je suis ici elle me battrait. Elle me battrait pour ma santé. Maintenant je cueille mon herbe. Un bébé, il faut l'amuser. Je l'ai amusé : je l'ai fait sauter sur mon bras. Je ne sais pas comment cela est arrivé mais cela s'est entrouvert, cela s'est enfoncé sur mon bras parce que le bébé n'a pas de culotte, parce que je le faisais sauter de plus en plus haut et qu'il retombait de plus en plus fort sur mon bras. Ce n'était pas aussi gluant que l'huître. Presque. Oui, presque aussi gluant que les huîtres que je ne peux pas avaler. Le bébé ne riait pas : il avait deux feux ronds sur les joues. Il m'a regardée dans les yeux. Je me suis sauvée dans le jardin, j'ai embrassé la paume de sa main : il m'a frappée sur le nez. Je ne l'amusais pas. Quand il sera onze heures à Saint-Nicolas je rentrerai à la maison mais ce n'est pas onze heures. Je vais m'ennuyer, je vais m'ennuyer... C'est une petite fille sans cheveux. Le bébé m'a frappé sur le nez, il a enfoncé son doigt dans ma bouche. Il voulait que je le suce. Je ne le sucerais plus même s'il venait aujourd'hui. Il me fait trop attendre. Chaque fois qu'il sursautait, mon bras s'enfonçait dans la fente. Je le portais.

Ce n'était pas ma faute. J'attendais la fin de son hoquet et je tenais le bord de sa robe que j'avais soulevée, j'allais et je venais avec mon doigt comme je vais et je viens avec mon doigt dans le sable quand on me met hors du jeu, quand on me dit tu ne joues plus et que je m'ennuie. J'ai baissé sa jupe de laine, j'ai regardé le jardin comme si je ne l'avais pas fait. J'avais chaud. Il m'a grondée avec sa petite main en mie de pain. Maintenant il faut que je vole du persil dans le jardin. Maman met du persil dans tout. Je lui hacherai fin, fin, fin. J'aime tant faire les choses pour elle. Elle dit que nous vivrons toujours ensemble, que nous ne nous quitterons jamais. Je lui ai dit que j'étais mariée avec elle, je lui ai promis que je ne me marierai pas. Il faut que je cache le persil dans mon herbe pour les lapins. Le bébé ne voyait pas ce que je lui faisais. Il me regardait pendant que je balayais son amande avec mon cerfeuil. Maman n'aurait pas dû venir hier dans la ruelle. Elle s'est fâchée parce que j'avais un bébé. Elle était pâle de rage. Ses cheveux se sont défaits, ses cheveux sont tombés sur ses épaules. Je crois que ses cheveux sont tombés par rage. Maman se taisait, maman nous menaçait. C'est la première fois que je la vois avec les cheveux défaits au grand jour.

— Qu'est-ce que c'est que ça?

— C'est un bébé. J'ai cueilli l'herbe. Je t'assure

que j'ai cueilli l'herbe. C'est un bébé que je porte.

Maman a pincé la robe de laine.

— Qu'est-ce que c'est que ça?

— Un bébé.

— Lâche ça, laisse ça. Défais-toi de ça. Je ne veux pas de ça.

— Je ne peux pas. C'est un bébé. On me l'a confié.

Elle est venue sur nous.

Elle a essayé de me le prendre mais je lui ai résisté. Elle aurait dû comprendre puisque je lui disais :

— Il faut que je le porte. On me l'a confié...

Plus je le répétais, plus elle voulait me l'enlever. Le bébé criait. Les doigts de maman s'emmêlaient dans la dentelle de laine de la robe. Elle a été la plus forte. Elle l'a arraché de mes bras, elle l'a jeté sur l'herbe. Elle m'a secouée, elle l'a dit trop près de mon visage.

— Pas de ça. Tu entends : pas de ça.

J'ai cru qu'elle l'avait tué mais il remuait la tête de notre côté.

Le samedi suivant, Marc m'attendait à la gare :

— Comme vous êtes essoufflée! dit-il. J'ai pris votre billet et j'ai pris aussi un billet de quai pour moi. Votre train part dans trois minutes. Prenez, mais prenez donc!

La voix du haut-parleur énumérait des noms de villes et de villages, le libraire lisait le journal.

Nous courions et nous voulions porter ma valise. Marc avait dans la main le billet avec le nom du village de Cécile.

— Il pleut chaque fois que nous sommes ensemble, dis-je. Il a plu l'autre soir. Vous vous en souvenez?

— En tête du train et autant que possible pas sur les roues! dit-il. Je m'en souviens : nous avions la même voilette sur notre visage, dit Marc.

Il me frustrait de mon arrivée dans la gare, il violait mon départ. Je courais derrière lui et, malgré moi, je le suivais.

Il ne pleuvait plus. Le ciel s'entrouvrait par places : les lueurs ressemblaient à des déchirures. Du bleu fluide coulait sur la pente des toits. Marc se tourna :

— Vous vous êtes fait mal?

— Je regardais en l'air, je suis tombée.

Des tonnes de bleu, des avalanches en suspens m'écrasaient. La beauté du ciel m'avait fait trébucher.

Il m'aida à me relever, il prit ce que je ne voulais pas lui donner : ma valise avec les menus cadeaux que j'avais achetés pour Cécile.

— J'irai où je vais d'habitude, dis-je. Pas en tête.

Il courait, il n'entendait pas. Je me hissai dans

un wagon au milieu du train. Il accourut avec ma valise qui lui servait de signal. Des soldats entourèrent un vendeur de limonade.

— Je monte aussi, dit-il.

— Vous n'y pensez pas! Vous n'avez pas...

Je n'eus pas l'audace de lui faire remarquer que c'était un détournement puisqu'il n'avait qu'un billet de quai.

Il m'offrait une balade ce mince héros de contravention, ce voleur de trajet qui se rattachait à la confrérie des resquilleurs. Les wagons s'ébranlèrent, ils quittèrent les rails bureaucratiques à l'entrée de la gare. Je voyageais avec un humble filou qui m'avait offert mon voyage.

— Comment va? dit-il.

— Je ne sais pas. Vous n'auriez pas dû venir.

— Il fallait que je vienne.

Le prix du billet à chaque voyage, les sacrifices qu'il représente dans mon budget se réduisent à rien. Il y a des voleurs. C'est le krach de l'argent et de l'honnêteté. Il y a des voleurs. L'argent perd de son prestige, l'argent est une valeur élastique. Le voleur paie avec des feuilles de papier d'Arménie.

— Vous saviez d'avance que vous viendriez?

— Oui. Votre billet...

Il me le donna. Je n'osais pas le rembourser tout de suite. Je digérais la fraude et le fraudeur.

— Vous vous êtes souvenu du nom de son village?

— Je me suis souvenu de tout.

Il emportait ma valise, il m'entraînait dans le couloir. Le train prenait de la vitesse, il entrait dans son univers personnel hors du paysage des pavillons de banlieue. Il nous prouvait qu'une machine n'est pas une aventurière.

— C'est vide. Nous avons le choix, dit Marc.

Il portait la valise et il inspectait à travers les vitres comme si j'étais sa femme. Nous sommes entrés dans un compartiment. Marc gardait sur ses genoux ma valise avec les menus cadeaux pour Cécile.

— Expliquons-nous une bonne fois, dis-je. Je vais vous rembourser le billet. Nous n'allons pas recommencer comme l'autre soir. Je ne vous donne rien et vous ne me donnerez rien. Sinon l'amitié entre nous sera impossible!

— L'amitié?

Il me regardait sans comprendre. Son mouvement de déglutition me fut pénible.

— Je ne vous demanderai rien, dit-il. Je vous demanderai seulement d'accepter ce que je vous donnerai. Faites cela, bonhomme, faites-le.

Tant de générosité devient de la fièvre.

Il n'a pas de billet. Il descendra au prochain arrêt. Il ne m'empêchera pas d'imaginer ma descente sur le quai où me guettera Cécile, il ne m'empêchera pas de ressasser la fête.

Marc polissait le cuir avec le revers de sa main, il l'époussetait avec son mouchoir.

— Elle est vieille, il y a des mois qu'elle fait ce voyage.

— C'est justement pour cela que je l'aime, dit Marc.

Il le sait. Il sait qu'elle contient la lingerie que je déplierai sur le lit de Cécile.

— Ne la serrez donc pas ainsi dans vos bras. Mettez-la dans le filet.

— Comme vous voudrez.

Ses yeux se sont éteints. Il a tenu ma main :

— Vous ne voulez pas que je paie le billet? dis-je.

— Je ne veux pas.

— Tenez-vous bien.

— Je me tiens, dit Marc.

Marc regardait le paysage sordide, il pesait le pour et le contre pendant que l'échiquier de jardinets et de pavillons de briques rouges s'allongeait. Il me rapprochait des hommes. Il reprit ma main.

— Sortons dans le couloir. On s'ennuie ici, dis-je avec mauvaise foi.

Nous étions pris par le bonheur illusoire des maisons qui apparaissaient et disparaissaient. Des matelas respiraient, des draps de lit sur des appuis de fenêtre attiraient le soleil. Le voyageur voyait ses habitudes. Un saule pleureur cachait une propriété, des plaines qui nous barraient la gorge encaissaient la voie ferrée : nous avions quitté les banlieues proches de Paris. Marc s'élançait vers la province.

— Il faudra descendre. Je ne peux pas vous emmener. Il faudra descendre en cours de route...

— Si vous saviez comme je suis heureux...

— Je ne comprends pas.

— Ne comprenez pas.

Il articula cette phrase avec ferveur.

— Vos mains! dis-je.

Je les séparai des miennes, je me guindai : dans les haies le long des plaines des juges me jugeaient.

— Vous voyez le mal où il n'est pas, dit Marc.

Marc était triste. Ses longs cils battaient, proches de la tombée de ciel au bout de la plaine.

— Je parie que vous n'avez pas déjeuné. Vous devez avoir faim. Prenez ce que vous voudrez dans ma valise.

Marc se jeta sur ma valise. J'espérais que je verrais, reflété dans la vitre du train, ce que Marc faisait. La lumière s'assombrit, les haies se voûtèrent, la terre labourée et hersée se changea en poussière de chaleur. Un voyageur vint dans le couloir. Je me tournai du côté de Marc : la lingerie intime, les paquets ficelés bien rangés l'ensorcelaient. Il devina mon regard, il éloigna la valise sur la banquette.

— Réflexion faite, je n'ai plus faim, dit-il.

Pourquoi ne venez-vous pas dans le compartiment?

Je fis tomber la vitre : le vent entra avec enthousiasme, le défilé des pavillons de briques rouges recommença.

— Quand descendrez-vous?

— Mais... mon petit bonhomme... Je ne vois pas où est le mal?

— Qu'ils sont laids ces pavillons...

— C'est laid mais c'est quand même de la main-d'œuvre, dit Marc.

Il se redressa, frappé par un coup de règle d'architecte, il communia avec les entrepreneurs. Marc se levait à midi, il flânochait mais il faisait corps avec les corps de métier. Dans un raté, malgré tout, la charpente y est. La maçonnerie le captiva.

— Voici ce que vous avez avancé pour mon billet.

Marc ne tendit pas la main.

— Vous et l'argent! dit-il.

Les billets tombaient sur le plancher, ils s'envolaient sous les banquettes à cause du vent. Marc se fâcha :

— Vous voyez ce que vous faites?

— Je les jetterai mais je ne vous devrai rien.

Il haussa les épaules. Il marchait à quatre pattes pour les retrouver.

Marc remit les billets dans ma poche.

Le train longeait le petit bois que je connaissais bien. Le sol était toujours jonché de feuilles mortes. J'aimais cette vieillesse des quatre saisons.

— C'est chic la campagne, dit-il. Vous aimez?

— Non.

Je mentais par pudeur, je lui dissimulais nos affinités. Il se pencha à la portière, il eut la nostalgie de ce qu'il apercevait encore.

— Descendez, descendez tout de suite. Vous ne pouvez pas venir.

Il rit :

— Si je vous obéissais je me tuerais. Nous roulons à 80. Vous savez comme moi que c'est impossible.

Ses yeux me demandèrent s'ils pouvaient entrer. Je répondis oui avec mes paupières : j'aime faire l'amour avec des regards.

Marc se jeta sur moi puis il me prit sagement dans ses bras. Je me retrouvai dans un carnaval de parfums, d'odeurs, de relents que dégageaient ses cheveux, sa chemise, les revers de son veston, sa nuque, ses doigts de fumeur.

— Nous étions convenus que nous serions camarades…

— Quelle foutaise, dit-il.

Sur la voie, des cheminots, les bras ballants, regardaient notre train, cherchaient les voyageurs par désœuvrement momentané. La cendre de sa cigarette tomba sur mon chemisier.

— C'est de la belle soie, c'est épais. Qu'est-ce que c'est comme soie? dit-il.

— De la soie du Japon. Cécile a le même.

— Je l'ai salie, dit Marc.

Oui il salit mon arrivée, oui il grignote ma fête, oui il me tache chaque fois que je le rencontre.

— Pourquoi êtes-vous venu aujourd'hui? Pourquoi justement aujourd'hui?

Son sourire qui signifiait je suis venu aujourd'hui parce que j'en sais long fut équivoque.

— Je vous avais promis que je vous faciliterais vos voyages là-bas. J'ai tenu parole, dit-il.

Il m'offrit une cigarette.

— Je suis heureux, heureux, heureux...

Mais il soupira.

Je ne croyais ni à son bonheur ni à ses sacrifices.

— Je disparaîtrai avant votre arrivée. Je vous le promets. Vous savez que je n'abuse pas, dit-il.

— Pourquoi êtes-vous venu? Pourquoi aujourd'hui?

— Pour savoir où perche votre nid.

Les verdures se décoloraient, les volailles s'affaissaient dans les prés, le cheval noir se couchait sur le flanc. Je faisais convenablement l'aumône : je ne remuais pas l'épaule. Le soldat qui se promenait dans le couloir ajustait continuellement son calot.

— Je vous fatigue, dit Marc.

Un coq à l'écart ne picorait pas avec les autres. Il se gonflait et s'admirait. Nous le laissâmes.

— Mon petit...

Je le supporte et il me remercie.

Le parfum de la brillantine de Marc me reconduisait à Cécile. Je m'attendrissais aussi, j'aimais presque Cécile dans la brillantine sur des cheveux d'homme.

— Je vous ai apporté des choses...

Il sortait des livres non coupés, des paquets de Camel de ses poches.

— Je ne peux pas les prendre. Qu'est-ce que je dirais à Cécile?

— Je vois. Vous ne voulez pas lui parler de moi.

Les quatre volumes étaient sur ses genoux.

Un homme triste est une proie. Je pris sa bouche.

— C'est trop, dit Marc.

Que je serais désespérée si j'aimais cet arbrisseau.

— Il faut que je voie ce qui se passe dans le couloir, dit Marc.

Où peut-il mettre ses fesses? Ma lucidité me blesse lorsque je l'observe.

Il rentra dans le compartiment :

— C'est décidé? Je range les livres? Comme vous avez peur d'elle.

— Elle ne comprendrait pas. Cécile n'est pas une rouleuse.

Marc enfonça les livres et les paquets de Camel dans les poches de son imperméable.

De quoi vivra-t-il quand il arrivera sans argent dans une gare? Comment rentrera-t-il à Paris? Je ne pouvais pas lever mon petit doigt pour lui. Ma cruauté et ma compassion étaient vertigineuses.

— Rouleuse...? Ce n'est pas de vous.

— Non. C'est de ma mère.

— Elle dit cela?

— Elle me l'a dit lundi dernier.

— Ce qu'elle vous dit est injuste.

Je m'accusai pour l'accabler :

— J'aurai des remords quand je serai près d'elle. Je penserai au taxi, je penserai à notre hôtel.

— Dites-lui. Elle comprendra puisqu'elle vous aime.

— Vous comprendriez, vous?

— Oh! oui.

— Vous comprenez tout?

— J'essaie.

Je dis :

— Racontez-moi quelque chose.

Silence.

— Vous ne voulez pas parler?

— Non.

Les ferrailles s'entrechoquaient dans mes

chairs, je désirais prendre Marc pour le plaisir de prendre. Son calme m'inspirait des désirs bruts.

— Les portes! dis-je.

Les portes à glissière s'ouvraient et se refermaient de compartiment en compartiment. Marc disparut dans le couloir. Le contrôleur invisible le reléguait aux oubliettes.

Je ne peux pas me lever, je ne peux pas marcher dans le couloir, je ne peux pas glisser sous la porte des W.-C. l'argent du billet qu'il m'a offert. Je veux voir la tournure que prendront ses sacrifices. Je me demande quand et à qui je rembourserai ce que je lui dois. Ma mère dit qu'ils ne paieront jamais assez. Elle dit qu'un seul doit payer pour tous les autres.

Je pris son imperméable dans le filet, je ne fis pas ses poches. A mon étonnement, les boutons de cuir tressé avaient été cousus solidement. La ligne de crasse sur le col miroitait par endroits comme la nacre d'une marqueterie. Le vêtement exhalait une odeur de cinéma de quartier. Le contrôleur entra, il poinçonna, il me remercia. il sortit du compartiment. L'aventure commençait. Le contrôleur pouvait ouvrir avec son passe la porte des W.-C. Marc le savait. Je me précipitai dans le couloir, je rêvai à des menottes. Nous entrâmes en gare, le contrôleur sauta le premier sur le quai. Je me penchai à la portière.

— Je pars. Je vous quitte, dit Marc.

Il haletait dans mon dos. Il m'entraîna dans le compartiment, il me ploya, il m'embrassa.

— A demain, dit-il sans hésiter.

Je le revis sain et sauf sur le quai, je lui tendis la main par-dessus la vitre.

— Du monde dans le train? demanda Cécile.

— J'étais seule. J'ai lu.

C'était la première fois que je mentais à Cécile.

Par la suite je n'ai jamais su d'où il tirait son argent. Il disparaissait quand il n'en avait pas. Il revenait avec des billets de concert, il m'emmenait en taxi à Saint-Germain-en-Laye où nous dînions sur une terrasse éclairée d'abat-jour rouges. Je le laissais serrer mes jambes entre les siennes : c'était ma participation aux frais. Nous prolongions la soirée jusqu'au moment où les serveurs pliaient les nappes sous notre nez, emportaient les seaux à glace. Ils éteignaient les lumières, nous nous enfoncions dans notre fauteuil, le personnel appelait à son secours le gérant qui se postait au centre de la terrasse.

— Je crois que nous les gênons. Il vaudrait mieux partir.

— Déjà! disait Marc.

Nous intriguions quelquefois un passant. Nous écoutions le pas d'un inconnu qui s'éloignait, qui nous oubliait.

— Demain, place Pereire, tu viendras? Le premier attendra l'autre. Tu sais ce que fait le garçon quand j'arrive? Il change la glace dans les seaux. Il sait que nous préférons la transparente. Vous n'avez pas froid, enfant?

Il tâtait mes mains avec sa joue, il parlait vite : le temps lui était mesuré comme il est mesuré à l'heure des visites dans les parloirs.

— Samedi... Je t'attendrai près du guichet, disait-il. Tu viendras samedi? Je me débrouillerai. J'irai avec toi jusqu'à Amiens. Dis, bonhomme, j'irai?

Sa question avait la douceur d'une déclaration. Marc ébouriffait ses cheveux.

Il me ramenait, je voyais dans la lumière délabrée des lampadaires de la porte Champerret qu'il abusait de la brillantine. Ses cheveux tombaient sur mes mains en paquets gris.

Il me ramenait toujours en taxi. Il veillait sur moi à distance, jusqu'à ce que j'aie franchi le seuil du bâtiment C. Il ne partait pas tout de suite et il devait imaginer le temps qu'il me fallait avant de me retrouver dans l'appartement de ma mère et de son mari. J'entrais dans l'ascenseur, je supposais que faute d'argent il rentrerait à pied à Montmartre. Ses sacrifices m'effrayaient, mais je ne voulais pas l'imaginer seul dans les rues mortes.

Ce soir-là, il demanda :

— Laisse-moi traverser la cour avec toi.

Une heure et demie du matin sonna dans un appartement.

— Si ma mère nous voyait!

Il me tenait par la taille.

— Ta mère dort, dit-il.

Marc avait laissé tomber sa tête sur mon épaule. Il dit vaguement :

— Tes voyages à Auvigny... Est-ce que ta mère sait où tu vas?

— Bien sûr, elle sait.

Marc leva la tête :

— Jusqu'à l'ascenseur, seulement jusqu'à l'ascenseur...

J'entrai dans l'ascenseur, je lui souris entre les barreaux : il se jeta dans la cage.

— Mon petit...

« C'est ma mère, me suis-je dit, c'est enfin ma mère qui m'appelle ainsi et je suis enfin son petit. »

— Calme-toi, viens si tu veux.

— Tu voudrais! dit-il.

Nous quittâmes la terre, Marc prit ma main.

— Tu me laisseras devant leur porte, dis-je.

Sa main retomba. Il renversa la tête contre la vitre et il regarda les paliers et les portes.

— Mon petit... Mon petit....

— Il ne faut pas que tu sortes de l'ascenseur. Je le renverrai.

— Tu feras ce que tu voudras, dit Marc.

Je refermai la porte avec la petite ivresse de celui qui se sent en sécurité mais, entre les barreaux, je regardais autant que je pouvais le câble, le dessus de la cage. Je ne trouvais pas ma clef aussi vite que je voulais. Je courus sur la pointe des pieds jusqu'à ma chambre, j'ouvris ma fenêtre, je cherchai Marc dans la cour de l'immeuble. J'entendais le balancement domestique du balancier dans le vestibule. Marc était parti et il avait traversé la place Champerret avec sa faim. Je voulais le revoir, seulement le revoir. Je ne le revis pas le samedi à la gare ni les jours suivants ni les semaines suivantes.

DEUXIÈME PARTIE

« Le soleil te fait mal?

— ...

— Tu as mal aux yeux? Pourquoi t'es-tu bandé les yeux?

— ...

— Tu ne sens pas la chaleur? Tu vas attraper une insolation! Parle. Ne me fais pas peur.

Cécile secoua la grille.

— Pourquoi t'es-tu enfermée? Je ne trouve pas ma clef. Où ai-je mis cette clef?

La cloche du jardin sonna mollement.

— Ouvre. Réponds-moi.

— Trouve la clef, dis-je.

Elle entra dans le jardin. Les troènes tressaillirent.

— Qu'est-ce qui se passe? Dis vite.

Cécile jeta son porte-billets sur mes genoux. Elle m'enleva mon bandeau.

— Comme tu m'as fait peur! J'ai cru que tu étais blessée. Tu me feras toujours peur. Pourtant tu n'as rien aux yeux. Ils te font mal. Tu n'as pas fixé le soleil?

— Mais non.

— Qu'y a-t-il? J'ai failli me faire écraser par le tramway. Si tu m'avais vue courir! C'était pour te voir plus vite. Et tu es là, tu ne me dis rien!

— J'ai peur dans la maison.

— Peur en plein jour?

Cécile lança une boîte ronde sur mes genoux.

— Ça ne va pas, Cécile.

Les élytres de l'insecte sur la boîte endeuillaient l'été.

— Tu me désoles! dit Cécile.

Elle vint s'asseoir sur une marche.

— Si tu dormais, tout changerait. Pourquoi n'arrives-tu pas à dormir? C'est calme ici.

— Calme! Et les puces? Elles me tuent ces puces!

Cécile baissa la tête.

— Regarde. Le droguiste m'a dit que cette fois ce serait radical.

Elle s'agenouilla près de la chaise. Elle serra mes mains dans les siennes.

— Il n'y a pas que les puces, cette maison me rendra folle. Lève-toi. Le facteur nous regarde.

Des vieilles volailles se reposaient dans les cendres de l'autre côté du sentier, l'odeur hospitalière des pommes de terre frites s'échappait d'une cuisine heureuse.

— Rentrons. Allons dans le sous-sol, il y fera plus frais. Tu veux?

— Je ne veux pas.

— Pourquoi?

— ... Elles nous dévoreront. Oh! pas nous : moi.

— Qui donc?

— Les puces.

Le facteur roulait à vive allure entre les pavillons.

— Comme tu es nerveuse! dit Cécile.

— Je n'ai pas dormi depuis trois jours. Évidemment, toi tu ne peux pas comprendre!

Le facteur sauta de bicyclette. Cécile s'épongea :

— Rentrons. J'ai trop chaud. Je voudrais me mettre à mon aise.

— Oui, c'est horrible cette chaleur!

Le facteur nous salua avec gêne.

— Comme je regrette notre feu d'Auvigny, dis-je. C'était si bien quand tu venais me chercher à la gare... Tu te souviens? On entendait les chevaux sans les voir.

— Mais tu me quittais le dimanche soir, dit Cécile. Tu ne me quittes plus.

— Je ne te quitte plus, dis-je sans gaieté.

— Ce soir nous nous coucherons tôt, dit Cécile. Nous dînerons au lit comme à Auvigny, ce sera comme à Auvigny.

Son visage sur mes genoux se frottait à ma robe. Le facteur traversa un jardin.

— Le facteur nous voit... Le facteur s'est retourné quatre fois. Ote ta tête, dis-je. Si on jase tu seras cassée.

— Comme tu es raisonnable!

Cécile se leva :

— N'aie pas peur. J'ai bonne réputation. Je fais tout ce qu'il faut : si tu me voyais dans la cour de récréation, tu ne me reconnaîtrais pas. A quoi penses-tu?

— J'écoutais le timbre de sa bicyclette. Comme c'est heureux un facteur... Cécile, Cécile!

— Qu'y a-t-il?

— Encore une sur ma cheville! Tue-la.

Je cachai mon visage. J'entendis l'éclatement de la puce entre les doigts de Cécile. Les doigts habiles de la pianiste n'avaient pas manqué l'insecte.

— Elle ne t'as pas piquée, dit Cécile. Il n'y a pas de sang sur mes doigts.

Je gémis dans mes bras :

— Elles me rendent folle. J'ai peur d'une puce, j'ai peur de tout. Quelque chose va arriver.

— Oh! tais-toi, dit Cécile.

Je grattais ma jambe avec furie, c'était un soulagement.

— Tu saignes, dit Cécile.

Elle me prit la main.

— Rentrons. Viens. Nous prendrons l'apéritif, dis-je. Je quittai avec regret l'odeur des pommes de terre frites dans l'allée.

Je m'appuyais sur elle, je couchais ma tête sur son épaule. Je devenais une loque dès que je me rapprochais d'elle.

— Sur ma nuque... Encore une! Tue-la, Cécile.

— Je te les prendrais bien, dit Cécile. Dommage qu'elles n'aiment pas ma peau!

Nous avons traversé la maison béate de chaleur, nous avons retrouvé le sous-sol.

— Tu ne t'es pas coiffée, mon pauvre petit?

Je me grattais la tête.

— J'ai des poux. Sois sûre que j'ai des poux!

— Préparons l'apéritif, dit Cécile. Le Pernod quand il fait chaud, c'est un baume.

Elle enveloppait chaque fois la glace dans un fichu de laine.

— Tu es gentille, dis-je.

Cécile haussa les épaules. Elle fendait la glace à coups de marteau. Le glace s'émiettait, mes efforts pour l'aimer retombaient en miettes. Du givre ruissela dans le cageot.

— Buvons-le ici, dis-je. On est bien, on est si loin de tout.

— Oui, on est bien. Ote ce bandeau, dit Cécile. Et coiffe-toi.

Je me recoiffai sans goût et n'enlevai pas le bandeau.

Cécile mit debout un tonneau, elle posa les verres dessus. Le chat des voisins entra.

— Tu ne m'embrasses pas?

Je l'ai embrassée. Je me suis dit que je devrais mieux l'embrasser. Je me suis sentie coupable.

Le chat qui nous avait adoptées se coucha dans les cosses de haricots. J'installai nos transats autour du tonneau. Cécile emmaillota le morceau de glace dans le fichu.

— Cigarette?

Elle avait l'air de me faire des avances. Une pondeuse caqueta, la petite cuillère tinta dans le verre de Cécile.

— Explique-moi, Thérèse. Qu'est-ce qui ne va pas?

— Plus tard...

Nous avons bu la première gorgée de Pernod, nous avons allumé notre cigarette. Une allumette donne sa flamme, le tabac grésille, un Pernod charme l'œsophage. Je reprenais confiance.

— Tu le veux sur tes genoux?

— Tu crois qu'il voudra? dit Cécile.

Je le flattai, je l'enlevai aux craquements d'hiver des cosses de haricots. Le chat se rendormit sur les genoux de Cécile. La cendre de la cigarette de Cécile tomba sur la fourrure du chat.

— Que je suis maladroite! Qu'est-ce qui ne va pas? Dis-moi tout, dit Cécile.

110

J'ai baissé les yeux.

Cécile remuait les morceaux de glace dans son verre.

— Il n'y a rien à dire.

J'ai pris avec mes ongles le cheveu sur le col de la robe de Cécile.

— Le chat ne se plaît pas sur toi, dis-je.

— Pourtant il dort bien, dit Cécile.

Je le soulevai par la peau du cou, je le remis dans les cosses jaunes et dans les cosses roses.

— Je me sens mieux, Cécile!

— C'est vrai?

Cécile balançait les morceaux de glace dans son verre.

— Nous allons tuer ces puces, je dormirai et tu me retrouveras comme avant.

— Avant quoi? dit Cécile.

Le chat miaula.

— Tu ne bois pas, Thérèse? Tu n'aimes plus le Pernod?

J'ai bu.

— Tu verras, Cécile... Je dormirai et nous serons heureuses.

— Tu n'es pas heureuse?

Elle chercha mes yeux :

— Pourquoi n'es-tu pas heureuse?

— Pourquoi, pourquoi!

J'eus un mouvement d'impatience.

— Je veux m'occuper, je veux reprendre mes

valises, je veux m'en aller. Je veux revenir et repartir comme avant, dis-je.

— Avant quoi?

— Avant ta nomination ici.

— Décidément, elle te pèse la vie commune.

Le parfum du Pernod rôdaillait, maintenant le chat tournait autour de nos transats.

— Oui, je veux reprendre mes valises!

Je songe aux autocars locaux, au silence délicat de l'herbe dans les vergers, à la brume de sérénité dans les enclos.

— Colporteur... ce n'est pas du travail de femme, dit Cécile.

— Je ne veux pas que tu m'entretiennes.

Cécile rougit :

— Pourquoi dis-tu ça?

— Je veux bourlinguer.

— Ce sont tes futurs bénéfices que tu calcules? Dans le cendrier rouge...

— Quels bénéfices?

— Je regrette si j'ai été indiscrète, dit Cécile. Je trouve souvent des bouts de papier avec des additions dans le cendrier rouge, mais ces chiffres ne correspondent pas à nos dépenses. Qu'est-ce que c'est? Tes futures recettes?

— Tu m'espionnes!

— Thérèse!

— Décidément, il faut repartir.

Cécile me regarda avec bonté : ses jambes, dont

112

la ligne n'était pas impeccable, me bouleversèrent.

— Tâche de trouver autre chose, dit Cécile.

— Je veux marcher avec mes valises, je veux vendre dans les fermes, je veux longer les peupliers, je veux avancer chargée sous les averses.

— Moi, je ne veux pas que tu me quittes.

— Un jour, c'est toi qui me quitteras, dis-je.

Cécile se jeta dans mes bras :

— Si tu travaillais, tu crois que ça te suffirait?

Je n'ai pas répondu.

— Aime-moi, Thérèse, essaie...

Je partis de ses bras, je me sauvai dans le jardin. Le chien policier aboya.

J'entrai dans le cabinet. Je me sentis proche de la brûlure des toits. J'entrais souvent dans le cabinet surchauffé à midi et quelquefois je devais rouvrir la porte : une guêpe y était venue avec moi. Les cloisons craquaient. Je viens. Tout de suite, je viens... J'ôtai le bandeau que j'avais remis sur mes yeux.

Le chat aussi était revenu dans le sous-sol.

— Rentrons dans la maison. Je veux t'apaiser, dit Cécile.

Je n'ai pas repris mes valises, je ne suis pas partie.

Nous nous promenons à six heures du soir après

sa classe, nous n'aimons ni les mêmes fleurs, ni les mêmes arbres, ni les mêmes pierres, ni les mêmes visages. Nous nous promenons dans les bois et elle me supplie de la jeter sur l'herbe, de la brutaliser. Si je la prends à la gorge, si je la maltraite, Cécile confond ma rage et mes déchirements avec une impatience d'amoureuse. Le malentendu devient une routine. Le matin je me lève avec elle, je lui prépare son petit déjeuner, je l'accompagne jusqu'à la grille, je lui fais des signes avec la main mais dès qu'elle disparaît je monte les marches du perron avec légèreté. Je suis libre, je fume ma première cigarette. Je consulte souvent le réveil : elle m'exaspère et je la veux. Je souhaite son retour et son exactitude à midi moins le quart. Je lui cueille une rose, je la mets dans l'eau afin d'être prête cinq minutes avant son arrivée mais je massacre la rose, je l'enfouis dans ma poche pendant que je vais à sa rencontre. Elle joue du piano à midi, je me sauve dans notre chambre pour ne pas la complimenter, je cache mon visage dans sa serviette-éponge humide. Si elle m'appelle je viens puisque c'était ce que je souhaitais, mais je lui dis que j'étais au jardin, que je n'ai rien entendu, que c'est le hasard. Nous parlons tard dans la cuisine, nous fumons avec exubérance, nous buvons dans l'ombre avec modération. Le chien policier se jette contre les barbelés, une chanteuse classique chante en surimpression sur la voix baroque d'une contrebasse de jazz. Nous n'avons pas le courage de régler le poste. L'opéra de parfums dans le jardin nous engourdit.

— Aimons-nous dehors, dit-elle.

J'énumère le chien aux aguets, les voisins dans leur chambre, les traîtrises de la lune, les lampadaires entre les pavillons. Un orchestre de province force le lyrisme d'une rengaine.

Nous rangeons la vaisselle sale dans l'évier, nous nous mettons à la fenêtre, nous respirons la froideur des étoiles, nous boudons la lune ou bien nous admirons ses mantilles. Nous épions le chat, nous écoutons les allées et venues du chien — un oiseau remue, le cœur d'un arbre bat — nous croyons que la nuit frissonne pour nous. Ils éteignent au loin : une maison fond dans les ténèbres. Les coassements des grenouilles s'égaillent, un homme pisse dans la suie, une chouette ulule et transit la nuit. La nuit se tait. La chouette et son gosier bleuâtre se font attendre. Cécile se remet au piano, abuse de la pédale douce parce que des inconnus dorment. Je fais ma toilette dans l'ombre, je m'éclaire avec ma cigarette. Cécile joue toujours. Je m'allonge sur notre lit, je ferme les yeux : le parfum des roses entre, la fenêtre se change en hublot. Des volailles remuent sur les perchoirs, le silence se replace, les doigts de Cécile se fatiguent. Elle vient, elle se penche sur mon feu orange, elle vérifie mon buste, elle s'en va avec ma cigarette, elle se lave vite les dents. Je crois entendre une adolescente sportive qui se purifie au soleil, sous le visage d'une fontaine. C'est fini. Cécile crache dans une cuvette. Elle se peigne, elle déplie sa chemise de nuit qu'elle lance sur la chaise, elle détruit la symétrie des repasseuses. Elle nettoie ses ongles sans les voir, elle écrase ma cigarette sur l'appui de fenêtre, elle met sa tête dans les ténèbres parfumées, elle me dit que la nuit comme la pluie tombe dans ses cheveux. Elle vient, elle tombe aussi, elle m'écrase. Je l'aime honnêtement jusqu'à une heure du matin. Mes mains sont scrupuleuses : je donne, je donne pour l'oublier. Cécile gémit, Cécile est crédule. Je m'interromps — la lune est au milieu de la fenêtre — je me dresse : c'est la face ronde de ma lucidité, c'est la pâleur des morts qui se sont aimés.

— Je reviens, Cécile, je reviens.

Le clair de lune est brutal. Il stupéfie. « Je reviens, Cécile. » Il fait trop clair! Un gala dans un cimetière; je fuis. Je donne, je donne encore. Je me lève, je ferme les persiennes, je repousse le spectre de la lumière. Je donne avec l'espoir que je deviendrai folle. C'est le plaisir avec personne, je donne et je récolte la rosée que je n'avais pas souhaitée. Cécile me croit généreuse. Je suis affligée. Il est probable que je l'aime mais je l'aime ailleurs. « Défroisse mon cœur, Cécile. » Elle s'est endormie.

— Ne dors pas, Cécile, ne dors pas...

J'appelle une sourde, je me crispe sur les lèvres d'une muette.

Je me lève, j'allume l'électricité. Elle se frotte les yeux.

— Avoue que tu dormais, avoue-le!

— J'avoue, dit-elle.

Elle se soulève, elle appuie l'oreiller contre le mur, elle veut résister mais sa tête croule. Elle se ressaisit :

— Je ne dors pas.

Je jouis de ses efforts, je souhaite sa défaite.

— Tu n'auras donc jamais sommeil! dit-elle.

— Jamais!

Elle se gifle, elle se rendort, la joue dans la main, la main avec laquelle elle s'est corrigée.

J'arrive à pas de loup. Je me penche :

— Tu vois que tu dors!

Elle sursaute. Je la voulais coupable et elle se sent coupable.

— Je me reposais. Tu n'es pas fatiguée? dit-elle avec douceur.

Elle tire ses petits cheveux drus, son casque. Une brune, un pruneau. Je vis près d'une brune, je vis près d'un pruneau.

— Ne te rendors pas. Je t'en supplie...

— Je dors, je t'échappe, dit Cécile.

Cécile sort du lit. Elle m'enveloppe dans l'édredon, elle se couche à mes pieds :

— Tu es malheureuse et moi je suis brisée de sommeil.

Elle serre mes jambes sous l'édredon, elle imagine qu'elle me réchauffe l'esprit.

Laisse-la dormir, mais laisse-la donc dormir. Je ne peux pas. Je vois le mal, mais je ne peux pas m'arrêter. Je me juge, mais je manque de temps. Elle s'est rendormie sur mon pied.

— Tu t'abrutis à tant dormir. Cécile... Je n'ai personne...

— Hein, quoi?...

— Je n'ai personne. Tu dors, tu dors.

— Je suis fatiguée, Thérèse, aie pitié.

— Si tu me laisses, je m'enfuirai.

« Ce que tu peux être emmerdeuse », me dit ma voix intérieure. Je suis vide, je suis diaboliquement vide et je n'ai pas confiance. J'ai peur de la terre que les dormeurs ont abandonnée.

— Tu vas voir si je dors! dit-elle.

Cécile se lève, elle verse l'eau dans le verre à dents qu'elle m'apporte avec empressement.

— Lance-moi ça au visage. Lance!

Elle attend. Je lui fais signe que non.

Elle recule, elle tend son bras, elle prend ses distances. Elle se jette le verre d'eau au visage.

Je me jette dans ses bras : elle me console. J'éponge avec mes lèvres, je lèche ses cheveux, je savoure mon repentir. Nous nous recouchons.

Cécile s'endort en me parlant. Je la voulais les yeux ouverts, la martyre.

— Tu dors, Cécile. Tu dors, tu dors, tu dors...

— Moi je dormais?

Je prends sa main, je la tiens éveillée.

— Je te jure que mes yeux sont ouverts, dit-elle.

Nous nous allongeons sur le dos, nous veillons sans rien dire.

Je ne veux pas lire.

— Allume. Nous lirons, dit-elle.

— Ce serait si simple de dormir.

— Cécile! J'ai peur du grenier.

Elle rue dans le lit, elle n'ose pas me gronder. Elle grogne, elle soupire :

— Tu parlais?

— ... J'ai peur du grenier. Éveille-toi. Je suis sûre qu'il y a quelqu'un dans le grenier. Il faut que je t'en parle. J'ai peur de ce grenier et ça ne date pas d'hier.

— Il faut tout me dire, mais dors, mon petit, dors...

Nous ne nous comprenons pas. Je hais son ton protecteur.

— Écoute! Ce sont des craquements de souliers...

Cécile rit :

— Ce sont les voisins, c'est le piano, c'est le plancher.

— Tais-toi, écoute, retiens ton souffle!

La nuit eut pour horizon un grondement.

— C'est le Paris-Meaux, dit Cécile.

Elle alluma la lampe de chevet.

— Je te vois, Cécile... Tu ne dors plus.

Elle prit sa montre-bracelet.

— Deux heures. C'était le train de nuit, dit Cécile.

— On entend des pas légers. On marche dans le grenier, dis-je.

— Je crois plutôt que c'est le chat qui se promène sur le toit, dit Cécile. Pense à autre chose.

Elle voulut me tenter avec son épaule.

— Il y a quelqu'un. C'est un homme...

— Quel homme?

— Un homme. Il se faufile dans la maison à la nuit tombante, il vient par le sous-sol pendant que nous nous promenons. Nous ne fermons jamais les portes...

Cécile écoutait :

— Que veux-tu qu'un homme fasse chez nous?

— Il se faufile au crépuscule... Je vais au grenier, je vais vérifier, dis-je.

Cécile soupira. Elle se résignait :

— J'irai pour te rassurer, mais nous n'avons pas de lumière.

— Nous avons la lampe de poche que tu m'as offerte.

— Ça n'éclaire pas, dit Cécile.

— Plus que tu ne crois.

— Cherche ta lampe et nous irons, dit Cécile.

Il fallut monter à l'échelle, nous hisser, nous agripper à la trappe.

Cécile me demanda de l'éclairer.

— Tu le crois, maintenant, qu'il n'y a personne?

Elle se pencha sur les bouteilles, sur leur collant de poussière :

— Ils n'aimaient qu'une sorte de vin nos prédécesseurs. Se promener dans un grenier à deux heures dix du matin! dit Cécile avec tristesse.

Elle souleva une bouteille, elle changea de visage. Elle souleva une autre bouteille.

— Elles sont pleines et je me demande ce qu'il y a dedans. Si tu dormais, tu n'inventerais pas des histoires, dit Cécile.

— Ce n'est pas une invention. Ce vagabond que j'entends, il existe, dis-je.

Cécile me regarda, prête à me croire.

— Partons. Je me degoûte ici, dit-elle. Il faudra casser le bail. Nous dédommagerons le propriétaire.

— Oh! pourquoi? dis-je.

— Hier c'étaient les puces, aujourd'hui le grenier. Demain qu'est-ce que ce sera?

Elle se frotta les yeux.

— Tu as peur de te rendormir?

— J'ai peur pour nous, dit Cécile.

Le calendrier s'effeuilla plus facilement les jours suivants : je laissai Cécile dormir. Je réchauffai avec ma joue ma lampe de poche qui ne me quittait plus. Cette nuit-là je sortis du lit et me promenai dans le jardin avec ma lampe, un livre. Le ciel était juvénile, les arbres humbles, le gazon odorant. La nuit ressemblait à une libellule. Un insecte se posa sur ma main; il disparut dans l'infini du jardin. J'entrai dans le poulailler vide, je m'assis dans la cendre au-dessous des perchoirs. Je touchai leur bois rond et lisse, j'allumai ma lampe de poche. Le blanc crayeux des fientes m'évoqua des falaises reposantes. J'avais envie de pleurer et de me consoler. J'ouvris le livre au hasard : « La liberté est un désenchaînement perpétuel. » Je fermai le livre, je le rouvris au hasard : « L'étoile. Elle est comme le cœur d'une fleur sans cœur. » Je posai le livre dans la cendre, je prédis aux ténèbres le passage du Paris-Meaux, je repris le livre. « Le commencement de l'espoir. » C'est ce que je lisais. J'éteignis, le livre dans la cendre se rendormit. J'allumai.

Juillet finit dans la tranquillité mais j'avais encore dans la tête le grenier, les pas du rôdeur. Cécile donnait des leçons pendant les vacances, sous le toit du préau, dans la cour d'une école que

122

je ne connaissais pas. J'allais voir ma mère à Paris chaque semaine, je retrouvais et quittais sans regret l'asphalte brûlant, les platanes asphyxiés par l'essence. Cécile m'accueillait à la descente de l'autobus et m'emmenait prendre l'apéritif. Nous nous couchions à six heures, nous mangions au lit un repas froid, nous lisions sur un fond de musique radiophonique. Elle fermait mon livre, elle le posait sur la carpette, elle me le rendait une heure après. La phrase que je n'avais pas achevée avait rajeuni pendant que nous nous étions aimées. Les autres jours nous sortions au début de l'après-midi, en pleine chaleur. Le chien policier pleurait quand nous quittions le pavillon, il hurlait quand nous nous engagions sur la route nationale. Des parents d'élèves nous saluaient, les jardins souffraient de la soif, les murs et les cloisons des cabanes cuisaient stoïquement. Cécile me prenait la taille dès que nous sortions du pays. Les grands arbres l'excitaient.

— Ce n'est pas raisonnable. Quelqu'un pourrait sortir d'un taillis, dis-je.

— Nous sommes dans un bois, dit Cécile.

Elle se coucha sur le ventre, elle rumina son désir. Elle tapait du poing sur la mousse. Sa robe de toile remontée au-dessus des genoux ne cachait plus ses jambes taillées dans le bloc. Je lui pardonnais ma cruauté lorsque je regardais ses mollets. Oui, ses imperfections me bouleversaient.

— Je rentre! dit Cécile.

Elle se mit debout, elle but l'orangeade à la bouteille, elle rangea sa couture, son livre dans le cabas.

— Tu ne te prépares pas? dit Cécile.

— Refaire la route par cette chaleur! Tu n'y songes pas? Nous venons d'arriver. Qu'est-ce que tu as?

— La chaleur m'énerve!

Elle se poudrait.

— On manque d'air dans ce bois! dit Cécile.

— Soit. On manque d'air.

Nous sommes rentrées, nous nous sommes déshabillées et nous nous sommes couchées sur le lit frais.

— Commence, dit Cécile.

J'étais angoissée. C'est chaque fois une aventure.

Le timbre.

Cécile se dressa :

— Ce n'est que l'épicier, dis-je.

— Ce n'est pas l'épicier.

— N'ouvrons pas, dis-je.

Le timbre.

— On insiste. Il faut ouvrir, dit Cécile.

Il y eut un silence endolori. L'été cernait la maison, un dos, une nuque s'éloignaient dans le sentier. On sonna encore. Ils ne s'éloignaient pas.

— Qui est-ce?

124

Elle me le demanda comme si je le savais.

Cécile remit sa robe, elle peigna ses cheveux à la sauvette, elle s'en alla ouvrir.

J'entendis le brouhaha et la confusion des deux voix. Cécile revenait :

— C'est toi qu'on demande.

— Qui est-ce?

— Je ne sais pas. Tu me le diras.

Cécile repartit.

Je me recoiffai dans le miroir routinier. Je bondis hors de la chambre.

— Comment va? me dit-il.

Il me frappa l'épaule. Cécile le regardait avec bonté. Je les présentai l'un à l'autre.

La ceinture de cuir tomba sur le carrelage, le bruit de la boucle fit naufrager la maison.

— Comment savais-tu que j'habitais ici? dis-je.

Cécile se précipita. Elle ramassa la ceinture et il lui laissa la ceinture sur les bras. Cécile rougit. Il ne sortait pas la main de sa poche.

— Je suis allé à ton ancienne boîte. Ils m'ont donné ton adresse, dit-il.

Elle n'osait pas lui mettre cette chose usée dans la main, elle n'osait pas s'en débarrasser. La boucle tenait à la tresse de cuir par des nœuds de ficelle qui semblaient avoir macéré dans la friture. Un clou tordu remplaçait la griffe.

— Prends-la, dis-je.

Il ouvrit son veston, il se vanta sans paroles de ne pas avoir de chemise, il nous montra sur son poitrail le transparent de cheveux argent. Il reprit enfin sa ceinture, il se sangla avec arrogance.

Il regarda Cécile. Son œil vert me demandait : « C'est elle? »

— Vous ne vous êtes pas serré la main, dis-je.

Il la sortit de sa poche, comme un avare sort une pièce d'or. Cécile rougit : le tissu effiloché d'un vêtement d'homme lui chatouillait la peau. La main s'atrophia, rentra dans la manche usée. Cécile eut une quinte de toux. J'ai demandé :

— Qu'est-ce que tu deviens?

— Je t'expliquerai, dit-il.

Elle cessa de tousser : sa poitrine se souleva.

— Ne nous éternisons pas ici. Fais la maîtresse de maison, dit Cécile.

Cécile vit le sourire qui passait sur les lèvres rusées.

— Je vous prépare du thé. Les boissons chaudes, il n'y a pas plus désaltérant, dit Cécile.

— Je ne veux rien. Je suis venu voir Thérèse.

Cécile s'éloigna, elle ne voulait pas entendre.

Il avait des espadrilles aux pieds, il devait avoir le pas léger quand il marchait dans un grenier.

— Ne pars pas, Cécile! Nous le boirons plus tard le thé.

Il me reprochait ma panique avec des regards sournois.

Cécile revint sur ses pas. Elle entra la première dans la chambre.

Elle lui offrit le fauteuil, des cigarettes.

— J'ai tout ce qu'il faut, dit-il.

Il cherchait dans ses poches, il faisait l'inventaire des meubles mais il refusait jusqu'à la fraîcheur de la pièce.

— Assieds-toi près de moi, dit Cécile.

Elle le regarda dans les yeux tout en me faisant une place sur la banquette.

— Sacré bonhomme! me dit-il.

J'observai Cécile. Elle baissait les yeux, elle étouffait. Marc décortiquait des mégots, avec ses longs doigts immatériels, à l'intérieur d'une enveloppe.

— Tu n'es pas bavarde! dit Cécile.

Les cassures du veston à la pliure du bras, le gonflement aux genoux du pantalon... C'était déformé, ça m'envoûtait. Je me secouai :

— Notre maison te plaît?

Il ne répondit pas. Il écrasait le tabac à l'intérieur de l'enveloppe.

Cécile se leva :

— Voulez-vous des feuilles?

— J'en ai.

Elle referma le coffret.

Il croisa les jambes avec désinvolture et Cécile mit sa main en auvent sur son front pour jouir de la nouveauté d'un pied nu et sale dans une espadrille crasseuse.

Il balançait son pied avec affectation.

— Notre maison te plaît?

La cheville nue, la peau blanche entre le pantalon et l'espadrille étaient aussi provocantes que chez une femme la naissance des seins.

— Notre maison te plaît?

— L'intérieur est possible.

Il nous le disait, la feuille de papier Job collée de traviole au coin des lèvres.

— Nous ne sommes pas responsables de l'extérieur, dit Cécile.

Il remit l'élastique autour du carnet de feuilles.

— Je ne vous accuse pas, dit-il. Votre maison est moche. C'est comme ça.

Il roula la cigarette avec esprit :

— Tu as été souffrante? Ils m'ont dit à ta boîte que tu prenais un long congé.

Il décroisa les jambes et il les recroisa, nous exhibant d'autres cheveux argent. C'était, à trente ans, précoce et charmant.

— J'avais de l'anémie, mais c'est fini.

— Pas tout à fait fini, insinua Cécile.

— J'abattrais un chêne, dis-je.

Cécile s'en alla se poster devant la fenêtre.

— Tu ne fumes plus? dit-il.

— Pourquoi pas?

Il sortit la dernière allumette de l'étui. Cette allumette taillée en biseau avait dû lui servir de cure-dent. Il pinça son pantalon avec des doigts de dandy, il était blanc comme un mort. Son front se couvrit de sueur.

— Je voudrais un verre d'eau.

— Vite, vite, dit Cécile.

— Pourquoi vite? dit-il. J'ai soif, mais j'ai le temps.

Il écrasait dans le cendrier la molle cigarette de laquelle il avait tiré deux bouffées. Cécile sortit lentement.

— Quelle propreté chez vous... On n'est retenu par rien.

J'écoutais l'écoulement salubre de l'eau du robinet. Il dit :

— C'est Cécile? C'est elle?

— Tu es pâle. Ne parle pas.

— C'est elle? Elle rougit souvent.

— C'est une qualité.

La sueur comme la rosée disparut par enchantement de son front.

— Tu te plais ici? Hé, Thérèse...

— Bien sûr, je me plais.

Cécile ouvrait et refermait les portes du buffet.

— Je devrais l'aider, dis-je.

Mais je ne bougeai pas. Il glissa dans le fauteuil. Il envisageait notre existence dans cette maison qui lui déplaisait.

Il ouvrait son veston, il se carra.

— Ton bouton, ton bouton...

Je me jetai sur lui, j'arrachai, proche de la

fente du pantalon, cette petite chose sénile.

— Excuse-moi, dis-je.

Cécile revenait, les verres tremblaient sur le plateau. Je lui rendis le bouton, je mis ma main dans la sienne, je me tournai : Cécile regardait avec avidité. Il se pencha en avant, il fut courtois. Cécile lui présenta le plateau.

Il but et il nous provoqua du regard. Il nous démontrait pendant qu'il avalait que la pomme d'Adam est aussi un nœud de virilité.

Cécile vint près de moi avec le plateau.

— Je n'ai plus soif.

— Moi non plus, dit-elle.

— J'ai encore soif, dit-il.

Il but un deuxième, un troisième verre d'orangeade.

— C'est mieux que du thé! dit-il.

Il montrait sa canine effrontée.

— Qu'on étouffe chez toi, dit-il.

— Tu vas m'excuser, dit Cécile. Il faut que je donne une leçon. J'espère que vous serez encore ici quand je reviendrai...

— J'espère aussi, dit-il.

— Je t'accompagne, dis-je à Cécile.

Elle se jeta sur moi dans le couloir :

— Qui est-ce? Dis-moi tout de suite qui est-ce.

— Tais-toi. Il est peut-être derrière la porte.

— Il te tutoie. Il a l'air de m'en vouloir, dit Cécile. Qui est-ce, Thérèse?

130

— Tu vas être en retard pour ta leçon.

— Tu me le diras ce soir, dit Cécile.

Elle me chercha à travers la porte vitrée quand elle fut sur le perron pour le petit signe qu'elle voulait, que je lui ai fait. Je revins dans la chambre.

— Tu as failli avoir une syncope, dis-je.

Marc ricana :

— Une syncope! Tu n'es pas un peu folle?

Il regardait les reproductions pendues aux murs.

— C'est elle, dit Marc.

On tambourina sur les volets. J'ouvris la fenêtre. Le soleil descendait, la main d'un homme de peine secouait la terre durcie d'une touffe de mauvaises herbes.

— Il y a d'autres jus de fruits dans le buffet, dit Cécile. Ne vous laissez pas mourir de soif.

Je me penchai à la fenêtre. Cécile s'était mise à courir vers la route nationale. Je refermai la fenêtre et les volets.

— Tu vois que je ne m'étais pas trompé, disait l'œil vert, tu vois que c'était encore elle.

Je décachetai un paquet de cigarettes, je le donnai à Marc avec la boîte d'allumettes.

— Peux-tu me prêter cent francs?

— Tout de suite?

— Tu parles! dit Marc.

— Je t'en dois, de l'argent. J'ai fait les comptes.

— Ne sois pas idiote, dit Marc. Je t'ai demandé de me prêter cent francs.

Nous avions l'habitude de mettre dans le tiroir aux couverts le surplus des dépenses quotidiennes. Je m'en allai chercher un peu de cet argent pour Marc.

— Comment trouves-tu Cécile? criai-je de la cuisine?

Je pris cinq cents francs, je refermai doucement le tiroir pour bien entendre la réponse.

— Elle ne me plaît pas.

— Qu'est-ce que tu lui reproches?

— Tu me demandes si elle me plaît et je te réponds qu'elle ne me plaît pas.

J'ouvris et refermai le tiroir avec brutalité, pour me mettre hors de moi.

— Je ne vois pas ce que tu peux lui reprocher.

— Je ne lui reproche rien. C'est une institutrice.

Je revins dans la chambre.

— Tu as mes cent francs?

Je n'ai pas répondu. Je repris :

— Institutrice ou pas, tu es injuste. C'est une timide. C'est une passionnée. Pourquoi es-tu venu? Je te défends de l'attaquer. C'est une chic fille et toi tu as été mufle.

— Je suis venu, Thérèse. Je me demande si tu te rends compte.

Le silence fut plus fort que nous.

Il dit :

— Tu ne lui avais pas parlé de moi?

— Je ne lui avais pas parlé de toi.

J'ouvris ma main, cinq boulettes mouillées de sueur tombèrent sur les genoux de Marc.

— Un billet suffit, dit Marc.

Il défroissa les quatre billets qu'il mit sur le piano.

— Si elle était ici, elle t'en prêterait mille, deux mille, trois mille, dix mille. Elle te prêterait ce que tu voudrais.

— Que veux-tu que ça me fasse? C'est toi que je suis venu voir.

Il enfonça le billet de cent francs dans sa poche.

— Donne ta patte, Thérèse, et fiche-nous la paix avec Cécile.

Il embrassa le bout de mes ongles; il s'assit sur le bras du fauteuil. J'avais l'illusion qu'il était en vacances chez nous.

J'ai demandé :

— Veux-tu visiter la maison?

Marc se pencha sur ses espadrilles. Ses longs cheveux d'énergumène douloureux sentaient bon l'enfance et la misère.

— Tu permets? Elles m'échauffent les pieds.

Il ôta ses espadrilles, il visita la maison en les tenant par les cordons. Je comptais les cicatrices qui zébraient la peau. Il y en avait trop. Je l'entraînai sur le perron.

— Donnez votre patte, jeune fille.

Je lui donnais la main par déférence pour ses pieds blessés; c'est ainsi que nous descendions les marches, sans illusion. La main que je lui abandonnai n'était plus qu'un brimborion de chair.

Marc s'intéressa à la chaudière du sous-sol. Il se sépara de ses espadrilles qu'il déposa sur un tonneau :

— C'est votre bar?

— Si tu veux.

Il reprit ma main et, de sa main libre, il mania le régleur, les manettes, il lut le nom du fabricant, il caressa la fonte. L'homme s'intéresse aux machines. C'est sa force. Je le menai jusqu'aux zinnias que les locataires précédents avaient semés, je lui désignai l'arbre que le rossignol métamorphosait.

— Tu m'as tout montré sauf...

— Notre chambre!

— C'est la fenêtre qui donne sur le jardin?

— Tu veux la voir?

— Je veux tout voir. On peut fumer dans votre chambre?

— Pourquoi pas?

— Je n'ai pas les cigarettes, dit Marc.

Je le laissai seul dans notre chambre, devant notre lit défait puisque c'était ce qu'il voulait.

Le fantôme de Cécile s'effaça pendant que je cherchais les allumettes. Je revins dans notre chambre :

— Elle est bien exposée. Nous avons le soleil le matin. La nuit il y fait frais.

— Elle ne me plaît pas.

— La maison entière ne te plaît pas.

Marc fumait avec avidité.

« Vous ne faites pas votre lit?

— Nous étions couchées quand tu as sonné. »

Marc envoya un jet de fumée sur ses pieds nus.

Il regardait tout :

— Des coffrets, un coquillage, des vases, encore des vases, des presse-livres, des lampes... Je ne te reconnais pas, bonhomme. Je te revois marchant à grands pas. Maintenant, tu t'embarrasses de niaiseries.

La fumée montait droit devant l'œil, la cigarette ne quittait plus la bouche. Marc avait une expression aiguisée de canaille.

— C'est fini, cet inventaire?

Il s'assit sur le lit défait, il remit ses espadrilles.

— Si je te prêtais des pantoufles?

— C'est ta chambre ou la sienne?

— Je te l'ai dit, c'est notre chambre!

Ses yeux brillaient.

— Lève-toi. Essaie-les.

— Il est petit ce lit, dit-il.

— Il est petit. Je l'ai voulu ainsi.

— Pourquoi?

— Ne cherche pas, tu ne trouverais pas. Un grand souvenir. Essaie les pantoufles.

— A qui est-ce?

— Ce sont les chaussons de Cécile.

— Je n'ai pas de grands pieds mais j'ai quand même un pied d'homme. Je n'en veux pas de tes pantoufles, dit Marc.

Je laissai tomber les pantoufles sur le plancher.

— C'est inconvenant votre propreté, dit Marc.

— Sortons puisque c'est inconvenant.

Il regarda une dernière fois quand il fut dans l'encadrement de la porte :

— Je me demande comment vous pouvez tenir dans un si petit lit.

— Nous tenons.

Il m'a suivie.

Le soleil déclinait et câlinait les murs. Le chant des oiseaux dans le jardin décorait aussi la cuisine.

— C'est à toi ou à elle?

Il montrait du doigt un tablier pendu au porte-manteau.

— C'est le tablier de Cécile.

— Est-ce qu'elle reviendra bientôt, Cécile?

— Pas avant une heure.

Marc chancela.

— J'ai faim, Thérèse.

Je m'affolai :

— Qu'est-ce que je peux faire?

— J'ai faim : donne-moi à manger.

Je voulus le soutenir mais il me repoussa. Il s'écroula sur la table de cuisine : ses longs cheveux balayèrent les coquelicots de la toile cirée, ses espadrilles tombèrent de sa main.

« Faites qu'il ne meure pas. » Peut-être est-ce ainsi qu'un homme commence à mourir. Je tourne, je tourne et je ne lui donne pas à manger.

— Tu n'as pas une biscotte?

Je voulus beurrer la biscotte : elle se cassa.

J'apportai le paquet, j'en mis une sur la table à côté des cheveux de Marc.

— Mange!

Il commença de manger sans me montrer son visage. Un homme a faim, un homme me l'a dit. C'est vieux, c'est neuf.

Je m'assis dans un coin. J'écoutais le vacarme du pain grillé dans sa bouche.

— Nous avons de la viande froide!

Je courus dans le sous-sol, je sortis la pièce de viande du garde-manger, je revins avec exubérance.

Marc se donnait des claques d'eau froide avec l'essuie-main.

— Nous avons du vin.

— Vous avez de tout!

Je sortis du buffet la moutarde, la boisson, le pain, la confiture.

Il se peignait avec son peigne de poche édenté, il faisait glisser la bouffette de cheveux dans la poche réservée au mouchoir fantaisie. Marc se lava les mains. Il aimait le savon et le savon aimait ses mains.

J'ai mis des couteaux sur la table.

— Est-ce qu'ils coupent?

Le pouce tâtait une lame, une autre lame.

— Vos couteaux ne coupent pas. Vous avez des couteaux qui ne coupent pas.

Il les affûta. Il y eut un homme dans la maison.

— Mange avec moi, dit-il.

— Je n'ai pas grand-faim, mais puisque tu veux...

Marc souleva le pot de moutarde.

— Ce n'est pas de la Savora. Vous n'avez pas de la Savora?

— Nous n'en avons pas.

— Tu as changé, dit Marc.

Il mâchait lentement. Je me retrouvai avec lui dans les brasseries où j'avalais des tranches d'ananas au kirsch.

— Donne! dit Marc.

— Non!

Je débouchai la bouteille de vin.

— Je te retrouve, mais tu es plus douce qu'avant, dit-il.

Il nous versa à boire.

— Plus douce! Tu me voyais dans un train, dans les cafés... Tu me vois dans une maison. C'est différent.

— Tu te souviens de la terrasse de la Lorraine,

de celle de la place Pereire? On nous prenait pour frère et sœur.

— Pourtant, nous ne nous ressemblons pas.

— Sacré bonhomme!

Il abattit sa main sur la mienne, le Paris-Meaux surgit avec son roulement d'orage. Le train avec sa vitesse creusait son horizon. L'oiseau dans l'arbre modulait sur la détente de fin d'après-midi, les mousselines du crépuscule attendaient dans les coulisses. Marc sourit :

— Tu te souviens de notre course dans les escaliers du Châtelet pour être assis au premier rang?

— Oui, Marc.

— C'est sympathique un public d'étudiants.

— Oui, Marc.

— C'est comme ça que les salles de concert me plaisent.

— Oui, Marc.

— Ils ne pouvaient plus partir. Ils montaient sur les banquettes pour applaudir.

— Oui, Marc, oui, Marc.

— Tu dis toujours oui, Marc.

— Je suis contente : tu es venu.

— Tu es contente mais tu es pensive, bonhomme.

Les biscottes, la viande, le vin, les cigarettes sont à Cécile. Nous consommons sans elle, nous nous nourrissons d'elle et nous la frustrons d'un passé auquel elle a été mêlée.

— Nous prenions le train, nous nous retrouvions dans la gare, dit Marc.

— Si nous débarrassions la table?

— Réaliste! Encore une minute, dit-il.

Je me souvenais comme lui :

— ... Tu arrivais le premier devant la petite entrée du Châtelet, tu avais sous le bras les livres que je désirais lire. Tu te souviens comme on était porté quand on commençait d'avancer dans les escaliers. Je les ai encore tes livres, Marc. Il y a des éditions rares que tu pourrais revendre aux libraires.

— Toi, vends-les et achète-toi ce qui te plaît. Je voudrais me nettoyer. Je suis sale, Thérèse. Tu permets que j'en écluse encore un? Laisse cette bouilloire. Le robinet, qu'est-ce que tu en fais?

— Tu auras de l'eau chaude!

— C'est juste, ça décrasse mieux. Où vas-tu?

— Préparer ce qu'il faut dans la chambre.

— Je me nettoierai ici, dans l'évier.

— Un lavabo, c'est tellement plus commode.

— Dans ce cas je ferai ma toilette dans la Seine.

— Bon, bon...

Je poussai du pied les chaussons de Cécile au milieu de la chambre. Je pris du linge, un savon neuf que je donnai à Marc.

— Pourquoi deux serviettes, pourquoi deux gants-éponges? dit Marc.

— Pour les deux toilettes.

140

Je m'enfuis dans notre chambre.

J'imaginais Cécile entrant à l'improviste dans la cuisine, étouffant un cri, accourant, se jetant dans mes bras :

— Qui est-ce, Thérèse? Il est nu, je l'ai vu nu. Qui est-ce?

— Un homme, Cécile. Pas moins, pas plus.

On frappa :

— Veux-tu me laver le dos?

Marc était retourné dans la cuisine.

Je suis venue, j'ai tâté l'eau!

— Ce n'est pas assez chaud pour laver le dos.

Nous avons attendu le chantonnement dans la bouilloire. Marc avait un buste d'adolescent frêle, des bras maigres de jeune fille.

— L'eau de pluie adoucit. C'est de l'eau de pluie que j'ai mis pour toi dans la bouilloire.

Marc croisa les bras. Je cherchai au bord de la fente du pantalon la place du bouton qui manquait mais je ne la vis pas.

— Tu n'as pas froid?

— Froid! Tu me prends pour une vieille, dit Marc.

Pourtant le soleil ne pouvait rien sur son épiderme pauvre. Des cheveux, des cheveux de femme dans ses aisselles, me dis-je pendant qu'il croisait les bras sur sa tête.

La petite musique commençait dans la bouilloire. Je versai l'eau, je savonnai le gant :

— Mets-toi devant moi et ne bouge plus, dis-je.

— Ne te salis pas, dit Marc. Ce serait dommage. Ta robe me plaît. Tu veux que je me baisse?

— Tu n'es pas très grand…

Je commençai de savonner. Marc se tourna :

— On ne s'est rien dit depuis que je suis arrivé.

— Je t'ai cherché. Tu avais disparu mais laisse-moi savonner.

— Savonne et tais-toi, dit Marc.

La cuisine se changeait en salle de conseil de révision avec un conscrit nu jusqu'à la ceinture.

— Frotte! Tu n'oses pas. Arrache-moi si tu veux mais frotte fort.

Le gant s'accrochait aux omoplates. Je respirais l'odeur cafardeuse de salle d'attente dans ses longs cheveux. C'était un dos frileux de petit garçon.

— Ça ne te manque pas tes petits voyages quand tu allais la voir? Ça te convient ce genre de vie? Tu te souviens de nos Pernod bien tassés? dit Marc.

— Je me souviens. Rince le gant!

Il le rinça consciencieusement. Ses omoplates frémirent.

— … Cécile a eu son changement plus vite qu'on ne pensait.

— Racle, racle! C'est bon pour la circulation, dit Marc.

Il me faisait l'effet d'un clochard prenant de l'huile de foie de morue avant les repas.

L'eau coula du gant, elle descendit sur l'échine entre le pantalon et la peau.

— Tu es maladroite, bonhomme.

— Heureusement.

« Je plains celle qui épouserait ce maniaque », me dis-je.

La peau de Marc ne voulait pas de soleil, pas de la couleur des abricots. Elle avait le même destin que les endives, sa peau éteinte. Marc s'essuya les reins.

Je pris son veston sur le carrelage et rêvai aux cailloux que Marc aurait entassés dans ses poches pour se leurrer, je rêvais au poids plume du billet de cent francs.

— Que tu es lent!

— Je me ménage, dit Marc.

Son dos qu'il frictionnait ne rosissait pas.

Je quittai la cuisine, je m'allongeai sur le lit avec le veston de Marc.

J'écoute comme j'écoutais au collège. C'est la même magie. J'écoute les bruits de leur toilette, je suis dans le quotidien et dans le cérémonial. Faire ses poches... « J'ai fait ses poches », disent-elles. La doublure de son veston n'est que banderoles, pourtant dans le bas tout tient, les boutons tiennent aussi. Faire ses poches... Une vraie femme fait les poches d'un homme, une vraie femme est curieuse. Je manque de curiosité.

— Tu parlais? cria Marc.

Je reconnus à sa voix fautive qu'il était nu dans la cuisine.

— Le pantalon... quand tu voudras me le donner... Je le recoudrai.

— Ne te casse pas la tête, dit Marc.

Il lança le paquet dans le couloir. Je mis le pantalon de Marc sur mes genoux, au-dessus du veston.

Le passeur de tabac entrait dans la cuisine de ma mère. Il avait marché dans l'eau. Il s'adossait au mur, il haletait. Ses yeux se fermaient, ses longs cils frémissaient. Une heure du matin sonnait à l'hôtel de ville, les roseaux se redressaient, les douaniers se rendormaient : le passeur leur échappait. Ma mère lui donnait des vêtements bouillants. Le contrebandier se changeait, ma mère se cachait un instant sur ma nuque d'enfant, elle ramassait les vêtements mouillés qu'elle révisait. Je prenais une jambe du pantalon, j'enfouissais mon visage dedans, je me perdais dans cette odeur désolée d'épagneul mouillé.

— Je ne le mettrai pas, dit Marc.

— Mets-le... C'est comme une chemise Lacoste...

Il enfila les manches du chemisier bleu pâle de Cécile.

— A qui est-ce? A elle?

— Non. A moi.

Marc se regarda dans la glace :

— Je n'en veux pas de ta lingerie.

Il refusa la ceinture de cuir qui m'appartenait.

— Ça, ça me plaît. Où les as-tu trouvées?

Il tournait autour. Il les souleva avec précaution :

— Où les as-tu dégotées?

— Tu les veux?

— Si j'en veux! Des croquenots de jardinier, des vraies chaussures d'homme...

Il les essaya, il dit qu'elles lui allaient comme un gant. Il caressa les rides du cuir quand il eut fini de nouer les lacets.

— Ce n'est pas élégant, mais puisque tu es content...

— Tu me plais, Thérèse.

Marc fronça les sourcils :

— As-tu de quoi les entretenir?

Nous avons trouvé ce qu'il fallait dans le sous-sol.

Marc assis sur les marches de la cuisine les frotta pendant que l'oiseau modulait.

— Je te préviens, Cécile sera ici avant dix minutes.

Il siffla avec moins d'entrain, mais il siffla.

— J'ai un rasoir, j'ai des lames, mais pas de savon à barbe. Si tu te rasais? Elle ne te reconnaîtrait pas.

Je me tenais derrière lui.

145

— ... Rudement content de t'avoir revue.

Il frotta sa joue contre mon mollet.

Je lui donnai les semelles que j'avais découpées pour lui dans le couvercle d'un carton à chapeau.

— Vous avez des lames, un rasoir... Épilation?

— Épilation. Rase-toi avant son retour. Elle te trouvera changé.

Marc rentra dans la cuisine :

— Vous n'avez pas la lame Ile-de-France?

— Nous n'en avons pas.

— Vous n'avez pas les lames Gillette?

— Nous n'en avons pas.

— Vous n'avez rien.

Il savonna ses joues avec la brosse ronde pour la désincrustation.

Le timbre.

— Elle a sa clef? Elle ne devrait pas nous déranger, dit Marc.

— Cécile préfère se faire annoncer.

« Elle n'insiste pas, elle n'ose pas entrer chez elle », me dis-je.

La brosse tomba dans l'évier. Il prit le rasoir Gibbs sur la table, il le remit à la même place. Il avait un drôle d'air, ses mains tremblaient.

— Qu'est-ce que tu attends? Ne la fais pas languir, dit Marc.

Je mis une serviette de toilette sur son bras.

— Sacré bonhomme! Donne encore ta patte.

Je m'en allai ouvrir avec cette mousse de la

146

grosseur d'une noisette sur ma main qu'il avait embrassée.

— Il est là? Que c'était long cette leçon! Qu'est-ce qu'il fait? Tu ne l'as pas laissé partir? dit Cécile.

— Il se rase : tu vas le voir.

— Il se rase dans notre chambre?

— Dans la cuisine. Il déteste notre chambre. Il ne me l'a pas caché.

— Il faut l'inviter à dîner. Tu ne m'as pas dit qui c'était. Il y a longtemps que tu le connais? Je n'ai pensé qu'à ça pendant la leçon.

— Il pourrait t'entendre. Entre, tais-toi.

— Qui est-ce?

— Je te le dirai plus tard.

Marc revit Cécile dans la glace au-dessus de l'évier :

— Thérèse veut que je sois beau.

— Thérèse a bien fait, dit Cécile. Vous ne voyez rien dans ce coin!

Elle alluma au-dessus de l'évier.

Marc éteignit :

— Je voyais très bien. Pourquoi voulez-vous gâcher le jour?

— Se raser chaque matin... Quelle corvée. Je ne voudrais pas être un homme, dit Cécile.

— Et même si vous le vouliez...

Il reprit :

— Le calendrier que vous regardez douze fois par an...

— Nous ne le regardons jamais, dit Cécile.

Marc souffla sur le rasoir. Son masque pathétique avait disparu : il était rasé de près.

— Est-ce que Thérèse vous a raconté qu'elle ne se plaît pas ici? dit Cécile.

Cécile alla se déshabiller dans la chambre.

— Tu te déplais ici, c'est vrai?

Il s'approchait, il le chuchotait avec animation.

— Ne te réjouis pas trop, dis-je.

Il baissa les yeux, il dévissa le manche du rasoir. Il me demanda un journal.

— Tu pourrais faire attention à mes chemisiers! cria Cécile. J'en trouve un dans le lit. Un vrai chiffon, mais je te pardonne. Je lui pardonne tout, cria-t-elle.

— Vous la pourrissez, dit Marc. Je parie que c'est votre chemisier bleu qui est chiffonné!

— Comment le savez-vous?

— Je devine.

« Tu as voulu m'affubler avec son chemisier », me reprochait l'œil vert.

— ... Vous n'avez pas deviné que nous avons été dévorées par les puces. Thérèse surtout.

Marc enveloppait la lame du rasoir dans le papier journal, Cécile ouvrait et refermait des tiroirs.

— Vous avez eu des puces? Sans blague... Vous avez eu des embêtements?

Il rayonnait.

— Je vais enfouir la lame. Il ne faut pas qu'une bête se blesse avec, dit Marc.

Il est revenu sur ses pas :

— J'en avais le pressentiment que tu n'étais pas heureuse ici, dit Marc.

Cécile arrivait.

— J'ai entendu sans le vouloir, dit Cécile.

Elle prit ma main.

— Thérèse avait peur. Je suis sûre que maintenant c'est fini, dit Cécile.

Elle serrait ma main par petites pressions. On eût cru qu'elle m'encourageait à faire un saut dans le vide.

— Thérèse avait peur? De quoi, Bon Dieu? dit-il.

— Du grenier. Elle s'était imaginé qu'un vagabond...

— Un vagabond, dit Marc.

Il s'approcha. Ses yeux étaient méchants.

— Quelqu'un qui manque de tout si vous préférez.

— Quelqu'un qui manque de tout, dit Marc.

— Taisez-vous, puisque c'est fini! dis-je.

— Laisse, bonhomme, laisse. Continuez, je vous prie, dit Marc.

— Elle s'était imaginé qu'un malheureux, réfugié dans notre grenier, vivait de nous, que ce malheureux se faufilait à la brune dans le sous-sol.

149

Elle m'éveillait, elle me disait qu'elle entendait ses pas légers.

— Thérèse ne s'est peut-être pas trompée. Ce n'est pas impossible, dit Marc.

Cécile ne sut plus quoi dire. Elle m'attira, elle m'entoura le cou.

Marc eut un rictus de plaisir.

— Il est temps que j'enfouisse cette lame, dit-il.

— Cécile ne te dit pas que j'avais peur de tout. Il n'y avait pas que le grenier...

— Elle m'y entraînait la nuit, dit Cécile. Elle aurait voulu que je le voie de près, que je le touche du doigt, mais il n'y avait personne.

Marc se tenait droit devant elle. Cécile ferma les yeux. Ce n'était plus des idées : elle le recevait à l'estomac le type que j'avais imaginé dans le grenier.

— Pauvre bonhomme qui n'est pas heureux pendant que je dors la nuit, dit Marc.

— Je suis heureuse, Cécile, je suis heureuse avec toi.

Elle me caressa les cheveux, elle déboutonna et reboutonna avec avantage sa jaquette de bure.

— Elle est ma vie. Elle le sait, dit Cécile.

— Tais-toi! Cela ne regarde que nous.

— Vous permettez que j'enterre enfin cette lame? dit Marc.

Il partit comme un fou.

Elle lui dit qu'elle m'aime, elle est sincère et

150

c'est comme si elle lui faisait la cour avec son étalage.

— Il n'est pas tombé du ciel. Tu peux me dire en deux mots, qui est-ce?

Cécile rafraîchissait trois verres sous le robinet. Elle lança un torchon sur mes bras.

— Le voici. Tais-toi, Cécile, tais-toi.

Les clous sous les semelles faisaient des bruits étincelants.

— Je l'ai enterrée où vous ne jardinerez jamais. La région est humide, dit Marc.

— Tu trouves aussi?

— Encore une idée à elle, dit Cécile. Il est vrai que tous ces détails m'échappent. Je me porte trop bien.

Cécile s'accusait. Marc l'observait avec intérêt.

— Je vais vous faire une proposition : pourquoi ne dîneriez-vous pas avec nous? Insiste, Thérèse.

— Accepte, Marc, puisque Cécile te le demande.

— Nous avons un lit-cage, une chambre qui ne sert à rien et qui deviendra une chambre d'ami. Paris doit être étouffant, Si vous êtes libre...

— Je suis absolument libre, dit Marc. Toi, bonhomme, tu es d'accord?

Il lissait ses cheveux, il se sentait quelqu'un.

— Si nous faisions ton lit? dis-je.

Nous sommes sortis de la cuisine. Cécile préparait l'apéritif.

— Tu vois, elle est gentille...

— Elle m'invite pour te distraire, dit Marc.

Les clous de ses chaussures pilaient la bonté de Cécile.

— Quel beau jaune d'or! dit Marc.

Le soleil de sept heures du soir illuminait le verre dépoli de la porte d'entrée, le transparent argent scintillait entre les revers du veston.

Nous avons dégrafé le lit-cage.

— Tu te pinces. Idiot, idiot...

Il voulut aspirer mon doigt meurtri. Cécile arrivait avec la literie. Elle fit un détour, elle jeta les draps et la couverture sur une chaise. Elle haussa les épaules :

— Débrouillez-vous, dit-elle.

Elle tourna la tête avant de quitter la pièce, elle prit autant de présence qu'il était possible. « Elle a le dessus, c'est elle qui a le dessus », me dis-je.

— Je ferai mon lit. Personne ne sait le faire comme moi, dit Marc.

Il mesura tout : le matelas, les draps, le traversin, la couverture. Il faisait le plan de la cité du sommeil, il tournait autour du lit-cage. Sa lenteur, son application, sa précision me fascinaient. Il fit son lit pendant un quart d'heure avec des équerres, des compas, un fer à repasser, un centimètre et il regarda son œuvre. Je me sentais protégée par Cécile, je me sentais à l'abri de ce méticuleux.

— Je suis maniaque, dit-il.

Cécile était revenue sur la pointe des pieds.

— Quel soin! dit-elle.

— J'aime bien dormir, dit Marc.

Elle me prit par la taille et je me sentis trop privilégiée. Marc installa une chaise à côté du lit-cage. Un solitaire prévoyait du confort. Son œil fou de vivacité regardait partout sauf où Cécile était avec son bras entourant ma taille. Je me dégageai, j'ouvris la fenêtre : une bêche heurtait les cailloux dans la terre. Je fermai les persiennes.

— Pourquoi lui enlèves-tu le soleil? dit Cécile.

Elle était retournée dans la cuisine.

Debout derrière moi, il avança son bras, il replia les persiennes, il me coinça entre le menton et l'épaule.

— Tu me fais mal!

— C'est servi, cria Cécile.

Marc se jeta à plat ventre sur le lit qu'il avait fignolé.

Je me penchai à la fenêtre, je pris la température du paysage. Un employé libéré à cinq heures peignait la terre avec son râteau, les fleurs devant notre porte s'abritaient dans l'air puisque c'est leur seul refuge, le soleil se noyait dans les rouges, la lumière enjôlait. Le souvenir d'un parfum d'aubépine traînait sur tout cela.

— Cécile nous a appelés, dis-je.

— ...

Il est couché sur le ventre comme elle à trois heures de l'après-midi dans le bois avant qu'il vienne.

— Tu ne te demandais pas ce que je faisais? dit Marc.

— La glace est dans les verres, cria Cécile.

— Lève-toi, Marc. Dis ce que tu faisais.

— ... La navette entre la ville et les campagnes, j'en avais ma claque. J'ai lâché le métier de commissionnaire.

Il se passait la main dans les cheveux avant de quitter la chambre, il préparait sa rentrée.

— Tu ne peux pas t'imaginer la mauvaise foi des femmes...

— Tes cheveux sont bien. Viens. Tu me le raconteras plus tard.

Marc ouvrit son veston :

— Tu me les as tous consolidés...

Il rêvait à ce que j'avais fait pour lui : j'avais de la gratitude pour mon travail de couture.

— ... Quand je leur apportais de la ganse verte, elles me soutenaient qu'elles avaient demandé de la ganse blanche. Du bleu, du vert, du blanc, tu parles si je m'en fichais. Elles voulaient des saladiers unis quand je les livrais fleuris...

— Venez quand on vous appelle, dit Cécile.

Elle nous attendait dans la chambre au piano.

Elle se leva du fauteuil qu'elle offrit à Marc. Je la forçai à se rasseoir.

— Viens sur le bras du fauteuil, dit-elle.

— Viens sur la banquette, dit Marc.

— Viens sur le bras du fauteuil, dit Cécile.

Je m'assis à côté de lui.

— ... Marc m'expliquait ce qu'il devenait. Il a lâché le métier de commissionnaire. Mais tu ne sais pas. Il achetait un peu de tout en ville pour les fermières dans les villages perdus mais ses clientes étaient de mauvaise foi. Tu n'as pas de chance, Marc. Mes fermières sont parfaites, pourtant je vais dans des villages de sauvages. Je patiente, j'attends quelquefois des heures dans leur salle, mais elles achètent et elles me prennent toujours les dentelles qu'elles ont commandées. S'il fallait que j'abandonne mes valises, mes routes, les raccourcis... Je n'ai pas vu mes valises dans le grenier l'autre nuit. Où sont-elles?

— J'ai mis une bâche dessus, dit Cécile. Vous ne pourriez pas, vous, la persuader de changer de métier? Elle s'use. C'est trop dur pour elle. Colporteur, ce n'est pas un métier de femme! Je ne cesse de le lui répéter. Elle ne veut pas que je travaille pour deux.

— Thérèse fait ce qui lui plaît et c'est ce qui me plaît en elle, dit Marc. Il n'y a pas des métiers d'hommes et des métiers de femmes. Il y a des métiers.

— Je recommencerai. Que tu le veuilles ou non. Et les portraits? dis-je à Marc.

— Donne un cendrier à ton amie. dit Marc.

Je m'assis aux pieds de Cécile.

— Je peux parler? demanda Marc.

— Parle, parle, dis-je.

— ... Quand je les croquais avec douceur, ils soutenaient que je leur enlevais leur personnalité. J'effaçais, je recommençais. Ils disaient que je leur faisais une tête de tueur à la sanguine. Ils m'accusaient d'avoir mis de la vacherie dans le trait. Ils réglaient leur consommation et ils partaient sans me payer, avec mon dessin sous le bras. Je ne pouvais pas me défendre. Le gérant était toujours du côté du client.

— Il faut penser au dîner, dit Cécile.

Ce que disait Marc n'atteignait pas Cécile.

— As-tu des projets?

— Si j'en ai!

Cécile considérait les chaussures de Marc avec une mine et un mouvement de tête de caniche. Je m'attendris. Marc boit son Pernod. Marc fume ses cigarettes, Marc se repose sur la banquette de son piano, Marc mangera dans les assiettes de Cécile, il posera la tête sur l'oreiller de Cécile... Je me durcis : j'accusai Cécile de jouir du dénuement de Marc.

— Parle-nous de tes projets.

C'est toute la vie d'un homme, ses projets.

Marc reprit :

— J'ai des projets de dessins publicitaires. Une entreprise m'a pressenti pour le lancement d'une nouvelle marque d'aliment complet. Tu me verrais partout dans le métro, bonhomme.

— Tu signeras?

— Je ne sais pas.

Cécile leva les yeux au ciel.

Je préférais la mégalomanie généreuse de Marc au scepticisme étroit de Cécile.

— Trinquons tous. A la réussite de tes dessins publicitaires.

— Tu sais que je déteste ça, dit Cécile.

Marc cogna son verre au mien. Il but sans s'arrêter jusqu'à ce que Cécile baissât les yeux.

— Je suis sur une affaire de rouge à lèvres... Affaire mondiale si elle démarre.

— Continuez. Il faut que je m'occupe du dîner, dit Cécile.

Elle me reprocha avec ses yeux l'optimiste de Marc; elle s'en alla.

— ... Si je devenais directeur principal, je t'emmènerais. Nous prendrions l'avion. Est-ce que ça te va?

Déjà il fumait sa cigarette en directeur penché sur le courrier de l'affaire mondiale.

— Tu deviens fou? Je suis avec Cécile et je n'abandonnerai pas mes valises.

— Qui sait si tu ne les abandonneras pas un jour tes valises!

157

— Dehors, c'est le paradis. Venez donc! cria Cécile.

Nous sommes venus. Nous avons tourné autour d'elle.

— Vous avez l'air de deux condamnés, dit Cécile. Rentrons, maintenant.

Elle me chatouilla la joue avec le bouquet d'aigrettes vertes :

— Vous aimez la ciboulette? Coupe, coupe, dit-elle en regardant Marc.

Elle fourra la paire de ciseaux dans mes mains. Marc se pencha à la fenêtre :

— Ce que je voudrais être un jardin qu'on désaltère, dit-il.

Cécile lavait la salade à grande eau.

— Est-ce que tu as déjà touché les fines herbes? Marc... Viens toucher.

— Secoue ça dehors, parle moins! Ton ami doit avoir faim, dit Cécile.

Marc lui prit le panier à salade des mains. Il sortit dans le jardin.

Cécile se jeta sur moi :

— Tu crois ce qu'il raconte? Tu y crois à ses dessins publicitaires?

— Je le crois parce qu'il a confiance.

Elle regarda dans le jardin.

— Est-ce qu'il est libre? C'est vraiment un homme sans femme?

— Ne parle plus de lui! Je t'en prie.

— Je le crois incapable de nourrir une femme. Peut-il seulement se nourrir lui-même?

— Si c'est pour le démolir que tu l'as invité...

— Je le démolis?

Cécile réfléchit. Elle se repentit dans mes yeux. Ce fut un plaisir réciproque.

— Je ne voulais pas te déplaire, dit Cécile. Je cherche puisque tu ne veux pas me dire qui c'est.

— Tais-toi! Mais tais-toi donc!

— A table, à table, lui cria Cécile par la fenêtre.

Le dîner fut morne. Marc mangeait lentement, il finissait les plats avec arrogance, il nous surveillait, il me regardait souvent avec trop d'éloquence. Il dit deux fois pendant le repas qu'il s'amusait comme un petit fou. Nous ne lui avons pas demandé pourquoi.

Rapprocher sa chaise de la mienne, prendre ma main, pencher la tête, mettre sa joue au creux de mon épaule, fredonner, se taire, chantonner en prononçant le nom de chaque note... Le ferait-elle comme elle le faisait à la fin des repas? Cécile ne changea pas ses habitudes. Il y a deux privilégiés et un malheureux quand on est trois.

Marc s'en alla devant la fenêtre : il sifflait ce que Cécile fredonnait.

— Il siffle juste, dit tout bas Cécile.

Marc cessa.

— Joue-lui ce qu'il sifflait, dis-je.

Elle courut au piano. Elle jouait avec fougue,

elle écrasait la nuit comme un géant écrase un monstre.

— Le ciel a déjà fait son plein d'étoiles, dit Marc.

— Est-ce que son jeu te plaît? Tu n'écoutes pas ce qu'elle joue.

— Veux-tu venir dans le jardin? dit Marc.

Cécile attaquait une *Étude*. Ses doigts labouraient le clavier, entraînaient l'ouragan de gauche à droite.

— Tu ne l'écoutes pas! Tu préfères la jacasserie des grenouilles.

Je le suivis dans le jardin.

— Quelle nuit nous allons avoir! dit Marc

— Comment trouves-tu qu'elle joue?

La cigarette tomba dans les étincelles.

Je courus dans la maison, j'en ressortis avec une autre cigarette pour Marc.

— Comment trouves-tu qu'elle joue?

L'œil vert demandait : « C'est donc une marchandise pour laquelle il faut faire l'article? »

— Je t'en supplie, Marc, comment trouves-tu qu'elle joue?

— Elle a des doigts.

Marc donna un coup de pied à la cigarette sur l'escalier.

— Je déteste faire des compliments. Tes chaussures me blessent, dit Marc.

J'ai haussé les épaules :

— Qu'est-ce que tu attends dans le jardin?

— J'attends une étoile filante, dit Marc.

Je le laissai, je revins à table. Elle jouait pour elle-même et je cassais des bouts d'allumettes.

— Tu n'aimes pas regarder le ciel étoilé? dit la voix.

— Où es-tu?

— Près de toi, sous la fenêtre, dit Marc. La nuit, quand je le regarde, je suis content de savoir que je ne suis rien.

— Dans ta chambre d'hôtel, tu ne vois guère le ciel....

— C'est moche de me rappeler que je ne le voyais pas, dit Marc.

Cécile refermait le piano.

— Taisons-nous. Elle vient, dit Marc.

Cécile courait dans le couloir. Elle me parla à l'oreille :

— Tu ne lui as pas offert du cognac? Où se cache-t-il?

— Dans le jardin. Il est sous la fenêtre.

Cécile avait les joues en feu.

— J'avais besoin de jouer. Tu m'excuseras, dit-elle.

— Tu es chez toi.

— Ne sois pas désagréable.

— Ton cognac, tu ne le lui offres plus?

Nous avons écouté le grillon intime et solitaire. Une nuit de parfums intrépides commençait.

— On ne l'entend pas. Il a disparu, dit Cécile.

— Cognac. Pourquoi pas? dit-il au même instant.

Marc avait bondi dans la cuisine comme un danseur sur la scène. Il croyait nous surprendre.

— Vous aimez le cinéma? dit Cécile.

— Je vais au cinéma.

Il emporta son verre de cognac, il s'assit sur la deuxième marche. Il levait la tête, il savourait l'alcool et l'infini, la musique immensément fournie des astres.

« Il y a un homme dans la maison », me dis-je avec satisfaction. Qu'il est petit quand il est assis. Je le dépasserais si je m'agenouillais derrière lui. J'empoignerais ses cheveux, je renverserais son visage, je verrais sa grimace d'homme, d'homme que j'aurais dérangé. Il a beau être assis avec ses mille métiers qui se débinent. Du haut de sa tour, il boit et il regarde les chariots d'étoiles. Il prend son temps. C'est un homme, c'est un fournisseur. Il a le passé et l'avenir à lui. Le ciel semble plus inquiet que lui. Même plié en deux sur la pierre, il est svelte et fluet. Une taille de jeune fille. Une vraie taille de jeune fille. Des mains romantiques d'adolescent. Ce n'est pas une bête, ce n'est pas un objet. C'est un homme dont je veux disposer. Imaginons qu'il est mort. D'abord ses bras, je reviens aux bras. Je ne me trompe pas : ce sont des bras de jeune fille. Une démarche de jeune fille matinale, qui s'est bien lavé les dents. Je disposerais de lui si je le trouvais mort dans une forêt. Qu'est-ce que je ferais? Je m'allongerais sur lui, je mettrais ses bras autour de mon cou, je lui dirais aime-moi. Non, je ne lui dirais pas.

Cécile éteignit.

— Bonne idée! dit Marc.

— Si nous nous couchions? Ce que nous voyons nous le verrons aussi bien de notre lit, dit Cécile.

— Vous vous couchez comme les poules, dit Marc.

Nous nous entendions mal à cause de cette frise de coassements. C'était un horizon de grenouilles. Nous avons placé nos chaises derrière lui. Cécile regardait les astres, l'air absent. Elle bâillait.

— Si nous nous couchions…

— Vous devez bouillir dans votre lit! dit Marc.

— C'est Thérèse qui l'a voulu ainsi.

— Si c'est Thérèse…, dit Marc.

Cécile me prit dans ses bras, Marc alluma une cigarette pour avoir une lueur.

— Je vais me promener dans le jardin, dit-il.

La nuit autour du poulailler n'en fit qu'une bouchée.

Cécile me serra moins fort!

— Je me coucherai si je veux me coucher. Pour ce qu'il dit! Il n'a que notre jardin en tête.

— Il vit en ville, Cécile. Paris est irrespirable. Tu lui disais avant le dîner. Il est seul. C'est triste d'être seul à côté d'un couple.

— Il ne fallait pas qu'il s'y risque. Je vais me coucher.

— Crie-lui bonsoir.

— Je ne lui crierai rien. Je réveillerais les chiens.

— Tu pouvais lui parler musique. Il va souvent au concert.

— Quand je lui parle cinéma, il ne répond pas. On ne sait par où le prendre. Tu n'as pas dit un mot pendant le dîner.

— C'est difficile, plus difficile que tu ne crois.

— Oh! je devine, dit Cécile.

— Il n'y a rien à deviner. Tu comprends?

— Non, je ne comprends pas. Et puis il a de sérieux ennuis. Je me demande où il coucherait s'il était à Paris.

— Il est pauvre. Ça ne te suffit pas? Il faut que tu le fouilles, il faut que tu imagines. Tu ne sais pas qu'il y a des choses qui ne nous regardent pas? Tu as raison : couche-toi, dors.

— Que tu es sévère dès qu'il s'agit de moi. Viens dans la chambre, dit Cécile.

Je me disais que Marc espionnait sous la fenêtre de notre chambre pendant qu'elle m'embrassait.

— Enfermons-nous, ferme la fenêtre. C'est plus prudent.

— Nous étoufferons, dit Cécile. Laisse entrer la nuit, laisse, laisse...

La maison ne nous appartenait plus. Je me demandais si Marc se déchirait à la rocaille sous notre fenêtre ou bien si Marc pissait du sperme dans sa main, la tête haute, l'œil frotté d'étoiles.

— Tu es folle, Cécile! Plus tard, quand nous serons couchées...

— La nuit n'a jamais été si belle, dit Marc au même instant.

J'ai couru à la fenêtre, je l'ai vu : il écoutait.

— ... Je te prépare un autre cognac avec de la glace. Ne reste pas dehors...

Je quittai la chambre.

La lumière dans la cuisine fut une horrible crudité. Marc s'adossa au mur :

— Il faut te coucher aussi, bonhomme.

— Elle n'est pas encore couchée, dis-je.

Le jardin nous faisait des propositions romantiques. Je repêchais quelques glaçons.

— Ferme les yeux, imagine que tu es dans le bar, que c'est moi qui te sers. Souviens-toi du clarinettiste...

— Il n'avait pas son pareil celui-là, dit Marc.

J'ai fait tournoyer les glaçons dans l'alcool.

— Veux-tu un livre, veux-tu des magazines pour la nuit? Tu ne m'as pas dit ce que tu prenais au petit déjeuner.

— Tu me soignes trop, dit Marc.

Il but et il sourit avec mélancolie au verre de cognac.

— Des cigarettes, Marc... J'oubliais.

— Donne-moi la lune pendant que tu y es!

Soudain, le silence ressembla à ce silence fragile dans un bivouac. Il y eut un sursaut de lumière dans la lampe. Marc se tourna de mon côté :

— Est-ce que tu veux?

Son visage fut foudroyé d'espoir.

— Qu'est-ce que je veux, Marc?

Le visage de Marc n'exprima plus rien.

— Que nous jouions aux cartes. Je t'apprendrai. Ne te couche pas, Thérèse...

Je le décourageai avec un bon sourire navré avant de parler.

— Je ne suis pas libre. Tu le savais en venant ici. Cécile m'attend. Il te faut des cigarettes.

Marc s'était encore jeté dans le jardin. Cécile m'appela :

— Il ne se couche pas?

— Tu ne veux plus le voir et tu veux savoir tout ce qu'il fait. Il est seul. Il ne peut pas se coucher tout de suite.

— Où sont les cigarettes? Aide-moi, cherche.

— Passe la soirée avec lui si cela lui fait plaisir, dit Cécile.

Elle s'était allongée sur le lit. Une mule de raphia glissa de son pied.

— Dans le deuxième tiroir à droite. Ne lui donne pas qu'un seul paquet, dit Cécile.

L'heure avançait. Les clignements au ciel me semblaient plus rapides. Marc ne revenait pas dans la cuisine.

Je mis le pot d'eau fraîche, le cognac, les cigarettes sur le plateau, j'ajoutai un livre, des magazines. Je calculai que la maison vue du jardin serait plus accueillante si je n'éteignais pas. Mes petits soins m'écœuraient. Cécile appelait, appelait. Elle n'aurait pas eu tant de culot s'il n'y avait pas eu un invité.

— Qu'est-ce qu'il fait à la fin? dit-elle.

Elle se dressa sur le lit :

— Ne ferme pas la fenêtre! Ne la ferme pas, Thérèse...

— Tu le laisses tomber et tu ne veux pas lui ficher la paix.

— Je te le laisse, Thérèse, je te le laisse, dit-elle la voix traînante.

Elle se leva, elle ouvrit la fenêtre.

— Tu ne sais donc pas que c'est quelqu'un qui voit tout dans le noir. Il a rôdé, il a vécu.

— S'il nous voit, tant mieux, dit-elle.

— Tu deviens folle, Cécile.

Elle se peignait devant la glace, elle croyait qu'elle se voyait.

— Il ne sait donc pas qui nous sommes... Qui donc croit-il que tu es? Il y a des heures que je l'attends, ce moment. Viens.

— La fenêtre ouverte, lui dans le jardin! Tu as perdu la tête!

— Tu vas attendre toute la nuit qu'il s'endorme? dit Cécile.

— Je vais m'étendre près de toi. Nous serons sages.

Je m'allongeai à côté d'elle, j'enlevai la main pesante sur mon ventre.

— ... Nous ne ferons pas de bruit, Thérèse...

— Non!

Elle soupira.

Une masse de nuit qui venait du jardin avançait dans notre chambre.

Cécile se pencha sur mon buste.

— Tu veux dormir? D'habitude tu n'as pas sommeil. Dis, c'est ça que tu veux?

— Je veux que nous soyons raisonnables pendant qu'il guette.

Je guettais aussi.

— C'est son pas. Il ne fait pas de bruit mais je le reconnais. Il n'a plus ses chaussures. Il est pieds nus dans l'herbe. Écoute!

— Tu reconnais son pas? dit Cécile.

— Tu pleures?

— C'est parce que j'attends depuis trois heures de l'après-midi, dit Cécile.

— Nos chaussures le blessent.

— Il te l'a dit?

— Il me l'a dit. Il ne voulait pas avouer que tu jouais bien, tout à l'heure.

Cécile s'était mise à l'abri dans mes bras.

J'ai voulu bouder le jardin mais la brise est venue et elle a conquis et charmé ma peau.

Il est sous la fenêtre, il attend comme Cécile attend, il le désire comme Cécile le désire. Si je cède, Marc et Cécile se trouveront en moi. Ils se cherchent à travers moi. Je me trompe, je veux me tromper...

— Serre-moi, Thérèse. C'est vrai : je deviens folle avec toi dans mes bras et lui sous la fenêtre.

— Du calme; sois calme, mon petit, dis-je avec assurance.

Le Paris-Meaux me frôla l'épaule. Marc sifflait.

— Que c'est triste ce qu'il siffle...

— Demain je te le jouerai, dit Cécile. Tu me quittes?

— Nous ne pouvons pas l'abandonner.

Je descendis dans le jardin.

Je le cherchai autour des arbres, mes pieds nus le cherchèrent aussi dans la cendre du poulailler. Les malheureux grandissent vite : je le cherchai sur les toits, sur la coiffe des cheminées, je le cherchai plus loin et plus bas. Au-dessous du silence, où il avait une cicatrice après le grondement du train. Le chien policier s'affolait. Ils dormaient. C'était pâteux. J'allumai dans le sous-sol, je le cherchai autour de la chaudière à laquelle Marc s'intéressait. Dehors le chien se jetait contre le grillage. Marc s'était déchaussé, il avait rangé les chaussures dans le flot satiné des pelures d'oignons. Il ne voulait rien, il m'ennoblissait : une larme d'or coula sur ma joue. Je revins dans la cuisine.

Il avait pris un paquet de cigarettes sur le plateau que je lui avais préparé, il avait traversé la cuisine. Je supposai qu'il avait fait le mur et qu'il regagnait Paris, pieds nus. Je n'imaginais pas qu'il se reposât dans la chambre que nous lui avions donnée. Je m'approchai de la porte de sa chambre.

Il veillait, il fumait : l'odeur vaillante se répandait dans le couloir. Il veillait : le monde m'était fidèle.

Je croisai les revers de ma gabardine, je frappai à sa porte.

La porte, lentement, s'ouvrit toute seule, la ficelle tomba. J'entrai. La porte lentement se referma toute seule quand je fus près du lit.

— C'est toi l'inventeur?

— C'est moi.

Il appauvrissait le lit-cage, les draps, la dentelle de la taie. Il lâcha les ficelles, le bras maigre retomba sur l'édredon.

— Que tu es couvert!

— Au lit, je suis frileux.

Il s'assit dans le lit, par pudeur et par courtoisie :

— C'est l'imperméable de notre rencontre. C'est le même?

170

Je fis signe que oui. Il joua vaguement avec la manche de mon vêtement.

Marc avait repris ses espadrilles dans le seau aux ordures, il les avait mises sous la chaise.

— C'est une vraie invention ton système de ficelles.

— La fenêtre aussi. Je peux l'ouvrir et la fermer de la même façon. J'ai horreur de me lever quand je suis couché.

— Évidemment.

Ses petites inventions m'attendrissaient.

— C'est pratique.

— Tu as pu t'échapper?

— Elle dort.

Il cherchait sur mon visage si nous l'avions fait.

Je lui avançai le paquet de cigarettes.

Il se découvrit, il me montra sa chemise de nuit : la robe bain de soleil en toile orange de Cécile.

— Enlève-la, Marc! Enlève-la tout de suite! Tu ne pouvais pas nous le demander? Il y a une chemise d'homme dans la maison. Il faut que je la trouve.

Il croisa les bras, il me défia :

— Je l'avais mise pendant que tu m'avais laissé tomber, dit-il.

— Ouvre, mais ouvre donc avec toutes tes ficelles...

— Ne te frappe pas ainsi, dit Marc.

Sa vengeance devait avoir une triste saveur de vinaigre. Il ouvrit la porte pour que je quitte sa chambre.

Je secouai Cécile :

— Où est la chemise d'homme que tu avais achetée à Riva Bella? Éveille-toi?

— Dans le carton vert...

— Lève-toi, cherche avec moi. Ne te rendors pas!

Cécile se leva. Elle arriva la première dans le cagibi, elle trouva la chemise d'homme, elle vérifia le col, les manchettes, les boutons, les boutonnières.

— Crois-tu qu'il aura suffisamment chaud? C'est un frileux, dit-elle.

— Comment le sais-tu?

— Je sais que c'est un frileux, redit Cécile.

Elle tâtait le tissu :

— C'est rêche, c'est sec. Un homme... et dans la chemise d'homme que je m'étais achetée! dit-elle.

Elle s'assit sur une caisse.

— Tu ne vas pas finir la nuit ici! Comment sais-tu qu'il est frileux? Il n'a rien sur le dos.

— Je le sais, je le savais.

Cécile se recoucha.

Marc se déshabilla et se rhabilla jusqu'à la taille, sans se lever. J'avais du bien-être dans la tête pendant qu'il boutonnait les manchettes, le col.

172

— Je t'ai appelé dans le jardin. Qu'est-ce que tu faisais?

— Je faisais le mort, dit Marc.

— Le mort qui rôde, le mort qui espionne.

Marc se coucha sur le ventre :

— Va, va là-bas, dit-il.

Ses cheveux huileux souillaient la popeline. Il leva les bras, il forma une couronne bleue autour de ses cheveux.

— Tu ne me donnes pas la main?

— Va, va là-bas, mon vieux. Je dors, dit-il.

Je m'éveillai à quatre heures du matin et crus entendre Marc qui faisait le mur pour disparaître. Cécile dormait sur le dos, la bouche ouverte. Je me rendormis.

Cécile se leva à sept heures, elle vint avec le peigne dans une main, la houppe dans l'autre, elle m'expliqua qu'elle donnerait des leçons jusqu'à midi, qu'elle était en retard.

— Invite-le pour quelques jours, dit Cécile. Nous le gâterons. Il en a besoin.

— Ce n'est pas un poupon. C'est un homme.

— Si c'était un homme il ne serait pas venu chez nous, dit Cécile.

Elle m'embrassa sur le front, elle disparut.

Le plateau sur la table, le cognac, les magazines que Marc avait dédaignés attendaient et le soleil ne brillait pas. Je retenais mon souffle devant sa porte :

— Tu dors, Marc?

— ...

— Viens dans le jardin avant qu'il pleuve...

— ...

J'ouvris doucement la porte de sa chambre : Marc avait disparu. Le lit-cage : plié. La taie : jetée avec les draps sur la carpette. Les cendres des cigarettes : envolées. Le cendrier : nettoyé. La chemise : sur le dos de la chaise. Il avait laissé deux Gauloises sur la cheminée. J'ai coupé les ficelles enroulées autour de la poignée de la fenêtre, j'ai ouvert les persiennes. Un vieux journal qui lui appartenait était tombé de sa poche sous le lit-cage. J'ai lu :

« Les surfaces emblavées en avoine d'hiver et en seigle, soit 481 000 ha, sont sensiblement égales à ce qu'elles étaient la campagne précédente. Les avoines d'hiver et les seigles ont résisté à l'excès d'humidité et présentent partout un bel aspect. »

Les caractères d'imprimerie dansaient devant mes yeux : le journal est tombé.

Je soulevai la chaise, je trouvai un bout d'allumette à la place des espadrilles. La chambre sentait la sueur.

Je me disais que je me sauverais comme lui.

Je montai au grenier. Cécile avait dit vrai : une bâche protégeait mes valises. Les serrures fonctionnaient, mais elles se rouilleraient si je ne par-

174

tais pas. Je les époussetai avec ma jupe, je remis la bâche dessus.

— Gagner de l'argent! criai-je dans le grenier. Je veux gagner beaucoup d'argent, je veux y arriver. Je ne veux que ça, je n'ai que ça, je n'aurai que ça. Les chaussures... où sont les chaussures?

Je revins dans la chambre que Marc avait fuie, je les cherchai partout :

— Faites qu'il les ait emportées, faites qu'il ne se blesse plus les pieds...

Une voix me disait qu'il les avait laissées dans la maison. Je les retrouvai dans le sous-sol, je me souvenais que les cordons de ses espadrilles lui sciaient la peau.

— Faites qu'il nous ait volées, faites, faites...

Le surplus des petites herbes s'était fané sur la table et, dans le tiroir, les quatre billets de cent francs me semblaient de l'argent innocent.

Cette fois c'était bien la trompe de l'épicier. Je montai au grenier avec les chaussures, je les jetai dans une caisse.

— Cent francs! On végète, on meurt avec cent francs en poche, ai-je psalmodié autour de mes valises. Je vous reprendrai mes petites filles, leur ai-je promis, vous me ferez gémir, leur ai-je chuchoté.

Je redescendis dans le jardin : je ne pouvais pas m'arrêter de tourner en rond. Je me dis que je tomberais dans les cendres du poulailler. Je souhaitais expirer au-dessous des perchoirs.

Je me jetai avant d'y réfléchir contre le grillage.

Le chien policier sur leur perron observait les jardins : les moineaux qui voltigeaient entre les lilas le mettaient au supplice. Pris par sa nostalgie des oiseaux à croquer, le chien distrait venait. Il se jeta à son tour contre le grillage qui nous séparait. Il aboyait avec générosité, il me proposait ses crocs, la pureté de sa gueule, la pureté de sa langue.

Le chien m'obéissait et m'en voulait : il me montrait le sexe décent dans le fourreau des poils, la nudité du creux, la pâleur entre les cuisses.

— Parti cette nuit, aboie; disparu cette nuit, aboie; Marc n'a pas d'argent, Marc n'a pas d'argent, aboie, aboie, aboie!

Des fenêtres s'ouvrirent : je me réfugiai dans le pavillon en désordre, je frottai les cuivres. Miror me confessa toute la matinée.

Le grignotement de sa clef dans la serrure.

— Faire briller les cuivres par cette chaleur! Pourquoi n'es-tu pas dans le jardin avec lui? J'ai pensé à vous le long du chemin. Où est-il? Tes cheveux traînent sur ton chiffon. Je croyais que vous étiez sur la pelouse, je croyais que vous aviez sorti les transats. Où est-il?

— Marc est parti.

Cécile laissa glisser sur la table le paquet qu'elle tenait :

— Tu ne l'as pas retenu?

— Il s'est enfui cette nuit.

Ses narines palpitaient, ses narines palpitaient toujours, ses narines étaient de faux indices. Cécile n'était ni rapace ni cruelle. Elle me fixa :

— Tu es sûre qu'il ne t'a pas écrit un mot? Il n'a pas pu disparaître comme ça.

Elle prit le flacon, les chiffons, les cuivres.

— Non, ne me quitte pas! Ne range pas tout de suite, dis-je.

Elle remit les objets sur la table.

— Ça te désole beaucoup qu'il soit parti...

— ...

— ... Nous pourrions lui demander de revenir ici quelques jours, nous pourrions lui télégraphier, dit Cécile.

— Il couche peut-être sous les ponts.

— Sous les ponts! répéta avec stupeur l'institutrice. Comme il doit avoir chaud dans ce Paris étouffant. La sueur leur coulait des mains pendant que je donnais mes leçons...

— Tu devrais te frictionner. Toi aussi, tu sens la sueur.

A quelle hauteur finirai-je? Quand cesserai-je de lui mettre de la glace sur le cœur?

— J'avais pensé à lui. Ouvre le paquet, dit Cécile.

Elle s'en allait dans la chambre.

— Des chemises. Elle lui avait acheté des chemises, dis-je à voix basse.

— Tu parlais? cria Cécile.

Le parfum énergique de l'eau de Cologne pendant qu'elle se frictionnait m'angoissait.

— Tu lui avais acheté du linge?

— C'est tout naturel. C'est toi qui lui aurais
offert, dit Cécile.

Je dépliais la soie, couleur de bruyère, j'écoutais le frottement du gant de crin sur sa peau
mate.

— Il n'y a qu'une mercerie dans le pays. Les
tons sont un peu trop voyants, dit Cécile.

Je courus dans la chambre, je me jetai dans ses
bras. Le gant de crin me griffait à travers l'étoffe
de ma blouse.

— Tu tiens donc bien à lui? me demanda Cécile.

— Il est seul, il est malheureux.

— Oui, il est seul et il est malheureux. C'est ce
que j'ai ruminé toute la matinée, dit Cécile. Ne te
griffe pas comme ça.

Elle sortit sa main du gant, elle jeta le gant sur le
lit.

— Crois-tu qu'elles lui auraient plu?

Elle me regardait et elle m'aimait comme elle
m'avait aimée dans la mercerie où elle avait choisi
les chemises pour Marc. Je ne pleurais pas mais
j'avais tant d'amour pour ces deux êtres qui ne se

rencontreraient pas que, sur mes joues, je sentais les larmes et la tristesse des cierges allumés.

Le gérant n'était pas dans son bureau. Un caniche sommeillait sur un coussin fleuri. Je me disais que je me durcirais dès que je le reverrais et que sans gestes, sans paroles, je lui ferais payer mon tourment. Je m'éteignis au fur et à mesure que je montai les étages mais je lui en voulais. Pauvre type, pauvre type. Il dort, il se fiche du monde à trois heures de l'après-midi.

Je frappai à sa porte.

— Tu pourrais ouvrir! Ne fais pas celui qui dort. Dérange-toi! Marc! C'est Thérèse. Ouvre! Ouvre!

La porte s'entrouvrit.

— Vous faites erreur, dit-elle. Il n'y a pas de Marc ici.

Une fille en chemise de soie noire m'avait répondu. Je crus qu'elle se réenfermait dans la chambre pour se recoucher avec Marc. J'eus un malaise pendant que je descendais deux marches après deux marches.

Le gérant était revenu dans le bureau.

— Pouvez-vous me dire si M. Marc habite encore votre hôtel?

— Nous ne l'avons plus, dit le gérant.

Il ouvrit un roman policier à couverture noire.

— J'aurais voulu savoir ce qu'il devient.

Le gérant me regarda avec compassion :

— Il vous doit de l'argent?

— Ce serait plutôt le contraire.

Le gérant se leva :

— La police est venue le chercher.

— La police... Quand?

Mon inquiétude déplut au gérant.

— Est-ce que je sais! Trois semaines, un mois, deux mois...

— Son courrier... qu'est-ce que vous en faites?

— Il n'en recevait jamais.

— Ses affaires?

— Il est parti comme il était arrivé. Avec son petit paquet.

— S'il vous doit quelque chose... Je peux payer pour lui.

— Toutes mes chambres se paient d'avance et je ne fais pas d'exception, dit le gérant.

La ville avait changé lorsque je sortis de l'hôtel. Il lui manquait un homme. La ville était amputée. Je suis allée jusqu'à la première brasserie et j'ai demandé de l'eau minérale, de quoi écrire. Je me souvenais. Nous étions montés au moins quarante fois dans des taxis. J'inscrivis quarante-cinq sur la feuille de papier. Pour arrondir. Je comptai une moyenne de trois cents francs par course, je posai la multiplication, je multipliai lentement, je prolongeais et soutenais le moment de la retenue.

pour grandir Marc, pour ennoblir les faux frais. Je me souvenais de la dernière course en taxi de Saint-Germain à Paris. J'inscrivis quinze mille francs au milieu de la feuille. Je calculais de tête qu'il y a pour un prisonnier des centaines de paquets d'Élégantes dans quinze mille francs si le prisonnier a quinze mille francs d'argent de poche. Ce prisonnier m'avait offert sûrement cent cinquante paquets de Gauloises, Gitanes, Camel surtout. Il fallait multiplier cent cinquante par cent cinquante francs. J'arrondis pour les allumettes, pour les cigarettes payées plus cher dans les bars. Je posai vingt-cinq mille francs au-dessous de quinze mille. Quarante mille francs pour de la cendre et du vent par la portière des taxis. Quarante mille francs. Ma mère dirait que de son temps on avait quatre petites maisons. Il y a ceux qui préfèrent le vent et la cendre aux petites maisons. Marc par exemple. Le vent et la cendre l'ont mené en prison. Qu'est-ce que j'en sais? La police l'a relâché. Qu'est-ce que j'en sais? Je lis cela dans les journaux. Les journaux mentent. Les plaintes. La police n'a pas relâché les plaintes des fermières qui lui commandaient du ruban, des cages pour des oiseaux. Je te comprends, Marc, je te comprends absolument. Tu préfères changer leur argent en cendre plutôt qu'en ruban de velours-cerise-trois-centimètres-pas-plus-sinon-vous-le-rendrez-et-vous-m'en-apporterez-un-autre. Sinon-

181

vous-me-rendrez-l'argent. Je suis de la cendre et
du vent, Marc... Quarante mille francs pour entendre : « Ne me donne pas le bras, ne me tiens
pas par la taille... Non, pas la main dans la main.
Ne mets pas tes jambes sous la table, ne serre pas
mes jambes... » Il s'obstinait à se saigner. Qu'y
avait-il donc dans mes refus? Du poivre? Sûrement pas du bromure. Trente programmes à cent
francs et je suis loin du compte. Toi aussi tu
arrondissais les pourboires. Tu étais pauvre, tu
donnais. Dix programmes de concert, dix de
music-hall. Je perds courage. C'est déjà la pente
qui mène à cinquante mille francs. Dix programmes achetés au Châtelet. « On ne tient pas
quelqu'un par la taille pendant une symphonie,
Marc. » Je ne lui ai pas dit : « Je ne t'aime pas,
Marc, tout me choque, Marc, cela ne vaut pas le
coup, Marc. » Bouclé. Ils l'ont bouclé. Fini le
détail. Je pose cent mille, je suis loin du compte.
Supplément pour le homard à l'américaine, le ca-
viar, le soufflé aux fruits, supplément pour fraises
des bois, supplément pour supplément de fraises
au kirsch. Le sommelier regarde son magot dans
la poche kangourou de son tablier. Ils ont bouclé
Marc. On n'enferme pas les gens. Ce n'est pas
sérieux. Je suis allée vers Marc, je l'ai dépouillé de
ses petits métiers.

— Où est la toilette?

Que je m'en souvienne encore dans la toilette.

Je me souviendrai dans l'escalier à droite au

fond de la salle, je me souviendrai avant de me battre. Je me le dis pendant que j'avale l'eau minérale : je me battrai dans les cabinets du café. Je me bats sans cris, sans plaisir. Parce que je ne les aime ni l'un ni l'autre, parce que je voudrais les rembourser l'un et l'autre. Ma main sèche me donne des gifles. Il avait le geste large, Marc.

— Gardez, gardez tout, garçon. C'est la main de Marc qui vous le donne.

Il me faut de l'argent. Il faut que je trouve un moyen de rembourser, je vais vendre des dentelles.

J'ai sorti mes valises du grenier, je me suis mise en rapport avec des maisons de gros, j'ai fait la navette du pavillon au bureau de poste. Je n'obtenais pas la marchandise qu'ils me promettaient. Le facteur glissait les feuilles d'impôt, le mandat pour la radio, un bon pour deux paquets gratuits de détersif, le facteur apportait *La Semaine à Paris, Le Guide du Concert*... Marc n'écrivait pas.

Quinze jours avaient passé, j'étais prête à partir quand Cécile me donna une lettre :

— C'est pour toi. Une femme t'explique qu'il y a un mourant dans son service et que ce mourant te réclame. Lis vite.

— Oui, si tu me laissais lire.

— ... Qu'il est seul et qu'il n'a que toi.

— C'est Marc!

La lettre avec le cachet de l'hôpital n'avait que quelques lignes. Cécile disait vrai. Marc me réclamait, une infirmière avait eu pitié.

— Il faut y aller tout de suite, dit Cécile. Tu le verras à une heure et demie. Je l'ai lu sur une plaque d'hôpital. Il sera tombé de faiblesse. Qu'est-ce que tu as?

— Les jambes coupées.

Cécile me donna une chaise, un biscuit.

— J'ai peur, dis-je tout bas, j'ai peur de ce qui lui est arrivé.

On entendait les cris des écoliers, le long des jardins potagers. Les écoliers bâfreraient, recommenceraient de rugir de plaisir à quatre heures de l'après-midi.

— Vas-y vite, mon petit, dit Cécile. Là-bas, ils sont stricts.

J'attendis avec la foule de visiteurs devant l'hôpital.

— Qui veut du mimo pour les malades? criait la marchande de fleurs.

Elle présentait ses bouquets, elle secouait le plumeau de mimosa pour le faire valoir, elle se sauvait dans un café avec des frissons de harpe dans sa jupe plissée, elle revenait, elle faisait l'article. Des Nords-Africains nous offraient des cartes à jouer, des sachets de dés, des portefeuilles, des amandes grillées. Je refusais tout cela par crainte de fleurir, de nourrir, de distraire un homme dans la terre. D'autres visiteurs arrivaient, se reconnaissaient, bavardaient et parmi eux une infirmière, une matrone, dissimulait du mimosa à l'intérieur de sa cape. Cette infirmière fendit la foule : les portes de l'hôpital s'ouvrirent.

J'entrai dans le bureau : l'infirmière qui m'avait écrit existait, l'infirmière s'appelait Dubois. Il fallait tourner plusieurs fois à gauche avant de la trouver dans son pavillon.

Dans cinq minutes, je reverrai les troènes, dans cinq minutes je saurai qu'il est mort, dans cinq minutes je reverrai les troènes près desquels je me demande si Marc est vivant. Cécile s'en fiche, Cécile est libre, Cécile feuillette un magazine près de la clef universelle, à côté de la boîte de sardines. Lit quatre, avait écrit l'infirmière Dubois au bas de la page.

— Le lit quatre, c'est dans la chambre au fond.

La fille de salle descendait l'escalier avec la pile de linge contre sa poitrine. J'ouvris la porte, j'avançai dans la grande allée des malades.

Les allongés se détournaient de leur famille, ils me dévisageaient. Des infirmières causaient près de l'amoire à pharmacie.

— Dubois? C'est son jour de repos.

Elles reprirent la conversation. Elles discutaient bas de soie, eau vinaigrée, solidité.

— S'il vous plaît...

— On vous l'a dit. Dubois est de repos. Revenez demain.

— Qui vous a laissée monter?

Le brouhaha dans la salle était meilleur qu'elles.

— Puis-je savoir? C'est le lit quatre. C'est pour lui que je suis venue. Mlle Dubois m'a écrit.

— Vous connaissez Dubois?

— Oui... C'est-à-dire un peu. Je voudrais savoir comment il va.

— Le quatre est condammé. Vous ne le verrez pas.

— Comment va-t-il aujourd'hui? demanda naturellement une des infirmières.

— Toujours quarante et un.

— Il est unique.

— Il n'appelle pas, il ne se plaint pas.

— « Je n'ai besoin de rien. » C'est tout ce qu'il sait dire. Moi, il m'épate.

— Puis-je savoir ce qu'il a? dis-je le plus bas possible.

— Vous le connaissez?

— C'est bizarre. Il n'a pas de famille.

— Il est seul au monde. Nous avons fait des recherches.

— C'est pour lui que je suis venue. Je vous en prie, dites-le, ce qu'il a.

La plus dure se décida :

186

— Typhoïde compliquée.

— Les autres seraient morts.

— Je me demande comment il s'en sortira.

— Pourrai-je revenir?

— Dubois sera là demain. C'est son malade. Ça la regarde.

Je fis un détour en m'en allant et je vis la porte et je vis le numéro quatre sur la porte. Je revins près de l'armoire à pharmacie : les infirmières avaient disparu, l'odeur de l'éther était plus libre. Je m'en allai. Un garçon de salle sortit de la cage spacieuse de l'ascenseur avec le chariot. Il referma les grilles et je me dis que de son lit chaque malade à opérer devait écouter aussi le bruit argentin des grilles de l'ascenseur. Un malade vêtu de bleu marine surgit; il tendit son paquet de gauloises au garçon de salle. Comment joindre Marc dans cet abîme d'organisation? Je n'avais rien à confier aux troènes taillés. J'étais partie avant la fin des visites.

Je suivis un homme et une femme à proximité de l'hôpital, je profitai de la volonté des deux inconnus.

— Je ne peux pas, je ne peux pas lui faire cela tout de suite avec toi, disait-elle. Attends au moins qu'il meure. Attends au moins quinze jours : nous serons plus tranquilles, disait la femme.

— Viens donc! dit l'homme.

Il héla un taxi, il la poussa sur les coussins, il la prit dans ses bras à l'intérieur du taxi.

J'appelai Cécile au téléphone, comme convenu. Elle entendait mal ce que je lui disais. Elle répétait :

— Est-ce qu'il est mort? Est-ce qu'il est mort?

Je coupai la communication.

Je m'enfermai dans un cinéma jusqu'à sept heures du soir : un mort et un vivant se dressaient tour à tour entre les séquences. J'étais seule dans la rangée, je prenais quelquefois ma tête dans mes mains, j'étouffais ma plainte, je revenais vite aux acteurs sur l'écran. Quand on rallumait dans la salle aux trois quarts vide, je ne pensais qu'à cela. Je voyais mieux son visage parmi les blancs différents des murs, de la table de nuit, du bassin : je ne voyais personne près de lui.

Le jour ne fut pas comme d'habitude ma patrie retrouvée lorsque je sortis du cinéma. Le malade infime dans la chambre d'hôpital m'avait pris le Paris entraînant de sept heures du soir.

Je me racontai dans l'autobus qui me ramenait en banlieue que j'avais une maison, une amie, que cette amie faisait partie des fondations, que l'on pouvait vivre sans aimer, que c'était supportable, que ceux qui nous entourent meurent et mourront, que Marc ne m'entourait pas, qu'il avait disparu un matin. Je ne croyais pas un mot de ce que je me disais et je voulais être près de Cécile pour l'accabler. Je ne courus pas dans le sentier comme je l'avais souhaité. Je me raidis, je fis quelques pas rapides, je ralentis. Mes efforts pour me rapprocher du pavillon m'écœuraient, le crépuscule avec son parfum de sucre d'orge m'anémiait. J'entrevis notre soirée : mon livre à gauche, mon coupe-papier à droite, le cendrier entre nous sur le drap. Je ralentis. Le vieillard qui remisait ses outils de jardin me demanda si j'avais l'heure de Paris. Je lui dis l'heure en baissant la voix pour la nuit qui tombait. Je reconnus la sonorité confuse du Pleyel : la gamme chromatique en tierces montait, le chien policier assis devant le soupirail regardait le soir, la porte de la cabane que l'on fermait grinçait. Il se meurt et elle joue. Je m'arrêtai dans le sentier. Le vieillard était rentré chez lui, la cabane était vague. Les sabots sur le perron attendaient comme deux petites bêtes que l'on a repoussées avant de claquer la porte sur elles. Les chaussures dans le sous-sol lui allaient bien mais il ne pouvait pas les emporter. Marc ne pouvait pas marcher en ville avec des grosses chaussures à clous. Il en aurait tiré cent francs. Il n'aurait rien tiré. Personne n'aurait voulu des chaussures. Elles l'auraient abattu avec leur poids les jours où il n'avait rien à se mettre sous la dent. Je continuai d'avancer.

La gamme en tierces, après être montée et descendue maintes fois, redescendait encore mais au ralenti. Cécile surveillait le délié des doigts. La gamme ainsi jouée, les notes et les sons enchevê-

trés me donnaient la sensation d'irréalité, de sérénité lourdaude du funiculaire qui monte et qui
redescend. Je me glissai sous la fenêtre, les tiges
du rosier grimpant retombèrent sur ma tête. Il me
sembla que j'écoutais avec les premières étoiles
au ciel, détachée comme elles de l'interprète. Cécile, avant d'enfouir la gamme dans les basses
profondes, attaqua l'*Étude* toute en arpèges, son
Étude préférée.

— Mon Dieu, le lait! s'exclama Cécile.

Le piano qu'elle avait dû quitter résonnait. Je
me reprochais de ne pas faire ces menus travaux à
sa place, je me reprochais de perdre mon temps,
de lui avoir fait perdre le sien pendant que j'avais
erré dans les couloirs de l'hôpital pour cet obscur
numéro quatre. Aimer n'est pas un devoir. C'est
ce qui me tourmentait.

J'entrai sur la pointe des pieds. Les salades que
le maraîcher avait apportées avaient été rangées
au frais sur le carrelage du couloir. Nos imperméables sentaient le caoutchouc.

Cécile soufflait sur la mousse, Cécile était un
pruneau appétissant au-dessus des dentelles du
lait. Je toussai, elle sursauta.

Cécile finissait toujours ce qu'elle avait commencé. Elle ouvrit la porte du buffet, elle mit la
casserole sur le dessous de plat.

— Est-ce qu'il est mort?

— Tu ne me l'as pas assez demandé au téléphone?

— Que voulais-tu que je te dise?

— Je ne t'aime pas, Cécile.

— Qu'est-ce que tu as? Qu'est-ce qui te prend?

— Non, il n'est pas mort.

— Je te plains, dit Cécile.

Je la suivis dans la chambre. En chemin elle prit une cigarette dans sa poche. Elle avait l'air d'une visiteuse qui se suffit.

— Pourquoi me plains-tu?

— Tu fais tout ce que tu peux pour me dégoûter de toi, dit Cécile.

Elle éteignit sa cigarette en la serrant entre ses doigts.

— Tu te brûles!

— Je n'en sais rien. Dis-moi comment ça s'est passé. Est-ce grave?

La tige du rosier grimpant frappait et refrappait la vitre.

— Il faut nous enfermer, dit Cécile. Qu'est-ce qu'il a?

— La typhoïde.

— Je vais voir ce qu'il y a dans le livre de médecine, je vais voir ce que c'est qu'une typhoïde, dit Cécile.

« La typhoïde est la maladie des mains malpropres. Ce sont les bonnes à tout faire qu'on trouve le plus fréquemment à l'origine des contagions. Une cuisinière a en dix ans contaminé sept famil-

les et provoqué trente-six cas de fièvre typhoïde... »

— Ne lis plus!

Je le voyais adolescent dans une grande maison
blanche du XVIII siècle. Je le voyais à table, en
famille, dans une luxueuse salle à manger. Une
bonne, une porteuse de germes, lui tendait un plat.
Elle avait les doigts gantés de microbes.

Cécile continuait de lire pour elle-même et avec
application.

— Il faut que tu le revoies demain, dit-elle entre
deux phrases du *Larousse médical*.

Je l'observais, je me disais qu'un bon cœur ne
s'embarrasse pas de nuances.

— C'est donc vous le petit bonhomme dont il
parle? Vous ne pouvez pas le voir. Il délire.

L'infirmière Dubois dosait un médicament sur
l'armoire à pharmacie, des malades me reconnaissaient.

— Dites-moi qu'il ne mourra pas, madame.

— Mais non, il ne mourra pas, madame.

— Mais non, il ne mourra pas! Pourquoi
voudriez-vous qu'il meure? Il lutte et nous luttons
avec lui.

Sa frange de cheveux bouclés, son voile ami-
donné, ses rondeurs, son teint hâlé m'inspiraient
confiance. Cette beauté qui s'asseyait sur la mort

192

me rassérénait. Quand Marc ne divaguait pas, il était dans le coma. Une infirmière sortit de la chambre numéro quatre : j'aperçus un poids gris sur l'oreiller. La porte se referma.

— Comment est-ce arrivé?

— Il est tombé sur la voie publique, dit-elle, un sergent de ville l'a ramassé au bord de la Seine, à proximité du pont de l'Alma, et c'est là que Police-Secours est venu le chercher. Maintenant, il faut que nous le soignions si nous voulons qu'il vive. Revenez demain, espérez.

J'offris à l'infirmière des fleurs que j'avais achetées pour Marc; j'achetais des fleurs tous les jours comme on achète des talismans. Le dixième jour, on me permit d'entrer avec mon bouquet dans la chambre numéro quatre. Marc vivait. Il regarda les fleurs, il ferma les yeux.

— Comment va? dit-il.

La chambre sentait le mort, la bataille était fraîche.

— Ferme la porte, dit-il, c'est une faveur.

Il parlait sans voix. La vie sur ses traits était cendre. Marc sourit à lui-même quand je revins près du lit.

— Tu peux t'asseoir, dit-il, tu ne me fatigues pas. Tu n'oses pas respirer. Respire, bonhomme, respire.

Yeux fermés, il était satisfait : il recommençait à parler. Je soulevai la chaise, je l'apportai avec effroi. Elle n'avait pas de poids. Je craignais qu'elle ne s'évanouît. Présence du ressuscité : je n'atteignais plus les objets. Je m'assis à côté du lit, je serrai le fil de sa vie dans mes mains. Marc tournait lentement la tête. Yeux fermés, il se souriait et me souriait. Les poils avaient envahi son visage jusque sous les cernes. Mes lèvres se débauchaient sur ce masque de broussaille. Le malade m'excitait.

— Pauvre Marc.

J'eus honte de ce qui m'avait échappé.

Il hocha la tête, il fit signe qu'il fallait éluder.

Sa main vaguement remua sous la literie de l'hôpital. La blancheur évoquait l'étuve, la désinfection. A travers le drap et la couverture, je mis ma main sur la sienne. Le bouquet de mimosa glissa de mes genoux, Marc entrouvrit les yeux mais c'était trop bas pour qu'il le vît. Nous écoutions la vie minime dans la chambre.

J'avais tremblé pour Marc mais, à distance, je n'avais pas réalisé la force du combat. Partout dans la chambre numéro quatre la mort avait laissé des hécatombes. Je regardais celui qui n'avait pas voulu mourir. C'était un héros aux yeux éteints. La porte s'ouvrit :

— Cinq minutes. Pas davantage, dit l'infirmière.

— A demain, bonhomme, dit-il.

L'infirmière secouait le thermomètre qu'elle avait sorti du verre.

Je marchai à grands pas, j'arrivai sur le pont
Henri-IV. C'était vaste, c'était salubre : le roulement des autobus couvrirait ma voix. Des pas-
sants s'arrêtaient, frôlaient mon coude pour voir
les pêcheurs à la ligne, des gouttes de pluie tombaient dans le fleuve. Je descendis sur la berge, je
me réfugiai sous un pont aussi spacieux qu'un
berceau de lignes brisées dans une cathédrale. Il
pleuvait, j'étais seule et je désirais Marc parce
qu'il était sans attaque, sans défense. Je désirais
un enlèvement.

J'enveloppe Marc dans une couverture d'émi-
gré, je le soulève de son lit d'hôpital, je l'emporte
dans mes bras. Je suis le pirate, j'ai le vent entre
les dents, il n'y aura plus d'hôpital. Nous traver-
sons une allée avec, de chaque côté, une rangée de
feux de bois. Je porte Marc et j'arrange la couverture sous son menton. Je vais, je m'abîme, moi et
mon baiser, au creux de l'épaule de ma Vénus au
teint terreux. Taxi, menez-nous dans toutes les
directions. J'ai le cadavre vivant sur mes genoux
et nous sommes seuls. Vite, vite. J'ouvre la couverture : c'est mon enfant, et il n'y a plus de
morale. Vite, vite. Il est malade, il est désarmé,
ses muscles l'ont abandonné. C'est mon butin,
c'est ma proie. Ce n'est plus un homme. Je lèche
son transparent de cheveux argent, je savoure la
sueur de mon ciel.

— Comment va? dit Marc le lendemain.

Il n'avait pas assez de force pour éclaircir sa voix. L'infirmière Dubois est tout de suite venue dans la chambre et elle a emmené mon bouquet. Nous avions une habitude parmi les fleurs. Nous étions convenus en silence que nous ne parlerions pas de sa maladie, que nous la laisserions dans le bocal au sérum. Mais je souriais souvent à Marc. Je le rassurais, je le félicitais, je l'estimais, Ce n'était pas un miracle : il avait opté pour la vie jusque dans le coma. Je lui transmettais des messages de force et d'encouragement avec le battement de mes cils. Il pouvait s'éteindre d'un moment à l'autre comme la couronne d'étincelles d'une lampe Pigeon. C'était encore possible. Je souriais, je souriais. Je m'abusais, j'imaginais que ma tendresse c'était sa vie.

— Ne me regarde pas, disais-je, ça te fatigue.

L'infirmière Dubois posait le vase de fleurs sur la table de nuit.

— Il faut le laisser, disait-elle. Dix minutes, ce n'est pas le règlement.

La main de Marc qui s'était rangée et reposée pendant le combat de plusieurs semaines réapparaissait au-dessus du drap. Elle était vieille comme l'ivoire. Il la remisait sous le drap, dans la chaleur animale. Il n'avait pas de forces, il ne refermait pas la bouche. La langue pâteuse me bouleversait. Je voyais, amassée, la fièvre de plusieurs semaines.

— A demain, petit, disait-il.

Je quittais l'hôpital en conquérante couverte de papillons, ces premiers papillons chargés de la fragilité du printemps. Marc vivait. Il imaginerait encore de fleur en fleur les relais, le chatoiement, le repos imprévisible de ces don Juan, il l'imaginerait encore les jours de gelée. J'avais dans la main le poids de la cigarette que je lui avais offerte au cinéma.

A partir de ce jour, Cécile veilla jusqu'à une heure du matin. Elle préparait et surveillait la cuisson de pâtisseries que je portais à Marc le lendemain, elle dessinait le prénom de Marc, elle le décorait de guirlandes de roses, elle lui achetait des pamplemousses, elle se demandait s'ils étaient juteux avant de les empaqueter.

La maladie s'éloignait, mes visites étaient publiques. L'œil brillait, la main rajeunissait, Marc taquinait et charmait les infirmières qui lui tapotaient son oreiller. Le nom de Cécile ne fut pas prononcé mais de jour en jour il craignait son arrivée lorsque j'entrais dans sa chambre. Il la guettait encore lorsque je m'asseyais à son chevet. Il disait souvent : « Ça va, chez vous? » mais il évitait de préciser.

— Comment trouves-tu les pâtisseries? Tu les manges, j'espère!

Les infirmières qui bavardaient à côté de l'armoire à pharmacie regardaient Marc et le couvaient.

— Pourquoi? C'est toi qui les fabriques? Les guirlandes sont de toi?

— J'en suis incapable, tu le sais bien. Je pense que tu as deviné.

Marc ferma les yeux. Il renversa la tête contre les barreaux du lit. Il hiverna en lui-même. C'était instinctif : il se protégeait.

— Il n'y a pas de nom de pâtissier sur les cartons... Tu te reposeras quand je serai partie. Il n'y a pas de nom...

— Je l'ai vu, dit-il.

— Tu ne devines pas?

— Je devine.

Il n'ouvrait plus les yeux. Il ne disait presque rien, pourtant il me semblait qu'il dictait ses dernières volontés.

— Tu la remercieras, dit-il.

Il ouvrit les yeux, il remit ses mains dans le lit. Il avait vu que je le dévorais et il me reprenait ce que je n'avais pas regardé. Marc tira à lui, avec ses dents, la couverture de l'hôpital. C'était sénile.

— Elle les prépare pour toi jusqu'à une heure, jusqu'à deux heures du matin. Elle a des journées chargées, mais elle veille pour toi.

Il tirait la couverture avec ses dents, il me privait de ses lèvres rusées.

— Je ne demande rien, dit Marc. Je prends ce qu'on me donne.

— Elle te donnerait la lune pour me faire plaisir.

— Quelques gâteaux ne sont pas la lune, dit Marc.

Il mordillait avec nervosité la couverture.

— Toi aussi tu as fait des choses inouïes. Les voyages... Ce n'était pas inouï quand tu m'accompagnais?

— Ça me semblait naturel, dit-il.

Il mâchait cette couverture et il me surveillait.

— C'est loin, c'est déjà vieux tout ça, reprit-il sur un ton exagérément chantant. Que tu disparaisses demain, elle me laisserait crever la bouche ouverte. Finies les pâtisseries, finies les petites roses bleues!

Il y pensait, il souriait : c'était sa distraction perverse.

— Nous... Ce n'est pas fini?... Tu boiras ton premier Pernod avec moi?... ai-je demandé.

Je cherchais sa main sous le drap.

— Faut pas me découvrir ainsi, p'tit.

Il m'avait refusé sa main.

— Ton premier Pernod... tu le boiras où tu voudras, ai-je ronchonné.

Je suis là à rêver sur Marc. Qui me dira ce que je fiche dans la chambre numéro quatre?

— Tu ne dors pas? Tu fermes les yeux exprès?

— Oui, exprès. Tu me fatigues. Je ne pense pas

au premier Pernod. Je pense à me guérir, je pense que j'ai perdu mes forces.

— Tu les retrouveras. Tu ne manques pas de patience. Pourquoi as-tu quitté la maison à l'aube, pourquoi es-tu parti pieds nus, pourquoi as-tu disparu?

Marc s'assit dans le lit. C'était vrai : il avait besoin de retrouver ses forces. La mort en se retirant lui avait fait l'aumône de sa dépouille.

— Je suis parti parce que j'avais besoin de me sentir seul. Je ne suis pas comme toi. Je suis libre, j'étais libre. Le soleil se levait, je le voyais entre les arbres de la route. Comme je me sentais respirer, comme j'avais besoin d'air pur!

Il referma les yeux. Il rêvait au soleil levant, à l'air pur.

— Tu n'aimes personne, tu n'es attaché à rien. Tu n'as rien et tu ne veux rien, dis-je.

— Je m'amuse, dit Marc, comme je m'amuse... A peine remis, tu veux me démolir mais tu ne me démoliras pas, mon petit vieux.

— Tes arbres, ton soleil qui se lève... ce sont des trucs parce que tu n'as rien. Tu dédaignes tout, tu craches sur tout. On te semblait misérables? Dis-le!

— Je te le dis : très misérables.

— Tu avais tout critiqué, tu avais tout repoussé.

— Maintenant que j'ai ma ration, suffit! dit-il.

demain si tu viens je te verrai dans la salle où sont les autres, demain je ferai un effort pour me tenir debout. Toi, mon vieux, tu as la manie de détruire. On n'y peut rien.

— Et toi celle de disparaître. Il faut courir dans tes hôtels, poser des questions... Je l'ai deviné ce que pensait le gérant. Il pensait que je m'accrochais. Il pensait que j'étais une femme qu'on a lâchée.

— Tu as fait ce que tu as voulu. Il ne faut pas s'éterniser sur le passé, dit Marc dans un bâillement.

— Salut!

— Salut, dit Marc.

J'y suis retournée le lendemain, j'ai été interloquée avant d'entrer : Marc avait aux pieds des chaussons de feutre noir qui ressemblaient aux silencieuses dans la cordonnerie des collèges. Marc se tenait debout, Marc s'appuyait sur une canne, Marc flottait dans la capote de l'Assistance publique. Marc ne fondait pas dans la masse des hospitalisés. Les malades l'appelaient, le retenaient, lui montraient des magazines, les infirmières en passant lui touchaient amicalement l'épaule. Marc partageait sa vie avec les autres, Marc plaisait, Marc obtenait ce qu'il désirait, Marc traitait des affaires d'amitié, Marc réussissait. Tous le regardaient comme je le regardais à travers la vitre : c'était l'homme qui en savait un bout sur la mort.

Le vieux malade lui avait sûrement demandé un service : Marc se pencha sur la table de nuit. Un malade adulte me reconnut et le dit aux autres. Les plus solides se penchaient aussi du côté de la porte vitrée, ils riaient, ils s'interpellaient. Je ne pouvais pas changer de place. Les malades n'essayèrent pas de comprendre. Marc donna l'urinal au vieillard, il toucha, pour le superflu, un objet sur la table, il s'assit au pied du lit. Ils avaient dû lui dire que j'attendais et que j'épiais. Marc bavardait avec le voisin du vieux, par pudeur pour le vieux qui regardait l'urinal qu'il tenait sous le drap. Marc lui prit des mains quand il eut fini. Il remit l'urinal dans la niche de la table de nuit. Enfin, comme les autres, il regarda la porte vitrée. Il saisit sa canne sur le lit du vieux malade, il vint.

— Comment va?

Il m'accueillait avec bonne humeur, comme si je l'avais quitté une heure avant. Il m'emmena dans cette chambre dont il avait encore la libre disposition. Il s'allongea sur le lit, il mit sa canne près de lui, il sourit aux malades qui se penchaient pour nous voir. Il était charmant mais il se taisait.

— Parle, parle comme tu leur parlais.

— Je ne peux pas te parler comme je leur parlais.

— Tu les distrayais. Je t'ai vu.

— Je t'ai vue aussi. Tu n'aurais pas dû m'espionner. Ils se posaient des questions, dit Marc.

— Tu ne savais que faire pour eux.

— Je ferai tout pour eux pendant que je serai ici.

Je demandai :

— Où comptes-tu aller quand tu sortiras d'ici? Cécile est toute disposée à t'aider.

Je lui pris la main. Sa main se retira doucement de la mienne.

— Ils me dirigeront sur Saint-Maurice... Après, ça me regarde. N'apporte plus de pâtisseries. J'ai ce qu'il faut.

Des balafres d'orgueil le défiguraient.

— Mes pieds enflent, dit-il.

Son visage se radoucit.

— Est-ce que je peux fermer la porte une seconde? dis-je.

— Une seconde. Sans faire de bruit. Je ne veux pas qu'ils se sentent à part, dit Marc.

Les pantoufles de feutre noir sont tombées comme si deux pieds gelés ne les retenaient plus. J'ai pris ses pieds, je leur ai fait des amitiés avec ma joue.

— Pauvres pieds...

— Cesse!

Il se leva, il ramassa ses pantoufles.

— Tu as changé, Marc.

— Je vais demander si je peux t'accompagner.

Marc obtint l'autorisation. Mais sur le palier la canne tomba et Marc glissa. Il griffait le parquet, il

203

sarclait le vide. On n'aide pas un homme à se
relever. La sueur lui coulait du front.

— Quand comptes-tu partir d'ici?

— Le plus tard possible. Je m'y trouve bien,
mais ils ont besoin du lit.

— Je pourrai te voir à Saint-Maurice?

— Non. Ces endroits ne nous réussissent pas.

Il me quitta sans me tendre la main.

— Tu écriras?

— Je n'écrirai pas, dit Marc.

Je prix un taxi, je demandai au chauffeur qu'il
fasse vite. Je voulais Cécile tout de suite. Il me
semblait que je parviendrais à me jeter dans
l'amour comme on se jette dans la Seine. Je fre-
donnais et je claquais des dents.

C'est près d'elle que je devrais être, c'est près
d'elle que je devrais être... Je m'éterniserai aux
pieds de Cécile. Je l'aimerai, je serai dans la ligne.
Elle existe, Cécile, elle va et vient dans la maison.
J'ai Cécile, j'ai une maison, des fondations, je ne
devrais pas être triste. Elle était libre et je l'ai
laissée. J'arriverai : elle ne me reprochera rien.
Comme je vais rattraper le temps perdu... On
croirait que le chauffeur le sait. Il file, il met de la
bonne volonté. Les orties grillées n'avaient pas de
valeur hier. Nous reviendrons ici demain : je me
roulerai pour elle dans les orties montées. Ce ne
sera pas plus cuisant que maintenant. Il se dit
faible mais il vous donne des coups. Je brûle et je

désire tomber dans le feu. Cécile sera douce : elle m'accueillera, elle me rafraîchira. « On te semblait misérables? — Je te le dis : très misérables. » Il n'y a pas plus exigeant qu'un raté, il n'y a pas plus attirant qu'un raté. Qu'est-ce que je viens de dire? Je me jetterais par la portière du taxi si je n'avais pas Cécile. C'est jour de repassage. Elle repasse la lingerie fine.

— Comment ça s'est passé aujourd'hui? demanda Cécile.

— Très mal.

— Tu veux dire qu'il va plus mal?

J'ai haussé les épaules, j'ai fait signe que non. Cécile repassait une blouse de linon.

— Qu'est-ce qui ne va pas? Vous vous êtes chamaillés?

— Marc, toujours Marc! Il n'est question que de lui. Cette odeur qui se répand dans les chambres : Marc, encore Marc! Mais pense donc à toi! Il pense à se guérir, lui!

— J'ai mis au four un gâteau de Savoie pour lui, dit Cécile..

— C'est inutile, dis-je.

Cécile n'avait pas entendu. Elle ôta la prise, elle alla dans la cuisine.

Elle avait repassé nos mouchoirs, elle les avait séparés en deux piles. J'entendais le frottement du moule sur la tôle. Je criai :

— Les pâtisseries tous les jours, ce linge chiffonné... Laisse tomber... Viens... mais viens donc!

Elle referma calmement la porte du four. Elle se lava les mains.

— Je n'irai pas demain. Je n'irai plus jamais, dis-je.

Cécile revint dans la chambre. Ses escarpins neufs enlaidissaient ses pieds, ses jambes gainées de soie étaient trop grosses. Les défauts physiques de Cécile étaient si généreux qu'ils m'inspiraient de la générosité.

— Tu vas voir comme ça va devenir facile nous deux...

— Est-ce qu'il reprend des couleurs? dit Cécile.

— Il n'a jamais eu de couleurs. Demain, je n'irai pas! Demain à l'heure des visites, je ferai le repassage à ta place.

Je lui pris le linge qu'elle aplatissait sur la table. Cécile le reprit.

— Tu ne vas pas l'abandonner. Il est seul, il est souffrant. Il a besoin de toi, dit Cécile.

Nous nous sommes assises sur la banquette du piano.

— Je tiens à toi, Cécile. C'est toi que je veux entourer. C'est toi qui as besoin de moi. J'ai besoin de toi, Cécile...

— Est-ce grave? Qu'est-ce qu'il t'a dit?

— Il m'a dit que nous étions misérables.

Je pris la main de Cécile, je la couvris de baisers rapides. Cécile baissait les yeux, elle regardait mes baisers.

— Peut-être que nous sommes misérables, dit Cécile.

— Non! dis-je.

— Il faudra y retourner demain, il faudra être gentille, dit Cécile.

Cécile voulait bien de ma main, mais elle ne la serrait pas entre les siennes.

— Comme tu es loin! Tu penses encore à lui? Tu penses encore à m'envoyer près de lui? Je ne veux plus te quitter après la dernière bouchée.

— Son gâteau va brûler!

Cécile partit. Elle ouvrait le four, elle enfonçait, elle ressortait, intact, le couteau dans mon cœur. Je suis venue :

— Si tu l'avais vu mordillant sa couverture! Un vieillard. Toi aussi tu as été quelquefois souffrante. Tu ne bavais pas sur le drap. Tu me parlais doucement, les yeux ouverts. Tes cils noirs se reposent lorsque tu es souffrante. Il m'a dit qu'il s'était sauvé à l'aube parce que notre misère l'écœurait.

— Il n'avait peut-être pas tort, dit Cécile.

Je me rapprochai de Cécile. Je serrais l'étoffe mais je n'osais pas serrer son bras :

— J'ai beaucoup pensé à toi dans le taxi. J'ai

pris un taxi pour revenir près de toi. J'avais hâte de te retrouver.

Cécile caressait mes cheveux, les doigts absents :

— Surveille son gâteau, dit-elle.

Le lendemain Cécile ne reparla de rien. A la fin du déjeuner nous ne quittâmes pas des yeux le réveil sur la cheminée. Encore deux minutes avant l'ouverture des portes, l'éparpillement des visiteurs massés dans la rue, encore deux minutes avant leurs pas de course entre les pavillons. J'ouvris un journal, je la surveillai : Cécile suivait l'heure sur sa montre-bracelet. Les malades souriaient, les malades recevaient.

— Tu n'y vas pas? demanda Cécile.

— Pourquoi en reparles-tu?

Cécile se leva de table.

— J'ai des devoirs à corriger. Je m'en vais, dit Cécile.

Je remis dans le buffet le gâteau de Marc, auquel nous n'avions pas touché.

Les graviers crissèrent. Cécile partait plus tôt que d'habitude. Je suis venue dans le couloir, je l'ai revue à travers la vitre. Cécile était dehors dans le sentier et, comme une enfant chapardeuse, elle arrachait une fleur de troène entre les barreaux de la grille de notre jardin. Elle s'en alla en faisant tourner la tige entre ses doigts. Cécile avait sa vie à elle de la maison à l'école, de l'école à la maison. Je sortis dans le jardin, je cueillis aussi une fleur de troène. « Elle est partie sans m'embrasser », me disai-je pendant que je respirais le parfum morose de la fleur. Je serrai le grelot de la cloche, je sortis dans le sentier : Cécile s'éloignait sans se presser, le facteur à bicyclette discourait avec une femme qui donnait des feuilles de salade aux vieilles volailles. Cécile s'éloignait en baissant la tête.

Quelle histoire parce que je ne vais plus à l'hôpital... Elle m'en veut. Je suis injuste. Cécile ne fait pas d'histoire. Cécile ne fait jamais d'histoire. Elle s'ennuie, elle s'ennuyait à table. Son dos est las, elle s'en va la tête en avant. Elle n'a pas de soucis pourtant. Marc est loin : elle devrait être contente. Elle s'ennuie dehors, elle s'ennuie partout. Elle est seule dans le sentier, elle ne peut pas rire aux éclats. Je suis exigeante. Elle l'a jetée. Elle n'a pas le courage de tenir une fleur. Le facteur avec sa roue l'écrasera. Je ne vais quand même pas ramasser la fleur de troène qu'elle a jetée... Elle jettera une épingle dans l'herbe, je me mettrai à quatre pattes dans le sentier pour une épingle que Cécile aura jetée. Que vais-je en faire, de sa fleur de troène ? La lancer dans notre jardin, la ramener chez nous. Traverser la route nationale sans lever la tête ! Elle est folle. Elle se fera écraser par le tramway. Le ciel gris l'ennuie, le ciel aujourd'hui est ennuyeux à regarder. Je me demande ce qu'elle a. Elle a tous les courages pour corriger ses cahiers. Mais non. Elle est lasse. Elle est lasse d'enseigner. Leurs légumes avachis qu'ils repiquent tous les jours. Marc disait : « Je voudrais être un jardin qu'on désaltère. » Elle m'avait donné les fines herbes, il était entre nous, elle me disait : « Coupe, coupe. » Il regrette mes visites, il regrette nos roses bleues sur nos pâtisseries. Il ne les regrette pas. Il trottine entre les lits de ceux qui n'ont personne. Je le vois comme si j'y étais. Son amitié ne fait pas de bruit.

Je rentrai dans la maison et pleurai longtemps.

Quand Cécile revint le soir, je l'accueillis avec chaleur.

— Je te retrouve et voilà le soleil qui brille!

— Demain il fera encore gris, dit Cécile.

Elle sortit ses cachiers de sa serviette; elle prit un croûton qui traînait dans le buffet.

— Si nous goûtions? Je mettrai la nappe, ce sera comme une petite fête.

— Tu es gentille, dit Cécile, mais je n'ai pas le temps.

— Les autres jours, tu voulais que nous nous promenions... J'ai beaucoup pensé à toi. Comment étaient les élèves?

— Sages, très sages, dit Cécile.

Je la suivis dans notre chambre. Cécile mâchait son pain comme si c'était une corvée. Je m'assis près d'elle sur le lit, je la prie par les épaules.

— Tu ne parles pas. Tu me fais peur.

— Je pense à leur composition de géographie, dit Cécile.

— Tu m'as manqué, dis-je, tu m'as beaucoup manqué cet après-midi.

Cécile tourna la tête de mon côté. Elle avait l'expression abandonnée de quelqu'un qui est ailleurs.

— Tu me vois? Est-ce que tu me vois?

Cécile me caressa les cheveux avec une main distraite :

— Ne t'inquiète pas. Tu t'inquiètes toujours.

Elle avait le même air absent.

— Tu es triste? Qu'est-ce qui ne va pas?

— N'invente pas des complications, dit Cécile. Je me détends.

Cécile ne voulait rien dire. Elle fixait la fenêtre et, sans tourner la tête de mon côté, elle souriait quelquefois.

— J'ai une idée! Je vais préparer l'apéritif dans le sous-sol.

— Je n'ai pas soif, dit Cécile.

— Si j'allais chercher de la glace?

— Non... je n'ai vraiment pas soif.

— Tu fais la tête?

— Je ne fais pas la tête. J'ai des cahiers à corriger.

— Tu les corrigeras dans le transat. Le soleil à cette heure-ci éclaire le sous-sol. Nous serons bien.

— Non... je n'ai pas envie de descendre dans le sous-sol.

— De quoi as-tu envie?

Je pris Cécile dans mes bras :

— Parle!

— Je n'ai pas envie de parler, dit Cécile.

Elle était dans mes bras mais elle fixait la fenêtre. Le soleil réchauffait de dos des rentiers et des employés qui bêchaient, qui ratissaient, qui secouaient les touffes de mauvaises herbes.

— Je voudrais corriger mes cachiers...

Cécile me dit cela d'une voix mourante comme si je la torturais.

Elle voulut s'en aller de mes bras. Je la serrai rageusement.

— Corrige, corrige jour et nuit si tu veux!

— Tu vois comme tu es! dit Cécile.

Elle s'en alla vivement de mes bras, elle se leva. Je lui pris la main :

— Tu n'es pas fâchée?

— Pourquoi fâchée? dit Cécile.

Je lui pris l'autre main. Elle bâilla.

— Comme tu m'as fait peur à une heure et demie! Je suis venue dans le sentier, je t'ai vue. Tu te feras écraser.

Cécile ouvrit les yeux. Je crus que c'était un nouveau début.

— Tu es venue pour moi dans le sentier? dit Cécile.

Ses yeux s'éteignirent. Cécile bâilla sur son poignet.

— Lâche ma main, dit-elle.

Ma main retomba sur mes genoux.

— A quoi pensais-tu en traversant la route? Tu pensais à nous?

— A leur composition de géographie. Je négligeais mon gravail, dit Cécile.

Et moi mes dentelles. Je travaillerai dix fois plus qu'elle, je la négligerai. Elle verra.

— J'ai failli aller te chercher à ton école...

— Il ne faut pas, dit Cécile. Si tu prenais un livre pendant que je corrigerai leurs devoirs...

— Cécile!

— Oui, mon petit.

— Qu'est-ce que tu as, Cécile?

— Que veux-tu que j'aie? Je n'ai rien.

Elle se passa les mains dans les cheveux, elle s'étira.

— Quand les puces me rongeaient, je te le disais!

— Les puces ne me rongent pas, dit Cécile.

Cécile partait. Je voulus la ramener vers le lit.

— Cécile... Viens. Cela te réveillera. Tu es tout endormie.

Cécile eut un sourire navré.

— Non... Je me sens lasse, dit Cécile en s'en allant.

J'ouvris la fenêtre : le chant des oiseaux de fin

d'après-midi égaierait notre chambre que Cécile avait quittée.

Cécile assise sur un bras du fauteuil corrigeait ses cahiers. Elle avait fermé la fenêtre de la chambre au piano. Elle disait que les bruits de six heures du soir la distrayaient. Je voulais lire près d'elle, je ne pouvais pas.

— Tu boudes?

— Je travaille, dit Cécile sans lever la tête.

Je comptai les petites rides au-dessus des phalanges de mes doigts.

— Je vois bien que tu boudes.

Je posai mon livre sur la banquette du piano, je vins près de Cécile. Elle annulait des divisions avec des croix au crayon rouge.

— Est-ce parce que j'ai connu Marc? Est-ce parce que je ne te parlais pas de lui?

— Je me sens lasse. Que veux-tu que je te dise?

— Je ne vais pas te supplier, dis-je.

Je repris mon livre. Non, je pouvais pas lire. Cécile boude, Marc boude. Je m'en irai. On n'est bien que seule. Je m'en irai, je m'en irai.

Le piano éclairé par le soleil couchant était une clairière d'acajou. Je me disais que ma joue et mes lèvres se seraient réchauffées sur la nuque hâlée de Cécile, je me disais que je n'osais pas me risquer, je me demandais si j'aurais la force de partir. La plume grinçait sur la page du cahier, le papier sur les murs n'était plus frais.

— Nous ferons une promenade quand tu auras fini de corriger… Tu prendras ton sac à main. Je le porterai. Veux-tu que nous allions dans les champs? Nous ne sommes pas pressées. Nous pourrions aller dans le bois…

— Je préfère ne pas me promener, dit Cécile.

Je suis allée dans le jardin. Je grinçais des dents, je serrais les poings.

Cécile me raconta pendant le dîner que le chien policier avait failli être empoisonné, que c'était un mystère. Cécile se tut. Disparus, l'horizon de grenouilles, l'horizon du Paris-Meaux. Le silence étreignait la maison. Cécile se voûtait, elle poussait les miettes avec son doigt. Elle mordit sans faim dans le morceau de gâteau que je lui avais servi, le morceau de gâteau tomba dans son assiette. Cécile s'endormait à table.

— La marchande qui nous avait vendu des valenciennes… Tu te souviens de la marchande qui nous avait vendu des valenciennes?

— Ne crie pas si fort, dit Cécile.

Cécile entrouvrit les yeux.

— Parfaitement, je me souviens d'elle. Ça fera de jolies chemises de nuit…

Cécile sur un coude se rendormit.

— Elle avait besoin d'une femme de confiance la marchande. Elle disait qu'elle avait trop de clients…

Cécile sursauta.

— Pourquoi me parles-tu de cette marchande? demanda Cécile.

Cécile me regardait, elle clignotait. Elle se rendormirait.

— Il vaudrait mieux que tu te couches, dis-je à Cécile.

J'étais exaspérée, je me disais que je n'étais pas forcée de rester. Je restais.

Le lendemain je fleuris la maison, je mis de la lavande dans le linge de Cécile, je brossai les vêtements de Cécile, je cirai ses chaussures noires, je blanchis ses chaussures blanches, je couvris de papier neuf son *Traité d'Harmonie*. « Cécile n'est pas morte, ce ne sont pas les vêtements d'une morte », criai-je à sa liseuse angora que j'avais parsemée de boules de naphtaline. Le sachet tomba de mes mains, les boules roulèrent sous les meubles. Notre chambre sentait la vieillesse, j'ouvris la fenêtre. D'autres fleurs se proposèrent, midi mugit dans une sirène d'usine. Cécile dans le sentier avait le même pas las.

— Des fleurs, criai-je, des fleurs...

Je donnai un bouquet à Cécile.

Elle le prit, elle ne le regarda pas.

— Je le mettrai dans ma classe, dit Cécile.

— Tu as faim?

— Non, je n'ai pas faim, dit Cécile.

Elle ferma la fenêtre. Elle regarda à travers le rideau de tulle.

— Tu t'ennuies? J'aimerais tant te voir sourire...

— Je regarde un vieux qui ratisse, dit Cécile.

Qu'est-ce qu'elle peut avoir?

— Tourne-toi...

— Je me tourne, dit Cécile.

— Ne m'obéis pas, Cécile, ne m'obéis pas... Veux-tu que je te parle de Marc? Regarde le vieux qui ratisse et je te parlerai de Marc.

Cécile se tourna du côté de la fenêtre. Elle regarda.

— Non, ne me parle pas de lui. Je vous ai vus, toi et Marc...

— Je ne l'ai jamais aimé!

Cécile se détacha de la fenêtre. Elle traîna les pieds dans la cuisine. Elle mit la table comme on la met dans les réfectoires, bruyamment et sans entrain.

Ce soir-là, je sortis dans le jardin. Ce serait moins morne. Cécile avait tiré les doubles rideaux, elle devait se déshabiller. La fenêtre de notre chambre me passionna. « Je ne partirai pas, cette fenêtre chaque soir me nourrira », me disais-je sans y croire. Je tombai dans l'herbe. Partir, ne pas partir, je n'en peux plus, dis-je à la feuille de géranium que je serrais dans ma main. Son parfum austère m'attrista. J'étais triste de ma tristesse des jours précédents. Deux ombres. Deux ombres qui vivent ensemble. Je m'approchai de la fenêtre. L'ombre se lavait les dents, l'ombre se rinçait la bouche. Je mâchai la feuille de géranium, l'eau mélancolique coula dans le seau de toilette. Les lampadaires sur la route nationale ressemblaient à des squelettes languides. Je m'assis sous la fenêtre, je demandai aux étoiles si elle viendrait dans mes bras. Une étoile filante glissa sur mon visage. Je n'étais pas plus avancée. Je la quitterai, je vendrai mes dentelles, je ferai un devoir, j'irai par les routes et les prés avec ma fiasque de cognac. Des essieux grincèrent, l'horizon fut remis en question. La nuit prit la charrette tardive. Cécile ne s'inquiétait pas de mon absence. Je crachai la feuille de géranium sur la pelouse. Non, Cécile n'avait pas éteint dans la chambre. J'eus une bataille de fleurs dans la tête, un désordre de carillons dans la gorge.

— Ne dors pas, Cécile! J'attendais dans le jardin. Ne dors pas...

— Je ne dors pas. Je lis un bulletin, dit Cécile.

— Elle lit un bulletin, elle lit un bulletin, dis-je avec extase.

Je m'abattis sur Cécile, je couvris son visage de baisers. J'espérais que j'obtiendrais un duel de baisers passionnés.

— Tu pèses, dit Cécile.

L'hiver dans ma tête remplaça les fleurs, le gong les carillons. Je l'embrassais, je l'embrassais.

218

— Tu m'empêches de respirer...

Je l'embrasserais jusqu'à ce qu'elle en meure.
Mais c'était comme si je m'embrassais moi-même
sur les lèvres.

Cécile mit sa main en écran sur sa bouche.

— Tu vois, ça recommence!

— Je suis lasse. Ce n'est pas un crime, dit Cécile.

Ne tue pas mon amour, Cécile, ne tue pas ce qui
naît.

— Ça ne va pas, Thérèse.

— Je te demande tous les jours ce qui ne va pas,
tu ne veux pas me le dire.

— Ça ne va vraiment pas.

— La marchande, criai-je, la marchande qui
nous avait vendu des valenciennes, qui avait trop
de clients...

Je n'achevai pas.

— Toi aussi, tu répètes cela tous les jours, dit
Cécile.

J'avais envie de pleurer.

— Je tombe de sommeil, dis-je.

Je mentais.

— Tant mieux, dit Cécile.

Cécile voyait comment je la regardais. Elle
couvrit son épaule avec le drap. Je donnai un coup
de pied dans le seau de toilette.

— Calme-toi, mon petit, dit Cécile.

— Pourquoi me calmerais-je?

Cécile soupira; elle baissa les yeux. J'éteignis. Je me déshabillai dans l'obscurité, j'avais une pudeur d'amoureuse au premier jour. Je voulais aussi m'inquiéter en me demandant si elle s'endormait ou non.

Je me mis au lit.

— Tu dors?

— Je ne dors pas. Je t'attendais pour te dire bonsoir, dit Cécile.

Sa main chercha mon cou, effleura mon épaule. C'était une main de sœur aînée. Je me tournai vers Cécile, je l'étreignis. J'attendais.

— Dormons, mon petit, dormons, dit Cécile, demain j'ai une journée chargée.

Le lit devint un désert. Je repoussai le drap, j'allumai :

— Je veux que nous nous aimions. Aimons-nous, Cécile...

— On ne peut pas s'aimer sur commande, dit Cécile.

Cécile s'assit dans le lit, elle prit un livre. Je lui arrachai le livre des mains, je le jetai dans la chambre.

— Est-ce parce qu'il a dit que nous étions misérables?

Cécile haussa les épaules.

Hausse les épaules! Tu me regretteras quand je serai partie.

— Est-ce à cause du pavillon? Veux-tu que nous allions habiter ailleurs?

Cécile poussa un long soupir.

— C'est comme une lassitude qui ne me quitte pas. Que veux-tu que je te dise? J'éteins?

Cécile repoussa ma main, elle serra les jambes. Elle éteignit.

— Je me tuerai! Tu verras que je me tuerai! Je vais me tuer, je vais me tuer tout de suite.

Si je me suicide, je m'en irai pour toujours. Elle ne cessera pas de me regretter. Je vais me délivrer de sa bouderie, de son mutisme, de sa muflerie.

Je sautai au-dessus de Cécile, je heurtai une chaise et tombai à côté du lit. Le silence.

— Qu'est-ce que tu fais? demanda Cécile.

— Je me plains.

Je m'étais fait mal à la cheville, je restais allongée sur le parquet.

Cécile alluma :

— Pourquoi ne viens-tu pas te coucher?

— J'ai mal!

Cécile éteignit :

— Viens... Je te prendrai dans mes bras, dit-elle sans ardeur.

Cécile avait récité sa leçon. Elle se tourna du côté gauche. Elle se tournait du côté gauche avant de s'endormir. Je me mis debout, j'allumai.

— Pourquoi ne veux-tu pas?

Cécile se tourna de mon côté. Elle s'assit dans le lit. Elle se résignait.

— Je suis fatiguée. Tu ne peux pas comprendre.

— Tu es fatiguée jour et nuit.

— C'est ainsi, dit Cécile.

Soudain, elle réfléchit. Elle faisait de l'ombre avec de la lumière.

Je m'agenouillai, je laissai tomber ma tête sur le ventre de Cécile :

— Pourquoi ne veux-tu pas que nous nous aimions? Pourquoi veux-tu que nous nous disputions?

— Je veux me reposer. Je ne veux que cela, dit Cécile.

— Moi aussi, je veux me reposer!

— Oh! oui, mon petit, dit Cécile.

J'éteignis. Cécile patientait. Elle espérait que je me recoucherais et que nous ferions une bonne nuit.

Je traversai la chambre, j'ouvris les doubles rideaux, j'ouvris la fenêtre.

— Quelle idée! Tu vas prendre froid, dit Cécile.

— Je vais me tuer.

La nuit dans le jardin était compacte. Les étoiles aussi semblaient lasses.

Je pris une chaise, je montai sur cette chaise devant l'appui de fenêtre.

La nuit est dure, je me briserai contre un rocher, je me briserai contre la caboche de Cécile.

— Pourquoi fais-tu cela? demanda Cécile. Ce n'est pas raisonnable. Tu seras malade.

Cécile alluma. Je montai sur l'appui de fenêtre.

Cécile cria.

C'est fini, je ne jouerai plus au jeu d'échecs. Je calculai mon élan. La nuit était noire, le gouffre était devant moi. Cécile me retenait par ma chemise de nuit :

— Tu te casserais une jambe, mon pauvre petit...

— Va-t'en!

Mourir. Je n'ai que cela. Et même si ce n'était qu'un membre brisé... Je tomberai, je ne me relèverai pas.

— Descends, supplia Cécile.

— Je veux mourir. Laisse-moi!

Cécile me tirait en arrière par ma chemise de nuit. Je perdis l'équilibre, je faillis tomber dans la chambre. J'agrippai le volet que nous ne fermions pas.

— Qu'est-ce que je t'ai donc fait? dit Cécile.

Je voulais partir en avant, Cécile voulait me ramener en arrière. Ma chemise de nuit se déchirait, des lambeaux de mousseline traînaient sur les graviers sous la fenêtre.

— Tu m'exaspères, dis-je.

Je sanglotai.

— Tu veux me faire peur, tu veux me tourmenter, dit Cécile.

Cécile pleurait comme les folles généreuses qui passent leur vie enfermées à pleurer avec leurs cheveux dans les yeux.

Le vent remua les lambeaux de ma chemise de nuit.

— Reviens dans la chambre, dit Cécile.

Elle m'aida à sauter sur la chaise.

Nous frissonnions et nous nous désolions ensemble. Il n'y avait plus d'ennemis dans la maison. Je n'ai rien dit à Cécile de mes projets. Deux jours plus tard, je partais.

Douze jours que je l'ai quittée. Je vends, je me démène, je réussis. Douze jours déjà que j'ai quitté l'essaim de lumière au-dessus de la chaise de paille, la chaise près de la table, la chaise de Cécile. Je suis une vendeuse de dentelles qui ne fait pas de mauvaises affaires. C'est drôle, elle n'écrit pas. Pourtant, je lui ai écrit, je lui ai envoyé mon adresse. Je veux vendre mes dentelles de fil. Rien ne peut m'arrêter : j'ai brisé mes chaussures neuves. Elle est peut-être malade. Rien ne m'arrêtera : j'irai au-devant des averses, mon ciré surprendra les pluies. Fini le temps des oiseaux blessés que je ramassais. Elle se sera foulé le poignet droit. Je monterai sur les oiseaux morts. Je l'ai quittée sans son consentement. Elle boude. Non. Elle en est incapable. Les grandes paysannes fau-

chent : il faut que j'entre dans leurs prés, il faut
que j'interrompe le roulis de leurs bras. La poussière me poivre la gorge, j'avance. Mes pieds brû-
lent et mes yeux se reposent au frais dans la nuit
des feuillages. Les bouleaux folâtrent. Ce souffle
en bas, cette haleine du vent d'hiver, c'est le sif-
flement de l'herbe qui meurt. Elle verra. Je reviendrai, j'aurai pour elle la sève du chêne lorsque
je lui ouvrirai mes bras.

Dix-huit jours déjà que j'ai quitté la lumière qui
montait des décombres de la nuit dans notre
jardin. On fauche partout, on fauche le printemps
que l'été a grisé. Elle est malade. Non. Elle me
ferait prévenir. Pas trace d'épidémies dans les
journaux de Paris. Cécile n'est pas malade. On
fauche. La mort dans le pré est une brassée de
fleurs. Moi j'attends des nouvelles et je m'attendris. Je vends des dentelles, mes nuits sont raisonnables, pourtant l'odeur du foin me va au sexe
comme un couteau. Je lui ai écrit trois fois, il y a
trois villages, trois bureaux, trois cases qui attendent sa lettre.

Je couvre les meules avec mes nappes, je coiffe
les fourches avec mes napperons, je suspends
l'aumônière à la faux, je lance mes serpentins de
valenciennes sur les matelas d'herbe.

J'entre dans leurs prés : les faucheuses rient
sans bonté. le troupeau traverse la prairie rognée,
la prairie qui n'a plus de jeunesse, les bœufs

225

viennent voir mon commerce. Je surprends, je fatigue, j'étourdis, je force, je vends et j'inscris, j'additionne et je prends. Je remballe, je m'éloigne. J'ai six cents grammes de moins dans mes valises. Je pars avec les voix claires, les quolibets, la défaite des herbes folles dans mon dos. Je bois leur cidre doux, je bois leur café arrosé, je trinque, je me vends pour vendre. Écris. Ce sera la réussite de borne kilométrique en borne kilométrique. Je la reverrai, je ne serai pas triste. Je danserai le ballet de bonne humeur de la marchande de dentelles. Écris. Ne te tais pas, musicienne. Je vendrai de la dentelle de Malines dimanche prochain à côté du marchand de glaces. Ce sera la même tactique, ce sera comme dimanche dernier. Je cernerai, j'attaquerai, je distrairai, j'attirerai les paroissiennes pendant la plainte de l'harmonium désaccordé. Cécile le démolirait. Il hurle à la mort comme un chien. Cécile n'écrit pas. J'aimerais tant lire sa lettre pendant que je me promène dans leur cimetière, parmi les sourires des mauves. Sa lettre. Son écriture précieuse au-dessus des prêles et des ombelles. Si elle fait la coquette, elle perd son temps. Je ne suis pas à la merci de sa lettre. Je trouve des douceurs dans le cimetière : la patine des dalles funéraires, le clair-obscur dans la pierre tombale, la mort effritée sous chaque dalle. Cécile fait la coquette. Elle se pare de silence depuis que je suis partie. C'est impossible. Cécile ne fait pas la coquette. La souple jeune fille qui revit dans la tige de l'églantine me le dit. L'ombre, toujours l'ombre quand je quitte les tombes : le facteur traverse le village, le facteur ne s'arrête nulle part. J'ai peur de son virage. Je ne lui écrirai pas, je ne lui écrirai plus. Je la tourmenterai. J'ai jeté mon paquet d'enveloppes dans la rivière. A Auvigny, elle m'écrivait pendant qu'elle dictait à ses élèves. « Vends, Thérèse, vends. » J'ai un ami de soixante-seize ans qui me fera oublier qu'elle n'écrit pas. Je me vengerai avec une amitié. « A quoi pensez-vous, la marchande? — Au courrier qui n'arrive pas, monsieur Dussossoy. — Goûtez à mon cidre, ma pauvre fille. Est-ce que j'attends du courrier, moi? » Il a cinq femmes au cimetière le vieux Dussossoy. C'est avec le sexe que ce lion les a dévorées. Tiens, une cliente qui taille sa haie à une heure, pendant qu'ils mangent le petit salé. « Des nouveautés, madame, j'en reçois tous les jours par le courrier. Oui, on m'envoie des petits paquets recommandés. » Je serai fraîche si elle questionne le facteur... Écris, bon sang. Que je ne mette pas mon cœur dans les affaires. Cette gaillarde a mis le dessus de cheminée dans son corsage et les épines ont retrouvé leur bourreau. Maintenant, courons jusqu'à ce vieux hibou. La mort dans ses yeux est glaireuse, ses moustaches sont des crocs. C'et une trique que le temps a courbée. Cécile aimerait sa rudesse, Cécile n'aura rien. Chacun pour soi. Oui, mais visage de bois. Je sais où il est. Tous le savent. Il surveille l'appétit du bœuf qu'il engraisse, il tâte les flancs, il rêve au boucher qui le lui prendra. L'éleveur jouit, le castré profite. « Vous avez une lettre poste restante, la marchande. Je suis le facteur, je peux vous le dire. » J'ai une lettre... Le facteur est bon. Je comprends pourquoi les châtaignes tombaient en presse-papiers sur son courrier éparpillé lorsque, ivre-mort, il dormait sous le châtaignier. J'ai une lettre... Je rachèterai trois paquets d'enveloppes, je lui écrirai partout. « La poste n'ouvre qu'à deux heures, la marchande de dentelles... » Un bonheur n'arrive pas seul. Voici l'ami. « J'absentais, m'a dit le vieux Dussossoy. Vous absentiez et moi je vous apportais du monbazillac. J'ai du courrier, monsieur Dussossoy. — Ouais, ouais », m'a-t-il dit. Sorti des billets de banque, le papier pour lui est bon à brûler. « Allez chercher votre lettre, ma pauvre fille, moi je boulange. » Son pain au four dans le faitout ressemblait à un sein doré... « Ça pourrait, ça pourrait... » C'est cela qu'il m'a répondu, l'air moqueur. « J'ai une lettre, j'ai une lettre, mademoiselle. — Une seule », a coupé la demoiselle de la poste. Je serai patiente, je la lirai là-bas dans la zone puritaine à côté de l'arbre qui est seul aussi. J'aime. Je n'ose pas me réjouir, je n'ose pas ouvrir l'enveloppe. J'aime. Mon cœur est ma nouvelle Amérique. Une lettre de huit

228

lignes. Je commence à aimer Cécile et je n'entends que l'écho de ma voix. Vendre, vendre... J'achèterai leurs journaux régionaux, je les apprivoiserai avec leurs faits divers. « Je me taisais, Thérèse. Je devinais que tu travaillais. Tu as bien fait de te sauver, Thérèse. La séparation nous équilibre l'une et l'autre. Travaille, Thérèse, travaille. Il n'y a rien de mieux. » Signé Cécile. Je leur déclarais ce que je pensais! que les roses dans les jardins sont belles. C'est trop naturel. Les roses dans les jardins... Que j'étais naïve. Ils en ont comme nous avons des cure-dents. Cécile respire la rose de l'absence. Je l'ai quittée. Elle s'en fiche. « Je fais ma classe en pensant à toi. » Si tu pensais à moi, tu m'écrirais tous les jours. Je l'aime et je ne crois plus en elle. Je marcherai jour et nuit, je vendrai jour et nuit. « Il te fallait un changement d'air, Thérèse. » Assez, longue jupe grise de sœur de charité. Besoin de changer d'air. Je ne suis pas un gangster... Je lui écrirai toute la nuit, je ne jouerai pas à la banque avec les Bême. Demain j'aurai une lettre d'elle.

Rien hier, rien avant-hier. Je lui écris quatre fois par jour, je lui écris sur chaque tuile des toits après avoir jeté mes lettres à la boîte, je réponds partout au courrier que je ne reçois pas. Je prendrai des commandes, je poserai des additions sur mon carnet, je mettrai au défi son silence avec les chiffres de mes bénéfices. L'argent m'entrera dans le sexe comme il entre dans la fente d'une machine à sous. Elle n'écrit pas.

Quelques lignes d'elle après six jours d'attente : « Mes élèves sont sages, je me suis remise à l'harmonie... » Serais-je capable de trouver quel épi a frissonné le premier lorsque le vent a passé, serais-je capable de retrouver le moment où j'ai commencé de l'aimer? Non. Je ne vis pas : je nais. Écris. Ma prière coule de source pendant que je regarde les cils du cheval. « Mes élèves sont sages, je me suis remise à l'harmonie. » Qu'elle vibre dans sa prochaine lettre comme vibrent les viscères de l'étalon. Mais Cécile regarde au loin quand elle décachette mes enveloppes. Moi, je me perds dans les yeux noyés de tristesse du cheval qu'elle ne verra pas. Qu'est-ce que je fais sur les routes, dans les granges, sur les échelles, dans les fossés, dans le cloaque des étables? J'écris à Cécile. Il faut que je vende, il faut que je m'enrichisse pour lui acheter un piano de concert. Ils engrangent. Entrons. Mère et fille conversaient dans le foin. Gérer une ferme avec ma mère... Mon paradis perdu. Maintenant, mère et fille, il faut que vous m'achetiez du jour Venise. Je vendrai après leur avoir expliqué leurs rêves : l'eau sale mène aux ennuis, les fleurs seront des pleurs, les enfants sont des présages de tourment, mais le sang, femmes, le sang c'est notre victoire. Je récite, je propose, je m'enlise dans les fleurs coupées. J'enfonce dans mes bottes de luzerne, j'agite mouchoirs et colifichets dans l'odeur mâle de la paille et du foin.

La vente est terminée : j'ai refermé mon portebillets et le chien fatigué d'aboyer s'est endormi. Un conseil, Cécile, ne pleure jamais dans les dentelles. C'est froid, c'est sec. Je suis venue dans les bois pour lui écrire des billets sur l'azur entre les branches. Je chevauche le tronc d'arbre et je pleure dans mon écharpe écossaise. Elle n'écrit pas : mon avenir pâlit.

Les demoiselles de la poste m'obsèdent. Elles cherchent dans la case et moi je leur souris comme sourient les vieux beaux. Cécile me possède derrière le grillage de chaque bureau de poste. « Vous n'avez rien, mais revenez demain », me dit-on. Demain a tué aujourd'hui.

Je porte le deuil dans ma chambre d'auberge, je contemple les mouches mortes entre rideaux et fenêtres. Il est minuit : je grelotte dans le gosier de la chouette. Il est sept heures du matin : je caresse l'oreille de l'âne et, sur le feutre mélusine du cartilage, je lisse amour et miséricorde. J'attends sa lettre.

On dit que je gagne trop, on dit que mes valenciennes ne valent rien : c'est qu'elles les font bouillir. En affaires non plus, on ne peut pas être et avoir été. C'est le déclin.

Une carte postale de Cécile. « Excellent déjeu-

ner au restaurant de la tour Eiffel. » Excellent
parce qu'elle y déjeunait avec quelqu'un, c'est
probable. Je perds la tête. Les soirées sont lon-
gues, mais je m'occupe ou bien je sors. « Merci de
tes lettres. Ne t'inquiète pas. Toutes sont arrivées. » Elle est jolie notre maison abandonnée
pendant que Cécile traîne le soir, pendant que je
me morfonds dans une chambre d'auberge. Le
réveil dans notre cuisine... Il croit, lui, en notre
maison abandonnée. Elle m'écrit des fadaises qui
me mettent en appétit. Je la couvrirai de lettres.
Ce colis qui n'arrive pas... Les yeux du vieux
Dussossoy rajeunissent de plaisir quand je lui dis
que mon colis est égaré. Je me crève, mais ils sont
jaloux quand même. « Le colis, oui, celui-là au
fond de la pièce... — Ce sont des graines, c'est de
la faïence... Avez-vous reçu un avis? — Non,
monsieur le chef de gare. — Vous recevrez un
avis. Pourquoi perdu? Rien n'arrive. Si vous ne
recevez rien, c'est qu'on ne vous envoie rien. »
Le train repart, des visages aux portières, des
yeux qui verront la lumière de Cécile... Qu'est-ce
que je fiche ici? Je me tire les cheveux pour du
courrier qui ne sera pas expédié. Je voulais m'en-
richir, je voulais gémir sous le poids de mes valises. J'ai été exaucée. Minuit dans ma chambre
d'auberge. Les facteurs dorment et j'attends. Un
homme. Il a bu, il ramène sa herse. C'est la splen-
deur, c'est le fer griffant la pierre. Le clair de lune,

l'extase du cimetière... Le chien qu'on a déchaîné s'ennuie au milieu de la place, la herse s'enfonce dans le chemin de la carrière. Je partirai demain matin, je saurai pourquoi elle n'écrit pas.

Huit heures moins deux. Nous entrerons en gare avec deux minutes d'avance. Ils consultent leur montre, ils sont satisfaits : il leur semble que ces deux minutes d'avance sont leur œuvre. Derniers immeubles, dernières murailles avec suie funèbre, derniers linges aux fenêtres. La grande gare me fait peur. Un type nous voit de sa chambre, un type agite la main, un type qui ne voyage pas, qui vit près des trains, qui nous fête. Encore une minute. J'arrive, Cécile, j'arrive. Voici l'affiche. C'est de la vieille publicité pour du coke. C'est un panneau peint en bleu que des averses perverses ont décoloré. Je m'assieds pour ce dernier hoquet. Le train roule dans un hangar : nous sommes arrivés.

— Des bons hôtels vous en avez des tas, me dit le chauffeur de taxi.

Nous allons entre les fourmis qui descendent dans les souterrains, qui en ressortent et mes valises vides tombent sur mes pieds. Si elle pouvait m'apercevoir gravissant les marches de l'hôtel avec mes valises de carton bouilli. J'ai le fou rire, je suis triste, j'ai les mains pendantes : le groom m'a pris mes bagages. J'irai chercher Cécile à son école, je la ramènerai ici. Je ne veux plus de la maison dans laquelle je ne l'aimais pas. Je veux un changement, je veux qu'elle me reconnaisse et que je lui apparaisse dans le cadre neuf. La chambre d'hôtel m'aidera, la chambre d'hôtel y mettra du sien.

— Nous avons quelque chose au dernier étage...

Chambre au dernier étage, forteresse montée en graine.

— ... Avec un grand lit.

Un bruit de clef sera le premier abri. Leur ascenseur est lent, leur ascenseur a du style. Mes valises sont vides. Groom, méprisez-moi autant que vous voudrez. Moi, je prépare mes fiançailles. Accueil au départ, accueil à l'arrivée, salutations au départ, salutations à l'arrivée. Il faut que je m'habitue. Leurs couloirs sont grisants de silence. Groom, tournez la clef puisque je n'y ai pas droit. Oui, je sonnerai si j'ai besoin de quelque chose. J'ai besoin de Cécile. Je me prends pour un rocher : la marée des autos est au-dessous de moi. D'une seconde à l'autre se retrouver chez soi. Ce n'est pas rassurant. C'est palpitant. C'est cela, Thérèse, dans leur beau miroir? Ce n'est pas reluisant. Que je suis flasque dans ce tailleur qui n'a plus de forme... C'est une lavasse beigeasse que je montrais aux peupliers! Tant pis, elle me prendra comme cela. Je vais la chercher, je la ramènerai, mais avant je vais acheter des choses pour elle.

— Le poudrier, vous le voulez en cuir ou bien en métal? dit la demoiselle de magasin.

— Ce qu'il y a de plus nouveau.

— Je vous prépare un choix. Le cuir ne ferait pas mal avec votre tailleur.

— Ce poudrier, mademoiselle, n'est pas pour moi.

— Pourquoi n'offririez-vous pas un cœur?

— C'est une idée. Un cœur...

Elle poussa sur le côté le flot crémeux de la lingerie.

— Le cœur en cuir verni se fait beaucoup. C'est le seul qui me reste. Le voici.

Elle tourna la pointe de mon côté.

— Je peux le toucher?

— Vous pouvez l'ouvrir.

— Je ne voudrais pas le ternir...

— J'ai une peau.

— C'est plat, pourtant c'est lourd.

— N'oubliez pas ce qu'il y a dedans.

Elle me reprit le cœur à fermeture Éclair.

— Vous ne le trouvez pas charmant ce petit cœur pour ouvrir le grand?

Elle me montra la pendeloque de cuir qui ressemblait à un as de pique :

— C'est un modèle exclusif. Vous ne le verrez pas à tous les coins de rues.

Elle cessa de parler : ses formules l'ennuyaient. Mais il fallait vendre :

— Un miroir, un tamis, une houppette, ce n'est pas lourd mais ça pèse quand même son poids.

— Vous vendez le cœur avec le cygne dedans?

— C'est un cadeau du fabricant.

— Je le prends.

— Vous verrez : vous n'en aurez que des compliments.

— Je l'aurais préféré plus clair... Le noir, c'est vieux.

— Comme vous voudrez. C'est pour une jeune fille?

— Pas tout à fait une jeune fille.

— Pour une dame?

— Pas tout à fait une dame.

La vendeuse s'impatienta :

— Le noir est un ton mode, le noir va avec tout.

Elle enveloppa le cœur dans du papier de soie.

— Maintenant des foulards...

— Ce n'est pas le choix qui nous manque, dit-elle.

La vendeuse revenait avec un tiroir monumental :

— Nous avons ce corail... Est-ce gai! Vous ne trouvez pas que ce sont les coloris de l'Afrique avec les palmiers?

— Je ne connais pas l'Afrique.

— C'est importé d'Italie. Touchez la matière, est-ce frais?

Je touchai. C'était frais.

« Vous devriez vous l'offrir, dis-je.

— Nous ne devons pas porter ce que porte la clientèle.

— Paris est grand.

— Paris est petit. Vous ne vous décidez pas?

— Je réfléchis. Vous croyez que pour une brune...

— C'est pour une brune?

— Oui. Le corail évidemment... Peut-être aimerait-elle mieux du bleu.

— Du bleu en voici, dit la vendeuse. C'est un bleu importé aussi d'Italie. Ce n'est pas un bleu banal. C'est un bleu qui tire sur le vert...

— Ce serait plutôt un vert qui tire sur le bleu...

— Prenez-le en main, dit-elle. Il est plus marin que l'autre. Ce ne sont pas des palmiers mais vous avez des ancres, des gouvernails, une étoile, des points cardinaux...

— Je les prends tous les deux.

— Vous faites une bonne affaire, dit-elle.

Le chauffeur me promit que nous y serions avant onze heures et demie. J'enviais les mécanos accroupis dans les garages sanitaires, la gamine qui accrochait les balais au-dessus de l'éventaire de la quincaillerie sur la route nationale, la serveuse qui dégraissait les tables à la terrasse d'un café, la jeune fille qui rafraîchissait des fuchsias devant le magasin de fleurs. Ils étaient mes mirages d'insouciance. Le premier autobus de banlieue qui vint à contresens me troubla : Cécile l'avait pris quand elle avait mangé dans le restaurant de la tour Eiffel. Mes ongles entrèrent dans la paume de mes mains. Je voulais tenir tête au pressentiment que j'avais dans le corps. Nous arrivions, nous étions en avance. Je crus entendre un cri du côté de son école, je dis au chauffeur de s'engager dans le sentier du pavillon. Je revis notre maison : une maison avare aux volets fermés. Les rosiers se mouraient, les pétales se desséchaient sur l'herbe le long de la grille. Cécile s'ennuie, elle ne voit plus ce qui se meurt. Elle s'enferme, elle fume, elle joue du piano, elle fait sa classe, elle s'évade pour se réenfermer encore. Le chien policier revenait dans l'allée avec son maître. Nous sommes sortis du sentier, nous nous sommes rapprochés de l'école.

Je voulais y être à onze heures vingt-cinq et j'avais du temps pour y aller raisonnablement. Le départ du taxi me soulagea. Paris se retirait, les feuillages par-dessus les murs ne remuaient plus. J'entendis la clochette et les offres d'un repasseur de ciseaux. Ce fut fini. Mais le coin de rue fut traître : j'étais arrivée avant de m'y habituer. Je vis à la sauvette l'angle vaseux que forment les aiguilles à onze heures vingt-deux. « Fait chaud », ai-je chuchoté avec grossièreté pour supprimer l'émotion. Un cheval, derrière le mur de la cour, donna un coup de sabot sur les pavés, le sabot demeura collé sur ma gorge. Le même bruit recommença. Le robinet dans la cour de l'école était détraqué, l'eau sortait du goulot en persécutée, l'eau s'enfuyait au-dessous de la grille, l'eau follement abondante emportait mes derniers instants. L'hésitation de l'eau dans le goulot me permit de me reposer entre deux battements aux tempes. L'eau se pressait, l'oiseau-bouffon avançait d'un tronc à un autre en sautillant et, plus haut, dans les verdures aux mouvements sournois, il se jouait de l'eau éperdue, du cheval impatient. Une enfant projetée de l'école envahit la loge du concierge. Ils parlaient mais je ne voyais que des grimaces. L'enfant sortit de la loge, les premières élèves avancèrent dans la cour, solennelles comme des communiantes. Ce fut une salve de cris. Les cortèges succédaient aux cortèges et se défaisaient avec la même soudaineté que le premier. Les cris cessèrent : je me sentis exagérément adulte. J'entrai dans la cour, des petites filles se jetèrent dans mes jambes. Je décidai que j'irais jusqu'à l'entrée du bâtiment. Trop tard. Mon sang se décollait : Cécile à la tête du nouveau cortège m'avait reconnue. Elle tourna la tête, elle imposa silence à ses élèves. Elle se coiffait autrement et je devais m'habituer sans tarder à la nouvelle coupe de cheveux. Cécile ne me demandait plus mon avis. Le coiffeur lui rafraîchissait la nuque avec son rasoir. Les institutrices la regardaient, elles admiraient la rigueur de leur collègue. Cécile me montrait comment elle se faisait obéir, quels étaient ses exigences, son autorité, son pouvoir, son amour de la discipline dans cette école où je n'avais jamais mis les pieds. Je croyais que cette halte m'était dédiée. Cécile avait rajeuni. Deux par deux, les élèves se donnaient la main. Elle avait un vêtement neuf, elle faisait la classe en costume tailleur rigide, ce qui n'était pas dans ses habitudes. « Ce soir, elle serait allée seule au cinéma, me dis-je, ce soir elle veillera dans un hôtel. » Des fillettes l'ont poussée et c'est ainsi que Cécile est venue.

— Je ne t'attendais pas, dit-elle avec gêne. Tu aurais pu me prévenir...

— Je suis revenue pour toi.

— Moins haut! Elles écoutent.

Elle regarda une fenêtre.

— C'est la fenêtre de la directrice?

— La directrice est derrière nous. Elle ne veut pas que nous ayons des visites. Ne me regarde pas ainsi.

Je cachai le cœur et les foulards dans mon dos.

— C'est pour toi que je suis venue. Je ne vois pas le mal qu'il y a à te regarder.

— Tu cries, dit Cécile.

Bouche fermée, des élèves imitaient le mugissement des sirènes..

— Ne me fixe pas ainsi! Marchons, la directrice nous regarde, dit Cécile.

Mais avant de circuler, Cécile leva la tête pour cette fenêtre.

— Tu quitteras cette école. Je pourrai te serrer...

— Tu cries, tu cries. Pense où tu es. Je suis en service et...

Cécile n'acheva pas. Une jeune femme venait.

— Je vous ai cherchée partout, dit cette jeune femme à Cécile.

Elle avait dû courir dans les couloirs.

— Vous me cherchiez! dit Cécile avec langueur.

Cécile rougit. Elle se sentait coupable envers celle qui l'avait cherchée.

— Une amie, dit Cécile en me présentant.

La jeune femme au profil grec me salua et me négligea.

— J'ai couru dans votre classe, je vous ai appelée. Pourquoi ne m'avez-vous pas répondu?

Cécile suivait les mots sur les lèvres rouges. La bouche charnue était parfaitement maquillée. Cécile était absorbée par les lèvres qui s'affichaient. J'eus pitié :

— Je vous affirme que nous n'avons rien entendu.

Cécile m'enveloppait parce que je l'avais soutenue.

— Vous leur avez confisqué beaucoup de choses ce matin? dit la jeune femme. Vous êtes sévère. Vous leur prenez tout, à ces petites.

Elles se sont regardées et elles se sont rencontrées loin de la cour.

— Tu ne confisquais pas dans le temps, dis-je.

Elles ne firent aucun cas de mon tutoiement. La jeune femme avait un casque de boucles rousses qui descendaient bas sur la nuque. Cécile n'osait pas me répondre.

— Je préférais la blouse que vous aviez hier. Ce blanc n'est pas franc, dit la jeune femme à Cécile.

— Vous ne l'aimez pas? Vous n'aimez pas la flanelle? dit Cécile.

— Tu as toujours eu un faible pour l'écru, dis-je.

Elles baissèrent les yeux. L'importance que je me donnais avec le passé les ennuyait. Une fillette nous bouscula et la jeune femme s'éloigna une seconde par condescendance, par calcul, par élégance. Pour plaire à Cécile.

— Tu te fichais de ce que je portais! dit Cécile.

La jeune femme poursuivait la fillette. Elle revint, sûre d'elle.

242

— J'espère que vous avez mangé la pêche qui est sur mon bureau, dit Cécile.

— J'espère que vous ne l'avez pas confisquée, dit la jeune femme. A tout à l'heure.

— A tout de suite, dit Cécile.

Lorsque Cécile se surmenait dans l'intimité, elle avait la voix brisée. Cécile avait la voix brisée.

La jeune femme se sauvait avec gaieté et elle démêlait ses boucles avec ses doigts. Des élèves firent la haie pour elle quand elle rentra dans l'école. Elle avait des jambes et des hanches de cariatide.

— Qui est-ce? Tu as vu ses cheveux! me suis-je exclamée.

Cécile détourna la tête.

— Qui est-ce? Cécile!

— Une nouvelle collègue.

Cécile regarda la fenêtre au premier étage.

— C'est ta classe ou bien la sienne?

— Sa classe est à côté de la mienne, dit Cécile.

Cécile tressaillit :

— Oui, ma classe... Tu ne peux pas t'éterniser ici. Je rentrerai à six heures. Nous parlerons. Il faut t'en aller. Je rentrerai ce soir. Je te le promets.

— Tu ne rentres donc pas tous les soirs?

— Ne crie pas! dit Cécile.

Je changeai le paquet de main. La ficelle me coupait les doigts.

— Tu ne prends plus tes repas à la maison?

— Nous mangeons à la cantine, c'est moins fatigant. Je t'en prie : va-t'en. La directrice nous observe. Et puis j'ai des masses de cahiers à corriger...

Des élèves tendaient leur tablier, emplissaient d'eau cette outre à carreaux sous le robinet détraqué.

— Je suis descendue à l'hôtel, dis-je.

Cécile s'emporta :

— Tu ne peux rien faire comme les autres! (Elle se radoucit :) A ce soir, mon petit. Je viendrai à ton hôtel. Tu as bien fait, après tout, de t'installer à l'hôtel.

Je la suivis des yeux. Je ne me détachais pas d'elle. Cécile courait pour revenir vite dans sa classe. Je quittai son école.

Cette jeune femme n'est qu'un caprice de Cécile. Une sauvage avec un petit nez droit, des yeux froids, un casque de boucles, une sauvage avec des cheveux en feu. Une sauvage. Toutes les chances cette sauvage. Même pas une tache de rousseur. Ma mère dit que les rousses sont des teignes, ma mère dit que c'est une rousse qui lui tirait les cheveux. Cécile qui s'inquiétait, qui lui demandait si elle avait mangé la pêche. Ma pauvre Cécile. Je te protégerai. Tu ne vois donc pas que ce serait un fléau. Ce ne sera pas un fléau. Elle te tirerait les cheveux. Je suis revenue. Je mettrai le holà, je te reprendrai. Et si cette jeune femme l'emportait! Oh! oui, pleurer, pleurer longtemps. Ce n'est qu'une fredaine, ce ne sera qu'une fredaine. Je le veux. Plus tard, je te pardonnerai ta fredaine. Et si cette jeune femme avait le dessus! Je pleure mais je me défendrai. Elle ne te connaît pas, elle ne sait pas ce que tu aimes. Je sais ce que tu préfères.

Je rentrai à l'hôtel à six heures du soir avec des petits paquets, des fleurs, un bocal de framboises. Je voulais fortifier l'avenir avec mes préparatifs. Je commandai du champagne, j'imaginai Cécile dans sa classe, se poudrant avec modestie, son poudrier sous le rabat de sa serviette de cuir. Je leur dis de sonner simplement dans ma chambre lorsqu'elle arriverait et je leur dis de ne pas me l'annoncer avec des phrases. On frappa. Je fus déçue : elle arrivait trop tôt. Ce n'était pas elle. Le groom déposa le seau à champagne et les assiettes sur la table, il s'esquiva sur la pointe des pieds. J'attendis avec fébrilité, je fleuris la chambre. Je pardonnerai, je pardonnerai le plus que je pourrai. Le papier doré de la bouteille de champagne le certifie, le rouge insinuant des framboises, leur velours, leur lumière intérieure me conseillent la maîtrise de soi-même. Je parfumai un coin des oreillers comme nous nous parfumons derrière l'oreille, je décachetai un paquet de cigarettes sur la table, un autre sur la table du cabinet de toilette, un troisième sur le lit, comme jetés à l'improviste avec les allumettes. Elle arrivera dans deux minutes si elle est exacte. J'ouvris la fenêtre pour recevoir et garder un peu de ciel dans la chambre. Je la refermai. Ce qui se passait dehors ne me concernait plus. J'entrouvris la porte, je me vouai, à la sonnerie du téléphone. Verrait-elle que j'avais pleuré? Je me regardai à la sauvette dans la glace. Elle ne le verrait pas. La maquilleuse du salon de coiffure n'avait pas menti. J'épiais le signal sur ma montre-bracelet. L'aiguille entre les secondes me torturait. Cécile avait quatre minutes de retard. Au même instant le timbre.

Je courus dans la chambre, je me regardai dans la glace, je partis toute glacée et ridée vers l'ascenseur. Les câbles ne bougeaient pas. Les câbles. Les dernières choses avant que s'ouvrent les portes de l'ascenseur. Ma respiration saccadée aboutissait à ce silence officiel dans les couloirs. Les câbles flageolèrent. Je me retins au mur, je commandai à mes forces. Je reculai, ainsi le liftier aurait ses aises pour lui tenir les portes. Je me penchai sur la rampe. Deux femmes de chambre causaient à l'étage au-dessous. Le frottement dans la cage : j'étais sans connaissance avant de recevoir Cécile.

— Tu es descendue dans un bel hôtel, dit Cécile.

Elle donna des petites gifles au mur avec son gant de cuir et de dentelle écrue.

Cécile ne s'était pas poudrée. Elle était venue avec son visage de travail.

— Tu as changé de coiffure ou bien tes cheveux sont plus flous? demanda Cécile.

— Droit devant toi, dis-je. Non... non, pas du tout. Je n'ai pas changé de coiffure, je n'ai rien changé!

Je la suivis dans le couloir. Elle serait toujours provinciale dans ses vêtements de Paris; sa modestie me toucherait toujours.

— C'est agréable le tapis en plein, dit Cécile. Ça fond sous les pieds.

— C'est dans ce ton gris que tu l'aimerais? Tu veux qu'on en mette? Pourquoi ne pas aller en chercher jeudi?

Cécile ne répondit pas. Elle était venue avec ses chaussures poussiéreuses. Elle n'avait fait aucun frais. Elle s'arrêta dans l'encadrement de la porte.

— Entre. De quoi as-tu peur? Mais entre donc!

— Je regarde, dit Cécile.

— Tu regarderas aussi bien dans la chambre.

— Laisse-moi m'habituer à leur tapis.

Je l'ai poussée. Elle est entrée, presque malgré elle.

— Débarrasse-toi de ta serviette, enlève ta jaquette.

— Pas tout de suite, dit Cécile.

Cécile se protégeait avec sa serviette qu'elle appuyait sur son cœur.

— A Paris-Plage l'hôtel ressemblait à celui-ci. Tu t'étais sentie tout de suite chez toi.

— Nous étions en vacances, c'était différent, dit Cécile.

— C'est pour toi que je suis venue ici, c'est pour toi que j'ai fleuri la chambre.

— Je ne te le reproche pas.

— J'ai fait de mon mieux.

— Il ne faudra pas dormir avec toutes ces fleurs, dit Cécile.

Le parfum mortuaire des œillets me désola.

Je poussai la porte avec précaution, je freinai l'intimité d'une porte refermée.

— Pose ta serviette, mets-toi à l'aise.

— Rien ne presse, dit Cécile.

Je la pris dans mes bras, Cécile perdit l'équilibre, la serviette de classe tomba.

— Tu vois ce que tu fais? dit-elle.

Elle ramassa sa serviette avec brutalité puis elle dégrafa et agrafa le fermoir avec gêne. Je lui pris la main :

— Tu es venue...

— Je te l'avais promis.

Elle retira doucement sa main.

— Je t'attendais... Mon cœur bat. Il t'attend encore.

— Sois calme, dit Cécile.

— Ne regarde plus leur tapis! Si tu veux que je leur demande l'adresse...

Cécile ne répondit pas. Elle s'assit dans le fauteuil.

— Lance-moi tes gants!

Cécile me les lança au visage.

— Je t'ai fait mal, tu as mal! dit Cécile.

Elle sortit un briquet de sa poche, les gants tombèrent de mes genoux.

— Tu te sers d'un briquet maintenant?

— C'est plus commode, dit Cécile.

Elle le remit dans sa poche.

— Montre-le.

Elle se leva, elle alluma diablement bien sa cigarette, elle me donna le briquet.

Il y avait un carré lisse sur l'argent guilloché, un clos de sérénité et dans ce clos l'attente de deux majuscules entrelacées.

— C'est un briquet qui vient de la rue de la Paix.

— De la rue de la Paix! dit Cécile.

— On te l'a offert?

— Tu sais bien que je ne fais jamais de folies.

— Je t'en achèterai un en or. Nous achèterons du papier uni comme celui-ci, nous ferons venir un tapissier, nous...

— Pourquoi as-tu choisi un si bel hôtel? dit Cécile.

— Je trouvais que rien ne serait trop beau pour nous.

Cécile ne répondit pas.

— Tu as changé de coiffure? On te l'a conseillée?

— On me l'a conseillée, dit Cécile. Elle te plaît? Tu trouves qu'elle me va bien? Ce n'est pas trop sévère?

— C'est plus dur. Ton tailleur aussi te va bien. Tu es plus svelte. Tu as l'air d'une convalescente. C'est la jeune femme que j'ai vue ce matin qui t'a conseillée?

— C'est elle, dit Cécile.

— C'est elle aussi qui t'a offert le briquet? Nous lui offrirons autre chose. Quelle chevelure elle a! Et ses jambes! Il me semblait qu'elle marchait avec un temple sur la tête quand elle s'est sauvée dans sa classe. On ne peut pas l'imaginer vieille et voûtée.

— Elle est belle, mais pas autant que tu le dis.

— Elle est très belle. Qu'est-ce qu'il y a entre vous?

— Tu n'as pas compris?

— Qu'est-ce qu'il y a à comprendre? Je suppose que vous avez une histoire.

— C'est plus que cela : je l'aime.

— Tu me dis cela pour me faire de la peine.

— Je te dis ce qui est.

— C'est à cause d'elle que tu n'écrivais pas?

— Oui.

— Tu ne crois pas que je prends cette petite escapade au sérieux? Avoue-le, que ce n'est pas bien sérieux!

— C'est sérieux, Thérèse.

— Je suis revenue. Ne me dis pas qu'elle compte plus que moi. Qu'est-ce que vous avez fait? Vous vous êtes embrassées? Vous êtes allées plus loin?

— ...

— Est-ce qu'elle vient quelquefois dans le pavillon?

— Quelquefois.

— Je suis revenue, Cécile, je suis revenue pour te dire... Je suis revenue avec ce que tu m'as si souvent demandé. Je suis revenue : tu n'écrivais pas. Je me levais à cinq heures du matin pour le premier train, pour le wagon postal. Ils lançaient le sac sur le chariot, toujours le même chariot que je revoyais dans la journée. Je sautais aux fenêtres des bureaux de poste, je voyais les casiers, j'agrippais les barreaux, j'aurais donné tout ce que j'avais aux facteurs...

— Je ne pouvais pas penser que tu te tourmentais tant.

— Je ne vivais plus. J'ai pris le train de nuit. D'abord j'étais seule dans le compartiment. Je te le disais tout haut pendant que le train roulait. Tu ne veux pas comprendre.

— Je t'ai dit que je l'aimais.

— Oh! Cécile, nous ne nous quitterons plus, nous ne nous quitterons jamais.

— C'est impossible, Thérèse.

— Elle viendra dans le pavillon si elle veut, nous choisirons avec elle ce papier uni que tu ne cesses pas de regarder. Nous lui demanderons son avis, nous nous entendrons bien.

— Tu ferais cela!

— Je le ferais. Nous finirions par nous aimer.

— Tu ne réfléchis pas à ce que tu dis.

— Je t'aime. Tout est possible. Buvons le champagne, mangeons les framboises comme à Auvigny. Si tu savais comme tu as embelli... On croirait que tu sors d'une maladie. Tu ressembles à une jeune fille.

Cécile se jeta dans mes bras.

— Nous n'avons pas eu de chance, dit-elle.

Elle partit de mes bras, elle regarda sans voir ce qu'il y avait sur la table.

— Tu les aimais sucrées...

— Je crois que je n'ai pas très faim, dit Cécile.

Elle voyait la couleur de notre malaise sur le sirop de framboise. Le soleil couchant éclairait les meubles de bois jaune clair, le soleil m'écœurait. Je la forçai à s'asseoir dans le fauteuil, je mis les verres sur les beaux genoux ronds de Cécile, je versai le champagne.

Nous attendions avec la blessure dans notre

gorge après la première gorgée de champagne.

— Du mumm très sec comme à Auvigny. Je le glaçais plus longtemps qu'eux, dit Cécile.

— Nous sommes à Auvigny!

— Nous ne sommes pas à Auvigny, ma pauvre Thérèse...

— Tu es calme. Tes mains ne tremblent pas comme les miennes.

Cécile détourna la tête :

— J'ai toujours été calme. Ça te donnait des crises.

— Mais qu'est-ce qu'elle t'a donc fait? ai-je crié.

Cécile secoua la bouteille au-dessus du seau. Le seau à champagne : objet de superbe, objet de défi, solitaire étincelant loin de la lumière et de la charité en fin d'après-midi dans la chambre.

— Tu bois trop vite!

Elle regarda de mon côté avec indulgence : elle but moins vite.

— Tu limes tes ongles autrement?

Cécile cacha ses mains.

— Qu'est-ce que je pourrais donc faire pour que tu comprennes? demanda Cécile.

Je pris sa main, j'en fis une boule de plumes que j'enfermai dans mes mains. C'est ainsi que le poussin rentra dans l'œuf. Cécile me regardait comme si j'étais une photographie. Un être que l'on finit d'aimer ne s'évanouit pas comme une bulle. Elle accouchait de son nouvel amour pour l'autre, elle m'aimait encore en aimant ailleurs.

— Je revenais, j'en étais sûre. Je revenais pour te dire j'en suis sûre Cécile, j'en suis sûre.

Je lui répétais cela comme si elle m'avait fait un enfant.

— Je te l'ai dit, nous n'avons pas eu de chance, dit Cécile.

— ...Tu me coupais l'appétit.

— Je t'enlevais le goût de lire. Tu détestais le piano dès que je me mettais à jouer.

— Tu te souviens, une nuit... J'avais enjambé l'appui de fenêtre.

— ...Nous nous sommes battues, les lambeaux de ta chemise de nuit sont tombés sur les cailloux. Tu voulais te suicider pour ne plus me supporter.

— La lumière, le ciel, un bouton de porte, un clou rouillé... Tout était à vendre. Tu voulais tout acheter pour me voir contente.

— Je me cachais pour lire, pour me donner un coup de peigne, je changeais de chambre pour bâiller.

— Je voulais que tu deviennes une ombre. Mon bandeau... Tu te souviens?

— Devant le perron en été. Il faisait torride. Je ne trouvais pas ma clef... Le bandeau, c'était pour ne plus me voir.

— Et pour mieux me souvenir. Les puces... Tu te souviens des puces? Je m'en fichais.

— Tu te grattais jusqu'au sang parce que je t'exaspérais.

— Tu savais tout cela?

— Je le savais et ne voulais pas le savoir. Je te ravageais avec ma santé. J'en avais honte. Elle était devenue mon crime.

— Ta famille... Me suis-je acharnée sur ta famille que je ne connaissais pas!

— Tu me travaillais des heures et des heures pour que je la déteste comme tu les détestes.

— Je cherchais à te tourmenter jusque dans les autres. Je me roulais sur le carrelage si tu avais cinq minutes de retard...

— Tu entendais la clef, tu me revoyais, tu m'en voulais comme tu n'en as voulu à personne, dit Cécile.

Cécile se leva du fauteuil. Je la désirais comme je ne l'avais jamais désirée.

— Tu pouvais t'en aller puisque je ne t'aimais pas, mais c'est ce qui te retenait. Je me serais retrouvée légère, libre. Je ne t'aimais pas mais je ne pensais pas à me débarrasser de toi.

— Je te tenais comme tu me tenais, dit Cécile. J'attendais, j'espérais. J'espérais si fort que c'était comme si tu m'avais aimée. Sinon comment l'aurais-je supporté? Il n'y a que les fous qui se contentent d'attendre. Ma blouse de soie... La soie du Japon que j'ai brûlée... J'avais posé le fer dessus. Tu lisais dans notre chambre. J'imaginais que tu me parlais comme tu m'as parlé aujourd'hui. Je l'entendais, tu me le disais comme tu me l'as dit aujourd'hui.

— Tu m'aimes encore.

— Est-ce que je sais!

Elle s'assit, elle se passa la main sur le visage.

— Commande du cognac, dit Cécile, il y a trop d'eau dans le champagne.

Maintenant Cécile palpait le briquet à l'intérieur de sa poche. Elle palpait la fraîcheur, les nuances de l'aurore. C'est cela un premier cadeau.

— Et les moments que nous avons eus ensemble? Il ne faut pas les oublier. Nous en avons eu des moments! dis-je.

J'ai commandé deux fines au téléphone.

— Quand je voulais tu ne voulais pas, dit Cécile.

— L'hôtel dans l'impasse après le concert... Ce n'était pas si mal que ça le plancher... Tes yeux chaviraient. Tu disais recommence, recommence, que ça me fasse mourir.

— Tais-toi! C'est affreux.

Cécile mit sa tête dans ses mains. Elle m'excitait parce qu'elle se désolait. Je m'approchai d'elle à pas de loup. J'avais seize ans. Je voulais, et ne savais que faire. Je me demandais si je l'égorgerais pour l'avoir. Elle croisa les jambes, elle balança son pied, elle fut ma complice sans le savoir.

— Cécile!

Notre abîme dormait au-dessous de mon cri.

— Tu seras plus heureuse sans moi, dit-elle.

Notre malentendu se perdrait dans la nuit des temps. Je ne souffrais pas : je convoitais jusqu'à la folie.

J'allai à la fenêtre : la lumière sertissait les toits, des nuages blancs quoique lancés comme des lévriers se reposaient, des oiseaux longeaient l'espace.

J'entendis le déclic du briquet.

— Dis-moi si elle s'y prend bien. Dis-le-moi!

— Tais-toi, dit Cécile.

— Tu ne te brosses plus. Il y a un cheveu sur ton épaule.

— Laisse ce cheveu, supplia Cécile.

— C'est un cheveu de toi, dis-je.

J'avais menti. Cécile me remercia avec un bon regard.

J'emportai le cheveu roux. Je le noyai dans la cuvette comme j'aurais noyé une punaise.

— Quand on viendra, tu prendras le plateau, tu refermeras vite la porte. Ils m'intimident.

Ils l'intimident. Je me sentis fondre d'amour pour elle.

— Le luxe pourtant, ce n'est pas désagréable.

— En passant, seulement en passant, dit Cécile.

Nous attendions les fines devant la fenêtre : le

boulevard débitait le trafic et le roulement. La lumière d'Italie calmait le noir de fusain sur la pente des toitures, elle décrassait le chinchilla d'une muraille, elle bleuissait les traces de pluie au-dessous d'une lucarne, elle soufrait le plâtre, elle éclairait les tringles d'azur sur le bitume. L'eau brouillée, le bleu silencieux dans le lavoir, c'était le ciel fluide au-dessus des toits.

— Quelle bonne idée, dit Cécile. La fine va nous réconforter.

— Parlons du pavillon, dis-je, pendant que le groom glissait sur la table le plateau avec les fines. Vous le garderez? Tu ne l'as quand même pas installée dans le pavillon!

— Elle n'aurait pas accepté.

Le groom se retira avec des précautions d'infirmier.

— Vous le garderez?

— Je ne sais pas ce qu'on fera. Prends tout. Je te donne tout.

— Je veux ton casier à musique.

— Je ferai ce que tu voudras, dit Cécile.

— Je voudrais être assise dans un cimetière, je voudrais que le froid me prenne, dis-je.

Cécile m'entoura les épaules. Je la repoussai.

— Tu seras toujours malheureuse, mon pauvre enfant, dit-elle avec lassitude. Deux vies, trois vies n'auraient pas suffi. Toi, toujours toi. Tu te déridais, tu t'animais, ça devenait vivable quand nous parlions de toi.

— Tu ne m'intéressais pas. Tu te portais trop bien.

— Je ne cherche pas à intéresser, dit Cécile.

Elle ne quittait plus la fenêtre.

— Si tu pouvais sentir comme moi aussi je suis triste, dit Cécile.

J'accourus :

— Tu ne vas pas me quitter?

Je voulais l'embrasser. Elle ne voulait pas.

— Tu m'étouffes et il faut que je parte! Ne me serre pas ainsi! Mais lâche-moi donc!

Cécile se massa le poignet. Je me demandai dans un court entracte pourquoi les meubles tenaient encore debout.

— Précipite-toi sur l'ascenseur. Qu'est-ce que tu attends?

— Pas comme ça, gémit Cécile, pas comme ça.

Elle sortit le peigne de poche de l'étui, elle peignit ses cheveux devant la glace. Elle soignait son avenir.

— Regarde-toi, regarde-nous!

Je la poussai en avant de toutes mes forces. Son front heurta le beau miroir de l'hôtel. Cécile pleurait sans larmes, le tumulte dans sa gorge ressemblait à un rire sans éclat. Ce sont les coups donnés aux autres qui nous abattent le plus. Je lui pris son

peigne, je la coiffai doucement devant le miroir.
Cécile fermait les yeux.

— Regarde, Cécile, mais regarde donc. Oui,
toi, moi. Et tu voudrais que nous formions encore
le même tableau!

— C'est toi qui me le demandais.

Le grand lit dans le miroir me donna le vertige.

— Je t'aimais, je t'aime encore. Que faire? demanda Cécile.

L'image de la bonté s'animait dans le miroir. Je
voyais que tous nos amours sont un même prolongement.

— Tu t'en vas pour lui demander qu'elle t'em-
poisonne comme je t'empoisonnais, dis-je.

Elle s'adossa contre le miroir, comme une fu-
ture martyre appuyée contre une colonne.

— Je ne te reverrai jamais, dit Cécile. Pourtant
j'avais espéré que nous deviendrions des amies.

— ... Que nous terminerions nos lettres avec
des « je t'aime bien ».

— Pourquoi pas?

J'ouvris la porte, je mis Cécile dehors avec ses
gants, sa serviette. Je la suivis dans le couloir
comme je l'avais suivie au début.

— Je peux descendre à pied, dit-elle timide-
ment. Tu ne veux pas que nous nous embras-
sions?

— Non.

J'appuyai sur le bouton de l'ascenseur.

Le liftier salua. Cécile en voulant me revoir avant de quitter le palier s'embrouilla autour du colosse en uniforme. Il attendit; quand elle fut bien installée dans la cage, ensemble, ils s'en allèrent, Cécile me fit un dernier signe avec sa main gantée. Je me penchai, je la cherchai entre les barreaux. La cage glissait, la cage emportait la femme qui ne voulait pas se laisser aimer.

Je m'approchai du téléphone dans la chambre, je dis un, deux, trois, quatre, cinq, six, sept, huit, neuf, dix, onze... Compter m'aidait à espérer. Je tenais l'appareil que je n'avais pas décroché; je le tiédissais. Il me semblait que du hall de l'hôtel me parvenait la chaleur de la main de Cécile, que cette chaleur sortait par le tamis. Cécile n'appelait pas. Je me mis à geindre comme un chiot.

TROISIÈME PARTIE

La monnaie tinta dans la poche du pantalon qu'il pliait sur le dos de la chaise. Il poussa avec son pied nu ses chaussures sous le lit. Marc ne s'était pas remplumé. Une bourrasque d'angles et d'arêtes entra dans le lit.

Il m'empoigna :

— Je ne pourrai pas.

Je me suis couchée sur le ventre.

— Pas comme ça, dit Marc.

J'ai enlevé doucement ses mains. Le sexe donnait des petits coups contre ma hanche et ses petits coups ressemblaient à des éclaboussures.

— Je ne pourrai pas.

— Pourquoi?

— Thérèse, allonge-toi sur le dos.

— Non.

— Tu as peur?

— Oui. Je t'ai dit de quoi j'avais peur.

— Ça te fera mal. Si tu voulais...

Sa voix me suggérait qu'il était encore temps,

que nous pouvions être amants comme le sont les autres, mais je ne me suis pas allongée sur le dos.

Nous avons végété l'un derrière l'autre. Il s'est décidé et moi j'ai décidé que je ne crierais pas.

— Tu souffres, dit Marc, je te fais mal.

— N'aie pas peur.

— J'ai peur. Cessons.

Il s'est retiré. Pour le plaisir d'hésiter. Il y eut au-dessus de notre tête du vieux silence plus averti que nous. Marc est revenu.

— Tu vois, c'est bien, dis-je.

Il ne répondit pas. Il incrustait la brûlure. Il était tout à son entraînement d'homme.

Il ne pensait qu'à lui. J'évitais de laisser balbutier ma chair. Un gland me frôla, un rêve fripé s'envola. J'ai crié de douleur malgré mes résolutions, j'ai admiré la surdité de Marc. Il se souleva, il s'enfonça.

Je le guettais, j'espérais ses gémissements, je m'oubliais follement. Mes entrailles s'éveillèrent dans de molles draperies, Marc se plaignit entre les ordures et les étoiles, mes entrailles se rendormirent. Je me suis mordue pour retenir mon cri, pour écouter. Je croyais qu'il m'en voulait, qu'il se vengeait. Non. Il menait seul un combat. J'ai remué avec lui, je l'ai aidé.

— Tu me déchires! dit Marc.

Il est parti malgré lui.

— Je t'en supplie, ne pars pas, dis-je.

266

Je ne savais plus que faire de moi-même.

Il revenait, il m'éventrait loin de mon ventre : j'étais éperdue de gratitude.

Les râles, la poursuite, l'acharnement, le vertige, la solitude, la prison, l'évasion, la servitude de Marc étaient mes râles, ma poursuite, mon acharnement, mon vertige, ma solitude, ma prison, mon évasion, ma servitude. La dépouille du sexe me quitta comme me quittera, je le souhaite, mon dernier soupir.

Nous avons allongé nos bras sur le drap. C'était six heures du soir, c'était une aurore. Son épaule ruisselait contre mon épaule et, plus bas, un ruisselet de soie descendait sur ma peau.

La parole nous revenait, le parfum de sa brillantine me berçait.

— Parle-moi de ton travail, Marc.

Je le demande à la fenêtre en face du lit. Je serai foudroyée de reconnaissance si je regarde Marc.

Je recommençai :

— Parle-moi de ton travail.

Marc se tourna. Ce visage défait se frottait à mes entrailles.

— Parlons plutôt de toi, dit Marc. Qu'est-ce que tu es devenue pendant tout ce temps? Tu m'as dit que c'était fini avec Cécile. Tu ne m'as rien dit d'autre.

J'embrassai son épaule moite, j'eus un souvenir d'hallali dans mon ventre.

— Qu'est-ce que tu es devenue?

— Viens contre moi.

Marc est venu. J'avais ses rides dans mon cou.

— Tu as vendu des dentelles?

— Non. Elles ne voulaient plus de mes dentelles. Je tape. Je suis secrétaire. Je tape mais on ne me dicte rien. Je classe les doubles. Je cherche les dossiers, j'épingle, je mets les trombones, j'enlève les trombones.

— Oh! je vois, dit Marc.

Il demanda :

— Tu le traverses souvent ce pont?

— Je le traverse quatre fois par jour.

— Moi aussi. On devait finir par se rencontrer.

J'ai baissé la tête, mes lèvres ont frôlé son bras. Il suffisait de baisser la tête pour l'avoir à moi ce bras.

— ... Avant d'entrer dans un bureau, je rédigeais des résumés pour un imprésario de cinéma. Il m'a renvoyée. J'écrivais partout je ne veux pas qu'on me quitte. Dans le bas des contrats à signer, dans la marge des résumés, sur les buvards, partout où je pouvais l'écrire.

— Ça t'a fait tant de peine que Cécile te quitte?

— Oui. J'étais si triste qu'un midi j'ai failli mourir étouffée. J'avais des jambes lourdes comme des colonnes et un morceau de viande là...

— Tu t'en es sortie?

— Oui, je m'en suis sortie.

C'est la voie douze à la gare de Lyon, c'est la voie onze à la gare du Nord, c'est ma musette, c'est mon picotin, c'est le pêcher en fleur à la sortie de Paris, c'est le sourire d'enfant de Marie de l'arbuste, c'est Èvry-Petit-Bourg, c'est Vigny, c'est Monsoult, c'est Ève, c'est Orgemont, c'est la Mer de Sable le dimanche, c'est le foin échevelé sur le siège de la moissonneuse, c'est la terre que je croquais sur leurs fraises, c'est tout cela qui m'a aidée à m'en sortir. Ce beuglement des troupeaux dans la vallée de Chevreuse, ce lent avertissement qui venait... Je suis née pour hurler, je me taisais toute l'année. Le soir je retrouvais ma tasse à café, je la brisais. Je posais ma joue sur mon épaule, je cherchais un peu de rose sous mes paupières. Mais c'était encore le même noir : le noir avare de la serge de laine. Je ne pleurais pas. Mes larmes demeuraient sous mes paupières avec la cendre froide. J'étais seule, je n'espérais plus, je ne dormais plus, je diminuais comme un cierge allumé. Maintenant Marc est là. Je m'aperçois que j'ai besoin de lui. J'ai besoin de ses poches déformées, j'ai besoin de son odeur de métro et de cinéma de quartier, j'ai besoin de ses journaux pliés en huit, j'ai besoin de son épaule pauvrette, j'ai besoin de ce doux gibier dans les blés. Marc a joui. Il me semble que j'ai mis un héros au monde.

Je l'empoignai.

— Il faut que je parte, p'tit.

— Nous venons à peine de nous retrouver...
Je ne veux pas qu'on me quitte, je ne veux pas qu'on me quitte.

— Boulot-boulot, dit Marc.

Il s'étira loin de mes bras.

— Allons prendre l'apéritif.

— La semaine prochaine, si tu veux. Aujourd'hui, j'ai à développer jusqu'à minuit.

— Parle-moi de ton métier, Marc.

J'aimerais bien l'entendre parler de son métier quand le Russe laisse tomber ses chaussures, j'aimerais bien l'entendre parler de son métier quand le chauffeur de taxi rentre dans sa chambre à six heures du matin. J'aimerais bien l'entendre parler de son métier tous les jours.

Je répétai :

— Parle-moi de ton métier.

— J'allume nos cigarettes.

Il se leva, il chercha dans la poche du pantalon sur le dos de la chaise. Je me disais qu'il était nu, je me disais qu'il n'avait plus de secret.

— Tu te sers d'un briquet?

— Quelquefois. Pourquoi cette question? dit-il.

Marc s'en servait fameusement. Avec des doigts de nickel... Il mit le briquet debout sur la table. Il s'est vite recouché : il frissonnait.

— Vous m'avez demandé ce que je faisais, jeune fille. A midi, je filme, à six heures je livre. Du sport!

270

— Tu filmes. Tu as une caméra?

— Une caméra! Tu n'es pas fou? Un appareil d'occasion, un vieux clou que j'ai déniché à la Mouffe, un sacré bon petit appareil.

Je serrais sa main, je le remerciais de me confier son amour pour un objet. Je le voyais trinquant avec son appareil photographique comme trinque le « compagnon » avec les maçons.

— Tu ne m'as pas dit ce que tu filmais.

— Je photographie les mariés.

— Les mariés...

— Oui. Je fixe les mariages.

— Les mariages...

Il me parlerait chaque jour des mariés et des mariages. La brise de mai folâtre autour de la Toussaint mais il ne veut pas prendre l'apéritif avec moi. Il ne sait rien, mais il se conduit comme s'il savait que j'ai besoin de lui.

— Tu n'as pas le courage de fumer. Tu vas brûler le drap, dit Marc.

— Ton travail, Marc, ton travail, comment tu t'organises?

— ... Le matin c'est la tournée dans les églises. Je note les dates des grands mariages ou bien j'emmène le suisse devant un rhum et là il parle et s'il ne parle pas c'est moi qui lui parle.

— Pour plaire tu plais. Je me souviens... dans les cafés...

— Je plais? Ce n'est pas sorcier. Je les écoute,

je me mets à leur place. Il n'y a pas d'autre secret.
S'il n'y avait pas la concurrence... Je ne suis pas
seul sur la place. Je travaille aussi dans les glises
de quartier. Il faut en faire de l'acrobatie dans ce
métier...

Il a un but. Il me parlerait tous les jours des
suisses, de son métier. Il serait mon but à moi.

— Une photo qui vient bien, que l'on sent venir... c'est comme une femme, dit Marc.

— Ce n'est qu'une image.

Je me souvenais de ses chaussures signées
Willy sous le lit, de sa chemise qui portait la marque « Aux 100 000 chemises ».

— Ça rapporte la photo?

— Voilà bien les femmes!

— Décidément, tu n'as pas de sympathie pour
les femmes.

— Le matin je fais la tournée des suisses,
l'après-midi je développe, le soir je me présente à
l'heure du dîner avec les épreuves. Ils refusent
quelquefois mes albums et il y a de la bagarre.
J'aime ça la bagarre. Du moment que ce n'est pas
chez moi. Je me présente à l'heure du dîner et
c'est bientôt l'heure du dîner, mon petit.

— Tu vis toujours à l'hôtel?

— Je me suis rangé. Je vis avec maman, avec
Liliane.

— Avec maman!

— Qu'est-ce qu'il y a d'extraordinaire? Mais

j'ai un trou à moi, un laboratoire à deux pas de chez elles.

— Et les femmes?

— J'ai vécu. En trois ans c'est forcé.

— Marc...

— Oui, bonhomme.

— Marc...

— Qu'est-ce qu'il y a?

— Marc...

— Quoi, Thérèse?

Je me couchai sur le ventre puisqu'il ne devinait pas.

Il revint comme la première fois. Son plaisir était chaque fois ma récompense.

Il se laissa tomber sur mes reins. Son épaule mouilla ma hanche.

— Il faut que je te quitte, il faut que je range mes cuves, dit Marc.

Le sperme que je ne pouvais pas retenir me délabra. Je n'ai rien dit. J'ai pris Marc dans mes bras.

Je l'enveloppe dans mes mousselines et dans mes nuages, je lui mets avec mes lèvres un bandeau de brouillard sur les yeux, je le couche dans la chaleur confondante des cailles, je pose sa tête sur la blancheur lointaine des mouettes. Deux calmes ramiers le surveillent.

— Je veux me lever.

Je l'évente, je le paralyse avec ma longue plume

d'autruche. Ses derniers tics de volonté disparaissent.

— Je veux me lever, Thérèse.

Je déroule mes rubans et mes bandelettes, j'enroule ses jambes dans le gris paresseux de la tourterelle des bois.

— Bonhomme...

Je le cloue sur une croix de jacinthes, je ferme ses lèvres avec une clef de jasmin.

— Petit... je veux... me lever. Je... veux...

La clef s'est envolée. Un bon gros pétale de rose de Noël échoue sur les lèvres de Marc. Des perce-neige naissent sur ses épaules.

Je me fiance à Marc, je lui mets février dans l'aine avec le premier bouton de primevère enneigé.

Marc entrouvrit les yeux.

— Et pourquoi tu ne m'épouserais pas, Marc? Ça ne t'empêcherait pas de faire de la photographie, ça ne t'empêcherait pas de livrer, de développer.

— Quelle idée, bonhomme! Mais tu me plais!

Il referma les yeux.

— Épouse-moi.

— Est-ce que tu réfléchis à ce que tu dis? Et c'est elle qui me demande ça, soupira Marc.

Je cherche le creux soyeux derrière le genou, mon doigt tourne dans le crêpe satin, mon doigt redemande Marc en mariage.

— Il faut que je parte, p'tit.

Je me laisse tomber sur lui. J'espère que je le terrasserai comme vous terrasse la chaleur nue sur la plaine. Hommes et femmes se retrouvent dans le sein de Marc. J'aime Marc dans un marronnier en fleur, j'espère dans un vaisseau enraciné.

— Je ne veux pas que tu me quittes.

— Et moi je ne veux pas que tu parles comme les autres!

Mes baisers sur les seins de Marc me viennent de mes cheveux défaits et désolés. Marc se leva.

Il nouait ses lacets, il remettait sa montre-bracelet, il tournait le dos à l'armoire à glace. J'enviais sa stabilité.

Marc vint s'asseoir sur le bord du lit. Il boutonnait ses manchettes avec soin. J'étais nue sous le drap, je trouvais de l'exotisme dans le vêtement de Marc. Il ne partait pas. Je savourais avec précaution le sursis. Je dis :

— Tu livrerais, tu reviendrais, tu ferais ce que tu as à faire...

— Il faut que je file, p'tit. Va au cinéma, lis un bon livre. Elle est gentille, ta petite chambre...

— Ma petite chambre sans toi ne sera pas gentille. Elle sera vache, ma petite chambre, quand tu seras parti.

Quelqu'un battait des œufs de l'autre côté du

mur : mon projet tournait à la même vitesse que le fouet. Soudain, Marc entrouvrit son col, il resserra d'un cran sa ceinture, il me donna ce dont j'avais le plus besoin : son tour de taille, son sobre décolleté. Je l'appelais, je le serrais dans mes bras. Il chancela, il retrouva son équilibre.

— Vous me brisez, madame. Qu'elle est forte, Thérèse...

J'avais retrouvé l'écran le plus opaque : celui qui cache le monde.

— Je veux t'épouser, Marc. Je le veux, je le veux...

— Il faut que j'aille développer, p'tit. Nous en reparlerons.

Marc s'en alla sur la pointe des pieds avec la lumière, mon livre, le cinéma. Je n'ai plus rien entendu.

La porte s'est ouverte :

— Je voulais voir si tu pleurais. J'ai horreur des larmes, dit Marc.

Il était vraiment parti : il ne me restait que ses taches grises sur le drap.

Nous avons crié oui plus fort que les autres dans la mairie. Nous avions les mêmes bérets basques, les mêmes imperméables, les mêmes cigarettes, la même boîte de suédoises dans nos poches pendant que nous signions sur le registre, pendant que

276

j'abandonnais mon identité de jeune fille. Les boutons de cuir tressé de nos manteaux de pluie étaient les mêmes. Je me grisais avec ces ressemblances. Nous avons déjeuné de frites et de saucisses à la terrasse d'un café. Marc demanda de la Savora.

— Maintenant nous allons nous dépayser, dit Marc.

Nous avons pris le métro.

Nous avons flâné autour du Sacré-Cœur, nous avons marchandé la bimbeloterie et les souvenirs de Paris, nous avons essayé de jouer à la belote dans le fond d'une brasserie. Nous sommes repartis la main dans la main, nous avons acheté des amandes grillées, nous nous sommes retrouvés place de l'Opéra, nous avons goûté à la Maison du Café. Nous sommes encore repartis et nous sommes allés jusqu'au Dupont de la Bastille et c'est là que nous avons pris l'apéritif à la terrasse : enjoués et frileux, seuls. Nous avons dîné dans un restaurant chinois proche de la gare de Lyon, nous sommes retournés à pied jusqu'à l'hôtel du boulevard Voltaire où Marc avait retenu une chambre pour trois nuits.

L'ampoule électrique n'éclairait presque pas, la lumière au-dessus du lavabo avait été retirée.

— Nous sommes tombés sur un hôtel en faillite, dit Marc.

Marc éteignait, allumait, éteignait, allumait. Il

laissa retomber la poire contre un des barreaux du lit. « Petite poire chérie à la tête du lit », me suis-je dit. J'ai sorti les allumettes et les cigarettes de mes poches.

C'était la première fois que Marc se regardait de la tête aux pieds dans une glace.

— Comme tu te regardes! Qu'est-ce que tu vois?

— Je me vois, dit Marc.

Je l'ai pris par la taille, j'ai mis sa joue contre la mienne.

— Regarde... Nous sommes mari et femme. Tu le vois?

— Je vois que j'ai la même tête qu'hier, dit Marc.

Il tourna le dos au miroir, il lança nos bérets basques sur l'édredon.

— La chambre sent le chien mouillé.

— La chambre sent simplement le renfermé. Ce sont des vieux, les patrons. Ils n'aèrent plus, dit Marc.

— Ils ont enlevé la clef de leur armoire à glace.

— Ils ont peur qu'on chipe leurs cintres, dit Marc.

— Ils n'avaient qu'à enlever leurs cintres s'ils se méfient.

— Sans les cintres, la clef ne servirait à rien. Tu veux que j'essaie? demanda Marc.

Il ouvrit son canif, il gratta dans le trou de

serrure. Je le devinais emprunté comme moi. Il se passait la main dans les cheveux. Il recommença son grattement avec son canif. Je l'observai, je me disais que j'avais épousé une espèce de camelot-photographe vêtu d'un imperméable mastic, que ce camelot-photographe avait la taille fine, qu'il ne me quitterait pas.

— C'est plus compliqué que je ne pensais. Je ne peux pas l'ouvrir, dit Marc.

Il referma son canif, leva le col de son imperméable.

— Il fait froid. Je grelotte, dit-il.

— Nous sommes mariés. Nous ne grelotterons plus, dis-je.

Marc a sorti nos chemises de nuit des poches de son imperméable.

— Pourquoi ai-je rendez-vous depuis toujours avec cette odeur de misère timide dans cette chambre? me disais-je.

J'entrouvris la fenêtre : j'espérais que l'odeur s'en irait mais l'odeur faisait corps avec la chambre. Quelqu'un vidait un seau dans une cour, de la musique au loin demeurait au chaud dans de la fourrure.

— Nous sommes leurs deux seuls clients, dit Marc. On se croirait sur une île. Sur une île avec des plaines autour.

Nous nous sommes tus; nous étions pris et emportés dans la roue du silence. J'ai refermé la fenêtre.

— Déshabille-toi, dit Marc qui lisait le règlement affiché sur la porte.

Le livret de famille dans la poche de mon imperméable m'effarouchait.

— Je me déshabillerai si tu te mets la tête dans les mains.

Marc s'assit sur la triste chaise, il enfonça ses poings dans ses yeux. L'odeur de défaite minable m'anémia. Un vieillard glissait dans l'éternité avec les deux poings du désespoir dans ses orbites.

— Je ne t'entends pas, dit Marc.

Je pliai mon linge que j'avais repassé avec soin la veille.

— Si tu veux, le premier soir nous coucherons en frère et sœur, dit Marc.

Je me glissai dans le lit, je cachai ma chemise de nuit sous l'édredon. Leurs draps étaient humides.

Cette nuit-là et les nuits qui suivirent je pensais à suivre Marc, à entrer en lui comme il entrait en moi, à demeurer en lui comme il demeurait en moi. Lorsque Marc allait être brisé, mon corps s'illumina comme s'illumine étrangement la journée avant que la neige commence à tomber. Mes entrailles s'éveillaient pour se rendormir aussitôt et Marc sans le vouloir me caressait la gorge avec son transparent de cheveux. Marc se retirait. La soie coulait sur la jambe de Marc ou bien sur ma toison, la soie me donnait des sensations de naïade. Marc se reposait lourdement sur ma poitrine, alors commençait dans ma tête le sobre, l'apaisant requiem. Ce n'est que cela, me disais-je, mais j'essuyais avec gratitude la sueur sur son front. Je n'ai pas mal, me disais-je.

Après les trois nuits à l'hôtel, je fis venir mes frusques dans le trou qui servait à Marc de laboratoire. Je descendais chaque soir avec le seau d'ordures, je contemplais du dehors notre fenêtre éclairée au premier étage, au-dessus du hangar aux poubelles. Elle me fascinait. Marc allait et venait dans la chambre, notre rideau de lustrine frémissait. Marc le frôlait, Marc me griffait le cœur entre deux haies. Une porte s'ouvrait, une main — ô combien anonyme — jetait les cageots. De la musique s'échappait, la porte se refermait. Je cherchais le ciel loin de Paris, je l'abandonnais, je montais l'escalier avec la dignité d'un jeune abbé. Je stationnais devant la voix, rinçait son assiette. Le néant m'avait peut-être repris notre porte, je n'osais ni entrer ni frapper. J'avais seize ans, j'étais oppressée. Un vieillard dans une cuisine s'éclaircissait la voix, rinçait son assiette. Le néant m'avait peut-être repris Marc.

J'écoutai : Marc pliait le journal, Marc était candide. J'avais quelqu'un à moi, je suis rentrée.

— Tu traînais, p'tit.

J'eus le coup de foudre pour le chandail reprisé, pour ses pendeloques de laine, pour les pantoufles de feutre noir. Marc était nouveau à chaque instant.

Je mis son visage près du mien, j'eus ses cheveux gras dans mon cou. Toute sa misère était à moi. Il me repoussa, il rangea et dérangea les cigarettes, le paquet de tabac, le rouleur, les biscuits cassés, les coquilles de noix sur la cheminée.

Je revins. Ma main plongea sous le chandail. J'effleurai les cheveux entre les seins.

— Sois sage, dit-il.

J'enlevai ma main.

— Cigarette? demanda Marc.

— Il fait trop chaud. Laisse mourir le feu.

— Je suis frileux, je suis vieux. J'ai été malade.

Marc décrocha le tisonnier qu'il avait forgé la première fois que j'avais visité son laboratoire. Il avait enfoncé la tige dans le feu, il avait recourbé avec des tenailles l'extrémité rose pâle. C'est avec ce tisonnier qui faisait valoir ses doigts désincarnés que Marc tisonnait avec délicatesse dans son poêle de douanier.

Le couvercle du poêle retomba trois fois sur le marbre et trois fois Marc le reprit avec le tisonnier. Il s'agenouilla.

— Ma sœur voulait le jeter ce poêle, dit-il.

Sa voix muait.

Je m'agenouillai aussi pour le regarder. Marc soufflait dans la petite bouche orange.

— Éteins, dit-il, que je voie si je l'ai ranimé.

— ...

— Éteins! Où es-tu?

— Je vous regardais...

— Si tu sais le prendre, tu en fais ce que tu veux, dit Marc.

Je tombai sur Marc.

— Tu m'étouffes...

— Tais-toi!

— Ne me serre pas si fort!

— Tais-toi!

Le tiroir des cendres bascula.

— Tu vois ce que tu fais? Il faut que j'ouvre la fenêtre.

J'embrassai sa nuque, où les petits cheveux sont râpeux, où le souvenir de la première taille picote. Il se détourna : j'embrassai à la sauvette ses lèvres cuites et recuites par le tabac.

Il m'affame. Ce nid de subtilité dans le coin de sa bouche me fait perdre la tête.

— Si tu veux que nous nous asphyxions, dis-le!

Je l'étouffais avec ma bouche pendant que la petite bouche orange rendait l'escarbille.

— Si tu veux que nous mettions le feu! Et puis je m'en fous.

Marc s'allongea sur le plancher.

Il ouvrit les yeux, il humecta ses lèvres, il entra

dans son fourreau de sirène, il referma les yeux : il communiquait avec les idoles.

Tu attendras, œil de rubis sur le front de Marc.

J'attends aussi : mon sexe baigne dans l'étang, mon sexe couvre le nénuphar.

Je le délivre de ses bras, je le prends partout en surface, je le crible de diamants puisqu'il est feuillage, puisque je suis rosée.

Tant de nuits blanches pendant trois ans de privations... Le front de la mongole se frotte au chandail et se nourrit. Je ne suis plus le souffre-douleur de mes mains vides. Sur le bras je voyage, sur le bras je suis musicienne. Ma main sous le maillot se gante de tiédeur, la chambre est une nacelle pendant que Marc joue les femmes voilées entre ses longs cils.

La fonte rosissait, la chambre s'envolerait.

— Aide ton vieux mari à se relever et ouvre la fenêtre...

Mes délices s'en allèrent avec le nuage. Je me tournai du côté de Marc : il était seul comme j'étais seule.

Je me penchai à la fenêtre.

Marc venait dans mon dos : il feutrait le parquet. J'imaginais qu'il avait aux pieds mes silencieuses du collège. Il me prit la taille : j'eus, plaquées sur mes hanches, les mains d'un danseur acrobatique et, sur ma nuque, le fouetté des longs cils.

— On ne voit pas le ciel.

— Ferme, On gèle, dit Marc.

Il s'éloigna. Ses mains glissèrent comme des foulards.

— Si tu tiens tant que cela à le voir, il faut t'agenouiller. Ici c'est comme ça.

Marc sifflota. Il cassait les coquilles vides sur la cheminée.

Il revint, il me dit comment je devais m'agenouiller devant la fenêtre pour voir le ciel et nous l'avons revu avec le reflet des lumières de Paris.

— J'ai froid et tu auras froid, dit Marc.

Il est parti, il a encore trafiqué avec les coquilles.

Paris, ma gommeuse dans le doux incendie, me montrait sa mousse de dentelles, ses bas, sa jarretelle.

— Ferme, mais feme donc!

J'ai fermé la fenêtre. Soudain tout me parut triste.

— On étouffe dans cette chambre!

— C'est toi qui a voulu venir, dit Marc.

— Je ne crois pas que je pourrais vivre ici.

— Je ne vois pas où tu pourrais vivre sinon ici. Tu ne sais pas ce que tu veux.

Je veux, je veux... Qu'est-ce que je veux? Je veux prendre Marc comme il me prend quand il s'allonge sur le dos.

285

— La chambre serait moins triste si tu tapissais. Tu avais commencé. Pourquoi ne finis-tu pas?

— Je n'ai que mes soirées et je suis fatigué.

— On étouffe dans cette chambre. Je veux sortir de cette chambre.

— Mais reprends donc ton métier.

— Non.

— Pourquoi as-tu abandonné ton métier? Je t'avais dit de ne pas l'abandonner.

— Je ne veux pas te quitter. On pourrait travailler tous les deux ensemble, dis-je.

— Ce n'est pas possible.

— Pourquoi n'est-ce pas possible?

Une escarbille tomba dans le tiroir. Marc souleva le rond.

— Quel beau feu, dit-il.

Je pris Marc dans mes bras par dépit. Le rond tomba sur le marbre, des flammes par rafales atteignirent le visage de Marc.

Il se refusait : ses yeux brillaient. Mon visage rampait sur le torse bleu marine; j'avais l'illusion de me caresser dans le ventre de Marc. Il se baissa avec sa femme-lierre, il remit le rond.

Je n'aurais pas troublé le lac de tranquillité dans ses yeux, même si j'avais meurtri l'air qu'il respirait.

— Montre-moi donc tes photos.

Marc ouvrit le placard : les clous, les douilles,

les bobines de fil de cuivre, les rouleaux de carton, les tournevis, les plaques photographiques, les albums, les pelotes de fil électrique, les casiers tombèrent sur le dos de Marc et sur le plancher.

— Voilà les photos.

Il me donna un rouleau :

— La sortie des rails à Saint-Lazare la nuit, dit-il.

— C'est de toi? C'est vraiment de toi?

— Elle m'en a donné un mal cette gare! Ce que j'en dû patienter pour avoir les signaux!

— Il pleuvait? Tes noirs miroitent.

— Il ne pleuvait pas. Ce sont les lueurs de l'acier. J'étais seul, j'étais heureux comme un roi. Il y a une faute. Cherche-la.

— C'est aussi beau qu'un tableau.

— Il y a une faute. Trouve-la.

— Il n'y a pas de faute. La courbe de l'acier qui ne se détache pas du noir, que l'on distingue. Quelle virtuosité dans l'obscurité... Je voyais la gare du Nord du métro aérien. Maintenant je me dis que je ne voyais rien. On va travailler ensemble. Tu photographieras ce qui te plaira, j'écrirai les légendes, nous les proposerons aux journaux, nous ferons paraître des albums photographiques avec des textes.

— La faute est en haut, dit Marc. Tu vois ce disque blanc à gauche... C'est l'horloge et c'est laid. Je devais la supprimer. J'ai hésité. Mais je l'aurai ce meilleur angle.

— Tu ne m'as pas répondu. Je t'assure que nous pourrions chercher ensemble dans Paris. Tu pourrais être attaché à une revue... Tu ferais des reportages.

— Ah non! je ne serais plus mon maître.

— Au contraire, tu serais beaucoup plus ton maître.

— Tu ne sais pas qu'il y a une concurrence terrible?

— Nous serons deux, nous travaillerons plus que tous les autres.

— Le travail, ça me dégoûte.

— Pourtant, ta gare...

— Je crèverais de faim pour être libre. Je te dis qu'on ne se mêlera pas de mes affaires.

— Même pour devenir quelqu'un?

— Je me sens quelqu'un quand je ne fais rien.

Mes ailes sont tombées comme tombent les arbres. J'ai remis la photographie dans le placard, je suis revenue :

— Eh bien, ne fais rien! Ne fais rien, ne fais rien... Reste dans la chambre avec moi. Reste... Ne fais rien mais approche... Je ne tiens pas tellement à ce que tu arrives. Tout ce que je demande c'est que tu ne me quittes pas.

De nouveau, j'ai serré Marc dans mes bras. Je

me ravageais dans chacun de mes baisers à travers l'étoffe.

Le voir jusqu'à ce que j'en meure, jusqu'à ce que je descende toute droite dans le fond de la terre en le voyant toujours. Le voir. J'aime tant la lourdeur et la hauteur des roses trémières, j'aime tant leur béatitude et leur balancement. Tant besoin de le voir prisonnier délivré. Tant besoin de voir sa douce folie d'orgueil.

Marc l'avait libéré.

Il est nu, il est ivre, il est à l'air libre, il caresse l'air environnant. Je le vois, je l'aime et c'est pour lui que je me traîne aux pieds de Marc.

— Viens, dit Marc.

— Ne pense qu'à toi. Je t'en supplie : ne pense qu'à toi, Marc.

Son plaisir est ma raison d'être. Je façonne mon sourire avant de le lui offrir, mes yeux lui promettent qu'il se déchirera, que c'est sûr. Nous sommes dans les galères, et le soleil, dans mon ventre, ne se réchauffe pas et ma mère, chaque fois, est un flic qui veille sur moi et Marc chaque fois sur ma prière se poignarde à cause de ma mère.

— Je suis anéanti, dit-il.

Sa fatigue : mon aube. Mes meurtrissures : mes effigies dans la clairière. Marc retombe sur le lit, Marc ressemble à un homme réfléchi que la mort a pris.

— J'ai froid, dit Marc.

Nous nous rapprochons pour avoir la couverture de soldat sur nous.

— Viens sur moi, dit-il.

Je m'allonge sur lui.

J'ai loué une machine à écrire puisque Marc ne veut pas que je le suive. Je tape sans entrain dans la chambre, je l'attends. Mais quand il pleut, Marc ne me quitte pas.

Les murs n'ont pas été tapissés, le papier avec ses boursouflures d'humidité se décolle, retombe sur l'armature de la lampe de chevet qui n'a pas été réparée. Le photographe se confine dans la chambre quand il pleut. Quand il pleut Marc ne me quitte pas, quand il pleut je ne découvre pas ma machine à écrire. Je supprime le bruit du clavier, j'entends ce que Marc me dit. Il parle peu : il coud, il raccommode, il casse le fil chinois, il surfile à grands points l'étui et le carton bouilli de l'appareil photographique.

— A quoi penses-tu?

— Au nègre... Au nègre qui me l'a vendu, à son pardessus déchiré...

Je fais briller l'oiseau de bronze, j'agite le flacon de Miror sur le chiffon, je reprends l'objet, le premier objet que je me suis offert à quinze ans. J'entre dans ses souvenirs :

— Au nègre qui te l'a vendu à la Mouffe un dimanche matin?

— Exact. Tu te souviens, dit-il.

Il jette sur la table l'étoile de carton, la tête du Chinois.

— Le nègre qui t'a dit que pour rendre la monnaie il faudrait de l'argent?

— Tout à fait exact. Et avec ça il avait une de ces toux!

Ses souvenirs sont mes souvenirs pendant qu'il pleut des rideaux de perles.

Il me dit d'enlever la machine à écrire, de lui préparer des bouts d'allumettes sur la table. Il cherche la semelle de liège dans le placard, il la déchiquette. Il lui faut un arsenal de brimborions pour rafistoler le déclic. Je décrasse le marbre de la cheminée avec l'essence de térébenthine ou bien je lui sers du vin, de l'eau minérale, je lui demande :

— A quoi penses-tu?

Cent fois il noue, dénoue, enroule, déroule, emmaillote, démaillote l'objectif avec la ficelle.

— Parle.

— C'est sérieux ce que je fais, dit-il.

Vingt fois il taille, il affine l'allumette avec son canif.

— ... Je sortais d'un cinéma, dit-il, et il y avait foule pour la séance suivante. Au premier rang près de la caisse deux petits gars. Je ne t'ai pas parlé d'eux?

Je n'ose pas répondre : j'ai peur de l'interrompre jusque dans le silence.

Mille fois dans la journée il lève et abaisse son index sur le déclic.

— Près de la caisse... Tu disais près de la caisse...

— Deux petits gars se parlaient. Le blond disait : « Je l'ai vu le film. — Et tu le revois? lui disait le brun. — C'est triste, j'aime ça la tristesse, lui répondait le blond. »

Je l'observe, je le bois, je l'avale. C'est un vivant et c'est un souvenir.

Je frotte le marbre avec nonchalance, mon visage tourné du côté de Marc. Je crains les effacements et les envolements. Je penche la tête, je me repose sur mon épaule, je le regarde et, plus discrète que le pigeon, je l'aime pendant qu'il secoue l'appareil, qu'il me tourne le dos. Je me penche sur sa nuque, je n'abandonne pas la duvetine sur le marbre, je me mets sur la pointe des pieds pour le revoir, pour faire le tour de l'île.

— Si nous t'achetions un autre appareil?

— Que veux-tu de mieux que celui-ci?

Ma proposition m'épouvante. Il ne serait pas ici à le réparer, loin des hommes.

Le pépiement métallique recommence. Marc lève la tête, l'oiseau de bronze tombe sur le plancher en faisant un bruit de hallebarde. Si je m'égare en le cherchant sous la table, Marc ne me chasse pas tout de suite. Il travaille, il fignole. Si je touche la peau d'ange trop longtemps, il se lève, il s'en va, il remet de l'ordre dans ses vêtements. Il répare les boutons que j'ai arrachés, il coupe le fil avec ses dents : je me dis que c'est un héros qui a fait faillite. Je marche sur la courroie, je bouscule l'étui, je ramasse le gagne-pain éparpillé, je l'expose sur la table. Quand il pleut nous ne sommes pas malheureux, quand il pleut je ne suis pas terrifiée par ses départs.

Il ne me donne pas d'argent : il m'invite à dîner au restaurant deux ou trois fois par semaine, et deux ou trois fois par semaine nous redevenons jeune homme et jeune fille. Je me dis que Marc est un étudiant, qu'il a reçu un mandat de sa famille mais ce n'est pas vrai. Il n'a pas changé. Il donne et donnerait tout ce qu'il a aux garçons de café. Ce n'est pas un homme d'intérieur. Je le savais, mais en l'épousant, je l'avais oublié. Marc déteste notre propriétaire. Il se joue d'elle, il la roule. Quand elle lui réclame le terme, il lui dit qu'il n'a pas le sou et, pour l'endormir, il lui verse un acompte minime. Deux minutes après il achète des vins fins dont le prix est une fois et demie celui du terme. Son sourire est inquiétant pendant qu'il sort la bouteille du papier de soie. Je me demande si je dois rire ou pleurer. Les huissiers et leurs avertissements que j'envisageais me tourmentaient. J'ai payé les arriérés avant notre mariage. Il me gronderait, il dirait que je suis de ma province s'il le savait. J'ai besoin d'être en paix avec notre toit :

je ne suis pas un vieux Parigot qui tire des ficelles, je paie quand il faut payer. A l'avenir, la concierge me donnera les quittances. La propriétaire a pris mon argent, mais elle semblait déçue. Marc la séduisait en ne la payant pas. Je suis sûre qu'il est son locataire préféré, je suis sûre qu'il est son soupçon d'aventure.

Quand il ne pleut pas, nous livrons ses photographies.

— Mets ton aile sous mon abattis, me dit-il.

Nous allons sur le qui-vive l'un et l'autre, nous frôlons les troènes : ils bruissent contre les grilles des villas de Saint-Mandé. Nous nous mesurons, nous nous tentons sous les lampadaires publics. Je le prends par les cheveux, je l'embrasse avec tant de brutalité qu'il me semble que je le décapite. Je lui essuie les lèvres, nous repartons.

— Je voudrais te sentir plus calme, dit-il.

Je lui explique comment je m'y prendrais pour coller sous sa haute direction les photographies sur les albums s'il me le permettait, je lui propose de m'occuper du réassortiment des plaques photographiques, je lui redis en remariant mes doigts aux siens que si je l'aidais, il triplerait les commandes et que nous pourrions quitter Paris, avoir boutique en province, camionnette pour le matériel, que nous ferions, pour les mariages, des mises en scène dans les granges et dans les fermes.

— Tu salirais mes photos. Tu ne t'imagines pas le soin qu'il faut, dit-il.

Il juge ma main moite dans l'instant qui est un instant d'angoisse et d'espoir. Il ne veut pas que je l'aide, il ne veut pas que je travaille avec lui, il ne veut pas me faire oublier que je l'aime. Quand nous arrivons devant le restaurant Noces et Banquets, il me laisse le regarder un moment, puis il m'en éloigne et il m'installe dans une salle délabrée où je suis l'unique cliente. Il y a une zone des clients et des livraisons que je ne peux pas franchir. C'est l'heure du dîner. Je suis seule : je déchiffre l'intérieur de ma main qui a fait l'amour avec la main de Marc. Quelquefois j'attends son retour pendant deux heures, sans lire, sans réfléchir. Je me dis qu'il me dédaigne, je recommence à l'attendre, je redeviens une chienne. Mes mains tremblent, mon cœur se crispe, mon front se tend. Je serre les dents. Est-ce que je commencerais à me révolter ? Est-ce que je pourrai aller au-devant pour l'arrêter quand viendra l'orage ?

Nous nous couchons à onze heures du soir, quand il ne livre pas et qu'il ne courtise pas le client, quand il ne revient pas avec ce goût de soûlerie dans la bouche, celui des mélanges qu'il a bus, que des convives éméchés lui ont jetés à la figure ou bien versés de force dans la bouche. Il me dit que ce sont les inconvénients du métier. Marc cherche mes pieds, dès que nous nous mettons au lit, il les cherche en toutes saisons : il a la hantise des extrémités glacées. Je comprends pourquoi il m'offre tant de Viandox au comptoir, à dix heures du soir. Il me dit que le sel de céleri réchauffe aussi. Quel faste, quand il offre petit verre de rhum sur petit verre de rhum. Quand je suis réchauffée, il veut que je cesse de me tasser dans ce fauteuil parfait : le creux qu'il y a entre les genoux et le ventre de Marc. Il a si peur du froid et de l'incandescence qu'il me dit aussi : « Sois raisonnable » quand je suis sage. Nous nous séparons. J'ouvre l'énorme journal du soir qui se tient droit sur le drap. Marc revient sur mon épaule, il lit tandis que j'oublie qui je suis, où je suis, tandis que je ferme les yeux et que dans mon corps les moteurs d'harmonie ronronnent. Il dort et moi, par petites pressions, je le serre pour l'éveiller en ne l'éveillant presque pas. Il tousse, il me dit bonsoir, il ne sort pas de mes bras. Je tombe sur lui et, sans paroles, il m'accepte et me remercie. Il supporte mon poids : c'est cela son merci le plus poli. Il dort deux minutes, ensuite il est tout étonnement, toute nouveauté, tout abandon. C'est une page blanche qui s'éveille. Je distrais avec mes lèvres ses paupières, la racine de ses cheveux, ses sourcils, je cherche avec ma bouche sa chaleur au creux de l'épaule, et c'est là que je me perds dans l'haleine des saints innocents. Le sexe tout neuf dans mon aine se trompe. Nous commençons

296

de nous aimer, nous entrouvrons les rochers.

— Maintenant il faut dormir, dit-il.

— Ne dormons pas...

— C'est la même chose chaque nuit. Pourquoi ne veux-tu pas dormir?

— Parce que tu me quitterais si je m'endormais.

Quand il ne pleut pas, Marc s'éveille à huit heures et me prédit le temps qu'il fera, le temps qu'il fait. Il le devine dans le pauvre reflet du rideau de lustrine. Je croirais volontiers que le soleil et les nuages lui parlent, qu'il communique avec eux comme les spirites communiquent avec les esprits. Si je me précipite à la fenêtre je ne vois que les murs noirs. Il me dit encore : « Recouche-toi, il y a 8° dehors. » J'obéis. Il me semble que je reviens dans le lit d'un météorologiste. Il dit encore qu'il se lève, qu'il faut se lever à huit heures mais à dix heures il y songe sous l'édredon. J'ai un stock de petits charmes pour le retenir au lit. Je le tisse, Marc, je l'emprisonne dans mon fil caressant. Tout à coup il se lève, il m'anéantit. Il aime prendre avant onze heures. Je croyais que ce serait sans fin mais il y a eu une cassure. Le labour dans mon ventre est vivant pendant qu'il repasse son rasoir, qu'il veut se venger du Marc paresseux qui ne s'est pas levé à huit heures. Les premiers jours, je me taisais pour l'aider à rattraper le temps perdu.

— Tu redors, bonhomme?

— Je t'écoute.

L'eau du gant de toilette qu'il tordait, l'eau qui tombait de sa bouche qu'il rinçait, l'eau de la cuvette qu'il vidait, glissait entre mes lèvres, sur mes reins; toutes ces eaux pleuvaient sur ce que Marc avait sarclé. S'il lissait ses cheveux avec ma brosse, il me veloutait. Je mettais ma joue dans le trou vague qu'avait sa tête, je levais les bras, je serrais son oreiller, je retenais l'invasion, la brûlure, les courbatures.

Les premiers jours, les premières semaines ne sont plus. Quand il s'arrache du lit, quand il disparaît dans la cuisine, j'ai des élancements de douleur. Je suis prise et je ne veux pas qu'il se déprenne. Je n'écoute plus les bruits, allongée entre les draps. Je me mets à genoux sur son oreiller, je me rapproche de la porte ouverte, j'épie. Il se lave les dents avec trop d'entrain, il ferme le gaz avec trop d'énergie. Quelquefois je tends le cou : je le vois nu, je le vois collégien devant la cuvette. C'est un homme : il pense à ce qu'il fait. Je ne veux pas qu'il parte. Je veux qu'il reste enfoncé éternellement dans ses labours. Mais il est ailleurs. Je l'entends : il savonne, il récure ses ongles avec la brosse aux crins durs. Je crois que je peux me lancer à la tête d'une locomotive au tournant. Je cours dans la cuisine, il s'impatiente :

— Ne viens pas. C'est trop petit. Je n'ai pas le temps.

— Ne pars pas, ne pars pas ce matin.

— Tu rêves? Recouche-toi, j'irai plus vite.

Je m'en vais, je me recouche avec mes regrets : je voulais le ramener dans ce qu'il avait défriché. Je l'ai quitté dans la cuisine tandis qu'il mettait son pied sur le bord de l'évier. J'imagine qu'il noue son lacet. Abattue, indomptée, mendiante, révoltée, offerte, traquée, vagabonde, égarée, indigente, exigeante, grelottante dans les haillons du désir, je m'allonge sur le ventre mais je ne calme pas la pleureuse qui se lamente dans mes entrailles parce qu'il ne veut pas se rattacher à moi. Mourir pendant qu'il prend, c'est ce que je souhaite, c'est ce que j'entrevois. Il revient dans la chambre et je sais combien de fois il va me quitter. C'est la même scène d'intimité qui recommence avec une cigarette et un briquet. Dans la demi-obscurité, il palpe la poche de son veston comme il m'a palpée. Il cherche le tabac, il met sa main royale sur les objets. C'est ainsi qu'il a mis sa main sur mon sein, qu'il l'a habillé et calmé. Il se penche sur la courroie, il se penchera demain, après-demain et demain, après-demain la courroie de volupté se desserrera, glissera, s'en ira. Marc, près du lit, avec son appareil photographique en bandoulière, veut me dire au revoir. Je l'attire, je me crispe sur les revers de son veston.

— Quand je pars, il ne faut pas me retenir, dit-il. Il faut être raisonnable, il faut me laisser sortir à ma guise.

299

Il allume une autre cigarette, il lance une bouffée, il respire déjà le parfum de son tabac dehors. Moi je cherche comment le retenir :

— Paul... je voudrais tant le connaître... Le verrai-je? Il est vieux? Tu le vois tous les jours? Vous vous retrouvez où?

— Ce n'est pas le moment, dit Marc. Je file. Bien sûr tu le verras un jour.

Il m'embrasse sur le front ou bien trop correctement sur les lèvres. Que je voudrais pour caillot dans ma gorge son béret qui frôle mes cheveux... Marc s'en va. Son pied primesautier est une fusée de Gloria sur chaque marche. Je me précipite à la fenêtre, je le revois, le talon vainqueur, la démarche souveraine. Il mime le courage et l'énergie. Son pas s'est perdu là-bas, au bout du couloir, et meurt l'horizon qui m'exaltait. Nue, je vais et je viens sans but. Je suis une âme en peine, je suis un ventre perdu. Je le cherche, je l'appelle et sur ma croupe souffle et siffle le vent du nord. Je ne l'ai plus. Je suis une torche d'hiver. Je touche sa serviette-éponge, je touche sa cuvette, j'enfouis mon visage dans son slip, mes lèvres caressent son démêloir, je me promène avec l'étole de sa désolation pendant que, sur mes jambes, coule l'amour que refait ma chair. Si j'ouvre la fenêtre, si je l'appelle, Marc agite la main. Je lui demande, sans paroles, du fleuve à boire, de la semence à avaler, je lui demande l'arc-en-ciel pour mon âme et pour mes jambes. Il me donne avec sa main l'adieu de l'étoile qui s'éteint. Si je crâne, les murs sont traîtres; si je crâne, la chambre est ivre d'absence; si je crâne, les tremblements de terre expirent autour de ses objets. Notre avenir m'effraie.

Il va dans sa famille après qu'il m'a quittée. Il va trop dans sa famille à trois cents mètres d'ici. C'est dans leur cabinet noir qu'il recharge son appareil photographique, c'est chez elles qu'il range les boîtes de carton saumon de la maison Guilleminot. Je ne peux pas le lui reprocher puisque notre chambre était son laboratoire et qu'il l'a sacrifiée. Elles, je les ai vues une fois : j'étais frileuse sur le bord de leur chaise pendant l'entretien. Sa mère est frêle, sa mère a des cheveux blancs et jaunes, sa mère est une petite souris cardiaque qui ne l'aime pas. Elle critiquait avec des yeux de lapin angora mes bas, les cigarettes que Marc m'offrait. Il m'a dit qu'elle était condamnée, que ses jours étaient comptés. Sa sœur est une brune dodue qui boulotte l'argent de ses amants entre les heures de bureau. Marc me l'a dit aussi avant notre mariage, mais il ne me le dirait plus. Cet ensemble qui ne me passionne pas m'intrigue lorsque Marc va chez elles. Je revois souvent de l'intérieur de la boulangerie dans leur rue, la façade, la porte de leur immeuble et je me demande si au bas de l'escalier la boule est en faïence ou bien en cuivre.

Cela le prend vers onze heures du soir. Il dit :

— Je monte un quart d'heure chez maman.

Il se lève, il se rhabille, il cache ses cheveux argent avec l'écharpe que je lui ai offerte.

Pourtant je ne l'enchaîne pas, pourtant nous étions tranquilles. C'est un intoxiqué de liberté. Ce qu'il veut, c'est la cigarette allumée qui sera dans la rue déserte la compagne que je ne serai pas pour lui; ce qu'il veut, c'est monter quatre étages pour s'imaginer qu'il grimpe à la cime des bourrasques, qu'il s'engouffre dans le tourniquet des libertés.

— Ne me quitte pas.

— Ne te dresse pas ainsi, dit-il. Je pars et je reviens.

Il change d'avis : il met autour de son cou mon écharpe écossaise, il y court. C'est irrésistible.

Au début je me levais, je me recoiffais, je me poudrais, je me recouchais et je prenais au lit une pose nonchalante d'oisive qui vit allongée. Je ne voulais pas me désoler ni le juger. Je me revoyais avec lui dans l'échoppe du cordonnier et je revoyais sous l'étoffe du pantalon se durcir la verge de Marc pendant que le vieillard lui racontait comment enfant il avait appris seul le métier. Marc bandait pour son vieux frère qui s'était remis à clouer. Marc a le don de faire naître la chaleur, me disais-je pour me consoler.

Maintenant je me rhabille dès qu'il a refermé la

porte de notre chambre et comme lui je sors, à onze heures du soir. Je monte à tâtons les escaliers de l'immeuble de sa famille, j'écoute devant la porte noire, j'ai peur de ce que je fais. J'entends les voix dans le nid, je démêle le murmure de Marc des éclats rauques de Liliane, du débit fade de la mère. Muette, paralysée, j'hésite et je mendie. Si je sonnais, si j'entrais, ils se tairaient et Marc me le reprocherait et je perdrais les modulations de la voix qui m'envoûte. Je serais l'étrangère qui glace si je m'approchais. Je m'assieds sur la marche en face de leur porte, je m'installe dans l'odeur de graillon de mon manteau, j'écoute ma tristesse dans la voix d'un autre. Je me sauve à temps.

Le lendemain je suis seule, je grelotte et même si c'est l'été, je me vêts de mon vieux manteau taillé dans la peau de mes détresses. Les plaques de pelade ressemblent aux plaques de tristesse que j'ai au front, sur les tempes quand je suis séparée de Marc. Je vis à la sauvette, je travaille à la sauvette, je fais les courses à la sauvette, je mange à la sauvette quand il n'est pas dans la chambre. Le quotidien me blesse. Marc me dit que tant penser à lui, tant me consacrer à lui c'est maladif. Bientôt je l'impatienterai, bientôt j'ombragerai son visage, bientôt je ne pourrai plus me contrôler.

Il me promet que nous déjeunerons ensemble dans la chambre. Je l'attends jusqu'à trois heures.

Quand il arrive, il me reproche sans rien dire son retard. Il mange du bout des dents les moineaux sans tête, il me dit qu'il ne veut pas de larmes dans la chambre, il me paie la moitié du repas pour se débarrasser de tout. Il n'y a que les restaurants qui lui donnent de l'appétit. Il a déjeuné ailleurs mais où et avec qui? Avec Paul? C'est impossible. Paul a une femme, des enfants avec qui il vit dans l'église. Il a déjeuné avec une femme, dirait ma mère. Marc est frêle, Marc est économe. Il ne sème pas à tout vent. Il a peur des femmes. C'est pire : il s'en méfie. Avec la souris désincarnée? Non plus. Elle ne veut pas de lui. Je dis chaque jour que je le suivrai mais je ne peux pas. Je ne suis pas un donneur, je ne suis pas un indicateur. Il est possible que l'homme après s'être marié ait besoin de manger seul, d'être seul, de respirer seul et que c'est peut-être ainsi qu'il nage mieux dans l'oxygène. Pourtant, que fait-il entre dix heures du matin et six heures du soir? Il photographie, il développe. Ses travaux lui prennent deux heures... Je me le demande en tapant à la machine avec mon sandwich entre les dents. Je pleure en me disant que nous sommes sédentaires, mariés, séparés. Oh, que nous sommes séparés...

Il ne veut pas de clef. A six heures du soir il frappe à notre porte en timide soldat de Dieu qui pourrait être mal accueilli. Notre chambre n'est donc pas sa maison! J'ouvre : il cherche avec crainte et avec avidité si j'ai les yeux rouges.

— Quelle tête tu as, mon petit! Ce ne sera pas possible si tu continues. Tu as vu tes yeux? Non, mon vieux, je ne suis pas le centre du monde.

— Qu'est-ce que tu as? dit Marc. Qu'est-ce que tu dis?

— Sois raisonnable et je ne t'en parlerai plus, dit-il.

Il l'a dit : nous, ce ne sera pas possible.

Le plomb s'étale sur son visage depuis que Marc a accepté de m'épouser. Pourtant je lui parle de son travail, de ses clients, de ses cuves, des bains de permanganate dans lesquels il plonge les mariés; je lui dis que je me suis mise à genoux à midi devant la fenêtre, que j'ai observé les nuages, qu'il y a eu une averse à midi vingt et que je me suis tourmentée pour son métier. Je ne lui demande pas s'il a fait les comptes, à combien s'élèveront les commandes.

— Tout marche. Tout a bien marché, dit-il.

Il a enveloppé et ficelé avant de venir les épreuves qu'il a développées dans leur cuisine. Il ne veut rien me donner de son métier, il ne veut pas que je sache ce qu'il gagne. Il regarde la page dactylographiée, les bouts de cigarettes dans le cendrier près de la machine à écrire. Il ne me questionne pas. Marc décroche la pèlerine de facteur qu'il a trouvée dans une église, s'enveloppe dedans, l'ajuste sur ses épaules, il se baisse avec, il ranime le feu, il roule deux cigarettes avec ses doigts immatériels, il m'annonce qu'il part livrer à Montreuil, à Alfortville ou bien à Saint-Mandé. Il tend l'oreille, il a un douloureux appétit de rajeunissement lorsque les enfants reviennent de l'école.

— Quel chahut, ces gosses, dit-il.

Il respire mieux : les enfants sont rentrés chez eux. Sa galoche d'écolier l'étouffait.

Il reprend le paquet qu'il a jeté sur le lit.

— Tu ne m'emmènes pas?

— Il faut me laisser naviguer, dit-il.

Montreuil, Alfortville, Saint-Mandé, pour ainsi dire à notre porte, sont des îles d'Océanie dont il me prive.

— Je voudrais tant livrer avec toi...

— C'est impossible.

Il part, il est parti sans moi.

Son teint de narcisse fané, sa cape de uhlan, son allure de frôleur de murailles doivent inquiéter les clients. Son tourment l'autre jour me sauta aux yeux. Je revenais avec les moules de Hollande... Un somnambule m'apparut. C'était Marc qui ne voyait rien : ses larmes étaient devant lui. Il longeait la scierie. Le camion entra dans la cour avec les arbres et les chaînes. Marc qui aime tant le hêtre, la hache, le velours côtelé du veston sur la mousse aux environs de La Ferté, ne jeta même pas un coup d'œil aux Prométhées enlevés aux forêts.

Le lendemain je dis :

— Marc, emmène-moi...

— Je t'emmènerais si tu te tenais.

— Je me tiendrai.

— Tu ne cesseras pas de me regarder. Et cette main fiévreuse dans la mienne, et cet air malheureux parce que je retirerai ma main, parce que simplement je chercherai mon mouchoir...

— Je ne prendrai pas ta main, je ne te regarderai pas.

Il posa ses conditions :

— Je veux bien t'emmener mais tu attendras sur le pont.

— Je ne livrerai pas avec toi?

— Non.

— Pourquoi, Marc, pourquoi?

— Tu ne leur plairais pas. Nous allons à Saint-Denis.

— Oui à Saint-Denis, oui j'attendrai. Non, je ne leur plairai pas...

Je m'habillai. Marc me dit que je ne pouvais pas porter le paquet ficelé pour lui.

Voilà une heure que j'attends. Je ne connaîtrai pas Saint-Denis. Je le sais comme je sais que je mourrai. Je n'entrerai pas dans Saint-Denis. Marc me l'interdit. Ma main n'est pas brûlante, ma main ne l'incommoderait pas. De calmes troupeaux entraînent l'eau. Je veux suivre l'eau, je veux attendre Marc où se jettent les quatre fleuves de France. Oui lumières piquées aux vitres des usines, oui étoiles frileuses, oui, oui. J'ai froid, je suis en quarantaine mais je vous entends. Mes paupières, mon front sont du marbre pour chrysanthèmes. J'ai une tombe de jeune fille dans la gorge. J'attends. Ce chien là-bas, c'est mon cœur ce chien qui revient. Grande peine, grande tristesse prenons-nous par la main et laissons se perdre nos chevelures dans les brouillards de la nuit. Pourquoi Marc m'a-t-il confiée à l'eau glauque, au naufrage du paysage, à la péniche de graviers? Une heure d'absence, une heure. C'est comme s'il y avait dix ans que je t'attendais, mon amour.

— Tu étais revenu et je t'attendais encore... Je ne t'attends plus : c'est comme si tu me prenais en faute.

— Réchauffe-toi sous ma pèlerine, avance, p'tit. J'ai loupé la commande. Le mari était ivre-mort, dit Marc.

Oui, souffle sur mes doigts, oui, donne ce que tu as.

— Rentrons. Nous nous réchaufferons dans la chambre, dis-je.

— Toi tu vas rentrer à la maison, moi j'ai un

rendez-vous sur la rive gauche. Je te rejoins dans une heure, dit Marc.

— Non, je veux rester!

— Non, tu vas rentrer!

Il me reprit sa pèlerine. Je suivis Marc dans le métro.

— Maintenant tu vas être gentille. Tu vas m'attendre comme je te l'ai dit.

— Non!

Je le suivis sur le quai, je montai dans le train avec lui.

— Tu sais bien que j'aime naviguer comme ça me plaît, dit Marc. Je descendrai au Châtelet, toi tu rentreras.

— Non!

Il ne parla pas jusqu'à la station Châtelet. Ses traits se creusèrent, son visage s'assombrit.

Je le suivis sur la place du Châtelet. Il se mit à courir et je me mis à courir avec lui.

— Où allons-nous? Marc... Où vas-tu?

Il courait, il soulevait les épaules quand je questionnais.

Nous avons remonté le boulevard Saint-Michel, nous avons contourné les arbres et les grilles du Luxembourg, nous avons descendu l'ennuyeuse rue de Tournon, nous avons tourné à gauche.

Marc tambourina à la porte et la porte s'ouvrit comme si c'était un signal.

— Allons, entre! Je ne vais pas te laisser geler!
Entre, mais reste dans ton coin, dit Marc.

J'entrai derrière lui. Il referma la porte. Nous
avons descendu deux marches. On ne voyait rien.

— Reste là! Attends-moi, dit Marc.

C'était noir, c'était vaste. Je cherchai, je me
cognai à un bénitier. Les ténèbres emplirent ma
bouche. Marc s'éloigna.

Je souhaitai qu'une statue s'effondrât et que de
ce marbre tombé à terre montât la lumière.

On ouvrit une porte dans l'église.

— Marc? Où es-tu?

Je bougeais et me demandais si j'étais près de la
chaire ou bien sous le buffet des orgues. Deux
ombres s'enfoncèrent dans la forêt d'obscurité. Je
me retrouvai près du bénitier.

Qui ai-je épousé, qui? Pourquoi me rejette-t-il,
pourquoi suis-je encore seule ici? dis-je à la vas-
que que j'entourais de mes bras. J'espérais que de
l'assemblée invisible des prie-Dieu se détacherait
un clochard. L'ancien Marc, celui qui avait couché sous les ponts ressusciterait et me retrouverait. Je levai la tête : coiffé de son béret basque,
vêtu de sa pèlerine de facteur, il survolait les ténèbres, il avait les jolis pieds nus et superflus des
anges. Les ténèbres l'engloutirent.

J'attendais avec les cierges éteints. Soudain,
Marc frôla ma nuque avec le col de sa pèlerine :

— Paul veut que tu t'en ailles.

— Je ne partirai pas.

— Paul insiste.

— Lui non plus n'a pas le droit de venir ici.

— Paul habite dans les tours. Il a le droit de venir. L'église est fermée. Pour les autres, c'est interdit.

— Pour toi aussi c'est interdit.

— Pour moi c'est différent, dit Marc.

Il rejoignit Paul dans l'allée. J'eus mon premier élancement de jalousie.

C'est un mâle et que suis-je? Une fille qui l'attend, une fille qui se morfond dans le hangar aux objets pieux. Ils font les troncs, ils ne font que cela. Que j'étais naïve... Je m'usais à inventer des mystères. Ils sont malins. Prudents, pratiques, amis, complices. Je l'entends : ils ouvrent les tirelires de la charité, ils prennent les rentes des saints qui ont le gîte et le couvert au paradis. C'est la nuit captive dans l'église qu'ils cambriolent aussi. Moi, s'il veut me remettre dans sa hanche, je veux bien voler et tuer avec lui. Ils prennent ce qu'on ne leur donne pas. Son portefeuille qu'il me dissimule ne m'intrigue plus. Qu'il hache les troncs eux-mêmes s'il peut, qu'il les range dans les compartiments de sa vieille chose en cuir avachi. J'ai renoncé à cette virginité qu'il préserve dans son portefeuille. Enfin, la flamme de leur briquet. Ils dévalisent avec tact, ils s'appliquent à ne pas scandaliser le silence et les ténèbres. J'ai le fou

rire : je suis apparentée au fait divers le plus res-
sassé. Pas besoin de glu, pas besoin d'aiguille à
tricoter. Ils ont des clefs.

Quand je vois un vieillard qui chipe une salade à
un étalage, quand je vois un apprenti qui se mas-
turbe dans un cinéma, quand le vieillard s'éloigne
vainqueur et penaud avec l'aiguillon de la réussite
entre les fesses, quand l'apprenti claironne en se
mouchant dans le mouchoir avec lequel il s'est
essuyé la main, je me ronge pour ne pas les dénon-
cer. Je ne supporte pas les solitaires qui aboutis-
sent, je ne supporte pas les prouesses minables. Il
me faut des grosses caisses.

Marc me retrouva près du bénitier :

— Paul va nous accompagner. Qu'est-ce que tu
faisais?

Je pris sa main, j'y déposai un baiser violent.

— Est-ce que nous faisions du bruit?

— Je n'ai pas remarqué.

Il alluma son briquet, il me dévisagea :

— De toute façon, tu ne sais rien. Compris?

— Compris.

Nous avions l'illusion d'être des durs parmi les
crachats des 6,35.

Une clochette résonna dans un autre monde.

— C'est le signal, dit Marc, nous pouvons
partir.

Nous sommes ressortis par une autre porte.

Marc me présenta à Paul sur le parvis. Il me

regarda et il regarda le suisse avec fierté. Un ami que nous nous faisons est une création.

— Vite chez Ricardi, vite des Négrita, dit Marc.

Marc nous prit le bras et ils parlèrent mariages par-dessus ma tête.

— Ne rate pas celui de demain, dit Paul. C'est une première classe. Elle aura oublié de me laver mes gants. Bah! je les tremperai dans l'essence au dernier moment.

Paul frappa dans ses mains à l'entrée du café. Il frappait pour le rappel des gants blancs, de la canne, du pommeau, des dalles, du tricorne, des galons.

Que c'est simple, que c'est superbe, me criaient les yeux de Marc.

— Mets-toi sur la banquette avec elle, dit Marc.

Paul se laissa glisser par timidité sur la moleskine.

Je ne le soignerai jamais trop, m'expliquaient les yeux de Marc.

— Enlève-la, dit Paul. Tu ressembles à un oiseau de mauvais augure avec ta cape.

Paul rit et Marc noyé dans la béatitude sourit distraitement puis il prolongea son sourire plus sérieusement et rendit les hommages à la dentition de son ami. Paul nous vengeait des ténèbres dans lesquelles nous avions été privés de ce blanc de perdition, le blanc des dents éclatantes. Paul ne s'était pas lavé. La crasse, le poil envahissaient et adoucissaient le marron fondant des yeux, les lèvres charnues. Le velours noir fait valoir ainsi la rose qui s'endort sur un corsage.

C'est cela que tu devrais me dire, c'est comme cela que tu devrais me frictionner, me signifia l'œil vert. Marc lança la pèlerine sur la banquette, il décacheta un paquet de cigarettes. Je ne souffrais pas : je me laissais imbiber par leur amitié. Marc glissa les cigarettes près de la main de Paul et Paul secoua le paquet, il me le tendit.

Je refusai. Pour m'exiler.

La serveuse attendait la commande. Je dis :

— Je ne prendrai rien.

— Ta femme est une perle, dit Paul.

Nous ne l'avons pas contredit.

La serveuse est revenue avec la commande. Paul dit :

— Du rhum... C'est ça qui est bon. Rien que la couleur...

Paul se pencha sur la couleur qui ressemble à celle des giroflées. Il voyait le velouté de leur amitié. Marc souleva son verre quand Paul eut fini d'avaler deux gorgées. Il se voulait le second en chaque chose.

Paul dit :

— Il pleuvait à torrents la première fois que je t'ai vu. Tu ne te souviens pas. Moi je me souviens.

314

— Pourquoi ne m'en souviendrais-je pas? dit Marc. Je cherchais des mariages... Tu m'en as donné quatre d'un coup.

— Et des chouettes comme toujours, dit Paul.

Ce n'est pas inouï? Ce n'est pas merveilleux? s'extasiait l'œil vert.

— Il tombait bien. J'avais la clef et le vin, dit Paul.

— Du vin de l'église? dis-je.

— Du vin de l'église évidemment. N'interromps pas, me dit Marc.

On entendit le froissement des billets volés dans les poches de Paul.

— C'est moi qui paie, dit Marc.

Il me jeta un vilain regard. Il alla payer au comptoir.

— Marc me disait que vous ne vouliez pas que j'attende dans l'église...

Paul rit :

— Marc vous a dit ça? Quel farceur ce Marc.

— J'aurai mal compris, dis-je.

— Il faut partir. Il nous fait signe, dit Paul.

Ils se serrèrent sobrement la main.

Paul s'éloigna. Marc lui cria :

— La viande, quand tu viendras, est-ce que tu la veux saignante?

— Bleue. Tu le sais bien, vieille fripouille.

Paul courait et se courbait sous la lumière funambulesque des globes.

— Je l'ai invité, dit Marc.

— Nous ne tiendrons pas à trois dans le réduit.

— Nous tiendrons.

Marc baissa la tête. Le rayon dirigé sur la fente de son pantalon, c'est la fumée de la cigarette d'un homme qui se sent homme.

— Il habite dans les tours avec sa femme et ses enfants, dit Marc. Je me sens en forme ce soir. Veux-tu que nous rentrions à pied, veux-tu que nous suivions les quais?

— Suivons les quais.

Il lança son béret en l'air. Le béret lui retomba sur le nez. Il aimait Paul loin de l'amour mais il l'aimait. Il se jeta dans mes bras.

— Il y a un agent qui te regarde.

— Je le distrais ce jeunet, dit Marc.

— Paul est épatant, dis-je.

Je faisais la cour à Marc.

— Si tu connaissais sa femme... Une perle.

Il parlait comme Paul, il savourait le langage de Paul.

— Qu'est-ce qu'elle fait?

— Des ménages, mon petit, dit-il avec la voix pointue d'un inverti de la place Pigalle.

Il m'enveloppa dans sa pèlerine. Nous marchions comme des conscrits qui se tiennent par la taille.

— Tu es gentil maintenant mais tout à l'heure...

— Entre hommes ce n'est pas la même chose, dit Marc.

C'est par rage et par jalousie que je le convoitai. Je l'ai touché sous l'étoffe.

— Tu me plais, dit-il.

Il étala sa pèlerine sur un banc, il m'attira.

— Touche, Thérèse...

Il m'appelle. Mon visage n'est plus baroque, les miroirs ne sont plus un code de beauté. Je te trouverai avec mes doigts de pastel, tiédeur.

Marc renversa la tête, une feuille de platane tomba sur ses genoux pendant que je commençais à le caresser.

— Viens vite, Thérèse!

Nous avons couru jusqu'à notre chambre.

— Éteins, éteins! dit Marc.

— Non!

J'attends sa défaite pour l'adorer. Il le devine et il se prépare. Son visage s'adoucit, ses traits fuient, son masque est poudroiement de secrets : l'idole se propose, les formes en cire fondent sous ma main.

— N'ouvre pas les yeux.

Il les ferme.

— Ne bouge pas.

Il se raidit.

J'entraîne mon cantique de l'épaule à sa cheville. Je le couvre de caresses. Il sourit trop près, il sourit trop loin. Je vois sur ses lèvres le Moyen Age gourd et l'Orient effilé. Les folles ont des yeux qui pleurent ailleurs. Je pleure parce qu'il éjacule sur le doigt d'Isabelle. J'éteins.

— Dormons. Il est trois heures, mon vieux.

— Ne dors pas, Marc, ne dors pas...

Je hais mon dormeur. C'est un mort qui n'a pas dit son dernier mot. Son sommeil est plus fort que ma haine. Il ne faut pas abandonner la nuit, Marc. Les lits ont été créés pour souffrir et pour jouir. Donneur de sang, donneur de cœur, épuise ta soif blanche. Je me lève, j'ouvre la fenêtre parce que la nuit se pousse contre la vitre. Elle entre avec sa traîne. La mer avance sans les musiciennes, sans l'écume, sans le bouillonnement. C'est par nuit noire que j'ai découvert la hauteur du ciel et que je suis retombée sur le trésor des fraisiers. C'est par nuit tendre pendant les gelées que, dans les prés traversés, j'ai entendu se propager des craquements d'incendie sous mes pieds. Je te hais, cadavre incomplet. Tu manques de froideur et de raideur. C'est dans le ventre chaud que le tour de force des amertumes a été réalisé. Mourir et renaître. Renaître et mourir. C'est la cadence, c'est l'ambition charnelle, c'est la foire dans le sexe. Sur les banquettes de balançoires le vertige, illusion de monter, le point de suspension, la retombée sont les mêmes que ceux de notre plaisir

318

essentiel. Après viennent la rentrée dans le vieux néant, la légèreté d'une faim qui n'a pas changé. Après nous fumons des cigarettes tandis que nous sommes à nous-mêmes une fumée plus âcre. Maintenant je te propose le ventre froid. La nuit, avec ses sombreros, se donne mais tu n'en veux pas. Ne dors plus, dépiaute-toi, scaphandrier allongé. Remonte, habille-toi en homme. Ne dors plus. Caresse-toi le visage dans l'obscurité. Ton front est une plage, ton poignet un bracelet, tes sourcils des épis couchés, tes lèvres les lèvres d'une plaie refermée, tes aisselles des corbeilles pour tes mains glacées. Ne dors plus.

Il dort. Je trépigne avec le talon de la danseuse espagnole, mais il dort.

Je hais mon dormeur. Sa soumission m'exaspère. Je hais sa sérénité inconsciente, sa fausse anesthésie, son visage d'aveugle studieux, sa soûlerie raisonnable, son application d'incapable. Je compare la mollesse de son corps, l'hypocrisie des eaux dormantes mais dans les eaux dormantes il y a des batraciens veilleurs de nuit et veilleurs de jour. J'ai attendu longtemps la bulle rose qui sortirait de la bouche de mon dormeur. Je n'ai pas eu de lui cette bulle de présence. Les laitiers dorment leurs dernières heures, le dernier passant périt avec son soulier à étincelles. Je n'ai que le souffle de la monotonie. Ma lumière est faible mais cruelle. Je vois que ses paupières de nuit sont

319

des paupières de mort. Je n'ai pas eu le triste avantage de lui fermer les yeux quand il s'est endormi. Ses paupières de jour, avec leur mouvement perpétuel, me font croire à une éternité mouvementée. Je découvre dans leur battement les battements d'un petit cœur supplémentaire dont le pouvoir de vie est peut-être surnaturel. Je me dis que la mort n'aura pas le temps de s'installer entre les battements de ses longs cils. Ses paupières de jour battent le rassemblement de la vie. Je regarde encore les cils pour voir les suggestions d'une fougère, la somptuosité d'une frange éventée. Je me réfugie dans la gaieté de ses paupières lorsque cet homme est intraitable. Le sommeil est dur quand il s'y met. Il a tout raflé. Mon dormeur triche avec le silence, avec la parole, avec l'immobilité, avec le mouvement, avec le mystère, avec l'oracle : il balbutie des mots inintelligibles, il glisse dans le milieu du lit, il sursaute et c'est un sphinx qui ne dira rien.

Marc a un visage d'ange, mais si je le secoue c'est une bête qui grogne. Je le griffe. Il se laisse faire. Je tombe dans le piège de ce faux martyr. Je me penche sur lui, je l'observe. Il est au fond de lui-même à s'affairer pour son repos. Il récapitule je ne sais quoi. Je crois à sa fourmilière intérieure tandis que sa main fainéante ne retiendrait pas un duvet de chardon... Il se fiche du monde et du ciel; pourtant des prières, qui ne sont pas les miennes, pleuvent sur lui. Je recule pour qu'il revienne. Fasse qu'il s'éveille de lui-même... Mais cet homme qui dort à côté de moi est parti, il est loin en mer. Je lui insufflerai mon éveil. Ma bouche est sur ses lèvres. Elle supplie mon dormeur de revenir en carrosse, de se pencher à la portière avec son mouchoir de dentelle, de mettre un pied sur le marchepied. Cheval qui t'ennuies à l'écurie, donne-moi le tapage de ton insomnie. J'écoute le torrent qui dévale dans le flanc du cheval.

Nous étions partis à tire-d'aile. Nous voulions quitter la terre en utilisant notre tempérament. Nous avions décollé, escaladé, guetté, attendu, fredonné, abouti, gémi, gagné et perdu ensemble. C'était une sérieuse école buissonnière. Nous avions déniché une nouvelle sorte de néant. Maintenant tu dors. Ton effacement n'est pas honnête. Ma bouche qui prend ton souffle ne t'éveille pas. Je n'ai pas pincé les cordes de la harpe qui a fait frémir ton visage. Graine de folle, ton dormeur a juré ailleurs qu'il ne faillirait pas à son devoir de dormeur. Ma bouche sur la sienne, il respire en dormant jusque dans ma gorge. Je te hais avec un poignard entre les dents, dormeur.

Je pense au garçon boucher qui fend les os dans les ténèbres. La nuit est régulière devant les barreaux, la viande, le sang. Je devine les taches infernales sur son tablier dont le cordon est le cordon d'un ordre anonyme, la roseur de l'anémone sur le jeune rosbif, les quartiers de martyrs auxquels il se cogne, les pattes sectionnées, les offrandes des moignons. La nuit entre les barreaux mendie d'autres tueries. J'aime la main éveillée du garçon boucher. Quand les outils tombent, quand les coups s'arrêtent, il en arrive d'autres. Ce battement de la nuit est fort. Ma main ne le cherchait pas, ma main sous le drap ne cherchait rien. Tu ne sauras jamais, mon amour, avec quelle rapidité ma main innocente a répondu à l'innocence de ton sexe amoindri. C'est jeune, c'est fripé, c'est là qu'il y a un retour de candeur, c'est là qu'il y a un soupir d'abandon. Ce petit rouleau de chair et moi nous nous sommes rencontrés dans la nuit des temps. Nous sommes l'arrêt du monde. Nous mettons la naissance, l'avortement, l'enterrement dans l'indécision. Nous permettons aux accoucheurs de prendre des vacances. Il n'y a plus d'avenir. Il y a un présent à terminer. Cette chose charnue, qui est plus petite qu'un oiseau des Iles emprisonné dans la main, avait aidé la création du monde. Le moment de souffler est venu. Les étalons des haras se reposent en frissonnant sous leur plaid, moi je veille. Je suis la gardienne du sexe déchu d'un homme qui dort. Je ne le reçois plus. C'est lui qui me reçoit avec ma confiance. C'est tellement plus chaud, c'est tellement plus important qu'un bouton de coquelicot... J'ai, à côté de ma main, de la semence de jardinier producteur de bouquets. Je craignais cette semence, je craignais ma prospérité naturelle. J'ai un élan vers le sexe qui n'engendre rien. Ce qui est dans ma main a l'importance d'un nouveau messie nu, livré à l'indifférence des hommes qui dorment. Je me suis emparée de lui, je me le dédie : il me transfigure. J'ai des entrailles religieuses, je tiens la torche de vie. Je n'oublie pas la nuit. Plus près veuve impeccable, plus près. Si Marc remue, ma main touche malgré elle la semence. C'est le grenier aux cinquante sacs de grains qui est despotique. Les fruits intimes d'un homme qui dort sont dans ma main. C'est miséricordieux dans toutes les classes du train de nuit la tête inconnue qui tombe sur notre épaule. J'ai les sacs de semence, j'ai dans la main les champs qui seront labourés, les vergers qui seront soignés, les canons qui seront braqués, la force des eaux qui sera transformée, les quatre planches qui seront clouées, les tanks qui seront envoyés à la casse. J'ai les fruits, les fleurs, les bêtes sélectionnées, le bistouri, le sécateur, la sonde, le revolver, les forceps dans la main et tout cela ne me fait pas la main pleine. La semence du monde qui dort n'est que le superflu ballant du prolongement de l'aine. Ils dorment et demain la semence enfoncée dans la terre sera peut-être gelée.

Les belles-de-nuit se fermèrent : Marc s'éveilla. La concierge traînait les poubelles vides qu'elle remettait dans le hangar sous notre fenêtre. C'était comme si Marc n'avait pas dormi, comme s'il n'avait pas quitté des yeux le rideau de lustrine. Je ne pouvais pas rêver changement plus harmonieux. Sa présence avait autant de grâce que de sérieux. Marc avala de la salive, il continua de se taire. Des femmes, de fenêtre à fenêtre, se parlaient.

— Bien dormi? dit Marc.

— Je n'ai pas fermé l'œil. J'ai ruminé.

— Que la nuit a dû te sembler longue, dit Marc. Tu pouvais allumer. Tu aurais lu.

Je pris les cigarettes sur la descente de lit, on appela de la cour un locataire au téléphone.

— Qu'est ce que tu ruminais? demanda Marc.

— Je te regardais. Je ne pouvais pas me détacher... Je ruminais la soirée.

Je mis une cigarette entre les lèvres de Marc. Il leva les bras, il les croisa sur sa nuque, il s'appuya au mur.

— Pourquoi la soirée? dit Marc.

Le ton était vague. Marc était moins bien éveillé. Je craignai qu'il ne se rendormît, je précisai :

— Je ne comprends pas pourquoi cela t'ennuyait tant de me présenter à Paul?

Marc eut un mouvement d'impatience :

— Je me lève! dit Marc. Boulot-boulot.

Je l'empêchai de se lever. Il se calma :

— Chasse tes idées noires, dit Marc.

Il me prit dans son bras. Il enleva la cigarette de ses lèvres. Premier geste, vernis du premier bourgeon. J'hésitai, je questionnai sans nuances :

— Pourquoi ne reviens-tu pas déjeuner? Pourquoi mens-tu? Tu me caches tout comme si j'étais ton ennemie.

— Quand t'ai-je menti? demanda Marc.

— A l'instant. En me demandant si tu mens tu es en train de mentir.

Marc fit une moue de dédain :

— Peux-tu préciser?

— Quand tu manges du bout des lèvres, quand tu livres, quand tu cours chez elles. J'attends. Je tombe en poussière quand tu mens, quand tu me quittes. Hier matin, j'ai cru que c'était toi, que tu revenais sur tes pas, que tu étais fou de joie. Ce n'était pas toi.

— Pense à autre chose. Vois du monde, dit Marc.

— C'est toi le monde. Je t'en prie : ne mens plus.

— Je ne mens pas. Je vais, je viens.

Il ment. Ses mensonges se reproduisent comme le trèfle. Je ne peux pas les compter.

— Pourquoi me caches-tu les commandes, le nombre de mariages? Partage au moins ton temps avec moi quand tu n'es pas près de moi.

— Tu me posséderais si je ne me défendais pas. Combien de fois t'ai-je répété que je voulais mes coudées franches?

— Pour photographier tes singes?

— Pour vivre. Tu étais bien différente dans le temps.

— Je ne t'aimais pas. J'étais gentille.

— Tu n'étais pas niaise.

— J'étais détachée de toi. Je ne peux plus me détacher de toi. Si tu voulais comprendre, si tu essayais de comprendre... Je ne peux pas me détacher de toi. Je ne peux pas. Toi, quand c'est fini tu te lèves, tu t'habilles, tu siffles, tu pars, tu disparais. Pour moi c'est la nostalgie qui commence. Je ne cesse jamais de te vouloir, toi, avec ta chair, avec tes plaintes.

— Quand je suis en toi tu me chasses, dit Marc.

— Je voudrais tant que tu puisses rester en moi mais il ne faut pas que j'aie un enfant.

— Je fais attention chaque fois.

— Bien sûr. Tu y mets tant de bonne volonté. Tu me rassures chaque fois et chaque fois je te supprime. Tu ne veux pas revenir comme hier soir? Tu es beau quand tu as tes yeux qui voient en arrière. Tu es si loin de toi et si proche de toi-même. Tu as ton visage de martyr qui s'applique. Tu vas jouir et tu montes à genoux. Ce visage qui est au fond de toi et que tu montres...

— Ne t'exalte pas. Tous les hommes ont ce visage-là, dit Marc.

— Tu ne veux pas faire l'amour?

— Nous l'avons déjà fait hier. Je veux me lever, je veux me raser.

Je pris Marc à la gorge :

— Tu ne me quitteras pas!

— Tu peux me serrer le cou. Tu ne me fais pas peur et je n'ai pas mal. Étrangle, mais étrangle donc. Que je sente jusqu'où tu oses serrer. C'est déjà fini?

Je retombai sur le lit. Je ne savais que faire de mes mains. Je recommençai :

— Ne pars pas, ne me quitte pas. Je paierai pour les mariages que tu aurais pris ce matin. Faisons les comptes si tu veux. Nous irons au cinéma, nous irons au restaurant, nous nous promènerons en taxi, nous écouterons des disques dans une cabine. Je paierai, je paierai tout ce que tu voudras.

Marc tapa du poing sur l'édredon :

— Je travaillerai comme bon me semblera. Tu ne me posséderas pas.

— Alors, habille-toi, sauve-toi. Que je sois malheureuse d'un seul coup!

Je lançai le drap sur l'édredon. Marc me rejeta sur l'oreiller, il se pencha :

— Tu veux que j'attrape la crève!

Il ramena le drap. Je trépignai :

— Va-t'en, ne reviens jamais!

Son sourire signifia : et si je te prenais au mot!

Je lui arrachai le drap par surprise. La colère défigura Marc. Je l'avais découvert.

— L'innocent... Regarde-le...

— Tu n'es pas un peu malade! dit Marc.

Il ramena le drap qu'il garda entre ses dents.

Nous avons entendu un frottement sous la porte.

— C'est un prospectus, dit Marc la voix absente.

Je dis tout bas :

— Va-t'en, Marc. Je pourrai pleurer.

Marc se tourna du côté du mur. Il dit en articulant :

— Je m'en irai quand je voudrai, quand je l'aurai décidé. Je prends mon temps. Je prendrai toujours mon temps.

Il se pencha par-dessus moi, il ramassa son tricot, il le fit glisser sous le drap, il le mit sur son ventre.

Je me façonnai avant de parler :

— Tu te réchauffes?

— Ne minaude pas, veux-tu?

— Je ne minaude pas. Je veux faire l'amour.

Je secouai Marc, je le découvris malgré moi.

La colère illumina Marc :

— Tu voudrais me voir malade. Ça se laisse

posséder un malade, c'est une loque avec laquelle on fait ce qu'on veut, un malade!

Je tombai sur Marc. Je l'étreignis faute d'arguments. Je le serrai, je le soulevai, je le triturai pour me désespérer, pour avoir l'illusion de m'enfoncer en lui.

Marc dit :

— Qu'elle est forte, Thérèse, quelle force elle a, Thérèse...

— Si tu veux, je ferai le tour de la chambre avec toi dans mes bras.

— Voyez-vous ça... Comme au Far West, comme dans les enlèvements...

Je le soulevai encore et lui mordis l'épaule.

— A la fin j'en ai assez! dit-il. Je veux me lever, je veux me raser. je me raserai!

Marc se sauva dans la cuisine sans me laisser la rose dont la fraîcheur se serait déroulée jusque dans mes pieds.

J'entrai dans la cuisine :

— Pourquoi avais-tu tellement peur de me présenter à Paul?

Marc alluma le brûleur sous la casserole d'eau et l'autre brûleur pour la chaleur. Il prit son blaireau sur la tablette de verre, il commença de savonner le blaireau.

— Paul est trop simple pour toi, mon pauvre petit. Comme je regrette de l'avoir invité, comme il se sentira vieux dans notre chambre.

Les larmes me montèrent aux yeux.

— Tu penses ce que tu dis? Tu le penses vraiment?

Marc commença de se savonner les joues.

— Ce n'est pas ta faute si tu ne plais pas, dit Marc. Paul s'ennuiera. Je ne peux pas te dire autre chose.

Je fus une autre. J'eus ensuite comme une balle de revolver qui se promène dans la poitrine.

— Comment veux-tu que je trouve le courage de vivre seule dans cette chambre après ce que tu viens de me dire? Je voudrais mourir.

— Tu ferais mieux de t'habiller, dit Marc.

Il cessa de faire monter la mousse jusqu'aux tempes. Il baissa le gaz.

— Si tu pensais un peu moins à toi, dit Marc.

— Va porter ta morale dans les tours!

— Répète.

Il posa le blaireau sur la tablette. Il prépara la serviette à nids d'abeilles.

— Dans les tours où Paul habite!

L'eau dans la casserole commençait de chanter, des bouches nous raillaient; l'eau coulait sur les murs.

— Tu siffles?

— Je siffle, dit Marc.

— Avec ton masque...

— Avec mon masque, comme tu dis. Et laisse-moi me raser. J'ai une première classe à midi.

— Emmène-moi, Marc. Je veux travailler avec toi. J'obéirai, je ferai ce que tu me diras.

— Tu as de l'ouvrage sur la table. Tu n'en manques pas. Veux-tu prendre mon rasoir sur la cheminée.

J'allai dans la chambre. Je me demandais pourquoi je me retrouvais dans cette chambre.

— Tu l'as? demanda Marc.

— Ton rasoir... bien sûr, dis-je.

J'ignorais ce que Marc me disait, j'ignorais ce que je lui répondais.

J'aime : je suis étourdie. Mon sexe aspire leurs paroles. Ils parlent : c'est suffisant. Ils parlent, ils haranguent dans mes entrailles.

— Mon rasoir! cria Marc.

Je pris l'objet sur la cheminée, je l'apportai mais je ne voulus pas le donner à Marc.

— Ote cette mousse, viens te recoucher. Je t'aime comme tu es, dis-je, ne pars pas, ne pars pas... Aujourd'hui, seulement aujourd'hui... Demain tu iras.

Marc voulut m'arracher son rasoir des mains. Il y renonça.

— Parle, dit-il, parle, parle! Quand tu seras calmée tu le diras.

Il croisa les bras sur le réchaud, il regarda l'eau bouillante dans la casserole. Quelqu'un sciait du bois.

— ... Je te servirai au lit. Tu m'apprendras :

c'est moi qui te raserai. Je te ferai ta toilette, je couperai tes ongles, je te brosserai les cheveux, je te laverai les cheveux au lit si tu veux.

Marc s'accouda sur le réchaud. Il avait l'air de se regarder dans l'eau chaude.

— Continue, dit-il, continue, continue... Les heures filent mais continue. Tu en étais au shampooing...

— ... Je vais te faire un beau lit, je tendrai le drap comme tu l'aimes tendu. Je te regarderai ou bien je tournerai la tête si mon regard te dérange. Je ne respirerai presque pas si m'entendre respirer t'agace. Je t'aurai longtemps près de moi, ce sera comme si je t'avais en moi toute une journée. Tu veux bien que j'enlève cette mousse?

Marc se dressa. Il semblait déprimé.

— Tu n'as pas honte, dit Marc, tu n'as pas honte pour toi et pour moi? Ce que ça peut être femelle une femme. Maintenant donne-moi ce rasoir!

Je lançai l'objet dans l'évier. Je n'avais pas prévu qu'il se casserait.

— Tu me le paieras, ma petite, dit Marc.

— Je t'en offrirai un autre avec une trousse. Je t'offrirai ce qu'il y aura de mieux.

— Est-ce que tu vas te taire? demanda Marc.

Il rassembla les morceaux d'ébonite. Marc aimait l'objet cassé comme il l'avait aimé avant notre mariage.

— Tu as mis la serviette autour de tes reins pendant que j'étais dans la chambre. Tu veux me priver, dis-je.

« Je me raserai avec une lame. Si j'étais prisonnier, c'est ce que je ferais », se dit Marc.

Il rangea les morceaux d'ébonite sur la tablette de verre. Je tombai à genoux derrière Marc.

« Est-ce qu'elle coupe au moins cette lame? » se dit-il.

Il la promena sur son bras, sur le duvet du bras. Nos regards se croisèrent dans le miroir.

— Ne me regarde pas, dit Marc.

— Les rats! Tu entends, les rats!

Les rats couraient sur le bitume, au niveau de la fenêtre de notre cuisine.

— Les rats, Marc!

Je renaissais. Les rats le retiendraient.

La serviette-éponge tomba de ses reins. Marc commença de se raser avec la lame enveloppée d'un côté dans du papier journal. Il me vit dans le miroir.

— Ne regarde pas! dit Marc.

Les rats avaient disparu, les rats brefs comme une averse de grêle.

Je regardais. J'espérais que je le ranimerais et que je l'intéresserais à distance; j'espérais que Marc me dirait : « Je ne pars plus, viens. » Je le regardai longtemps, je réchauffai sans le toucher le petit tombé du nid. Je levai les yeux. Nos regards se croisèrent encore dans le miroir. Marc voyait ce que je faisais avec mes yeux. Il s'éclaircit la voix, il faillit se couper. Je baissais toujours les yeux. Je le ranimai, je le réchauffai, je le flattai encore plus bas. Marc jeta sa lame de rasoir sur la tablette de verre. Il saisit mes poignets :

— Non, Thérèse, non! Avec ton régime nous serons cinglés avant six mois.

— Nous serons cinglés, dis-je sans lever les yeux.

Je sentis que Marc aussi baissait les yeux et se regardait. Il serra les poings, il reprit la lame de rasoir sur la tablette.

— Nus à dix heures du matin dans ce trou, dit Marc.

Je regardai : il se rasait et il regardait dans le miroir si je baissais les yeux pour voir plus bas. Je vins dans son dos, je lui frôlai lentement les hanches. Il ne me repoussa pas.

Nos regards se croisaient toujours dans le miroir, nos yeux brillaient. La main de Marc trembla, la lame de rasoir tomba dans l'évier. Je la pris, je l'essuyai et la rendis à Marc. Il haussa les épaules, il s'approcha du miroir. Je revins derrière lui, je l'enlaçai. Ma main suivit le chemin rêvé depuis le transparent de cheveux argent jusqu'à l'aine.

— Je te le donne, je te le donne! dit Marc avec désespoir.

Le bouton d'iris que j'enfermais dans ma main avait une douceur d'apôtre.

La main de Marc trembla plus fort. Il cessa de se raser.

— Il n'y a pas que cela au monde, dit Marc.

Je le serrais, je le fortifiais, mon âme remerciait, les murs ruisselaient. Marc lança la lame dans l'évier, il enleva ma main avec des doigts contractés.

Je le suivis dans la chambre.

Il se jeta à plat ventre sur le lit, il serra l'oreiller dans ses bras.

Il souffre : j'ai la paix. Il souffre : je vais et je viens dans la chambre. Il souffre : je ne suis plus la vague qui se brise contre le rocher.

— Je peux y renoncer, dit-il.

Marc se leva d'un bond. Il se tint devant moi, il garda ses distances, il me fixa. Du sperme olympien descendait des glaciers.

Je me jetai à mon tour sur le lit pendant que Marc s'habillait, se chaussait, se brossait les cheveux.

Je voulus encore le retenir. Je couvris ses mains de baisers mais il me reprit ses mains avec fermeté.

— Reste, reste, dis-je.

Il refit le nœud de son lacet, il brossa vivement les revers de son veston. Ses chaussures brilleraient jusqu'au soir comme celles des caïds.

— Reste, reste, reste...

Il ramassa l'étui avec l'appareil photographique dedans, il se sauva comme un fou.

Revoir Marc, le revoir tout de suite.

Je me peignai dans l'escalier, je me dis que je monterais dans un taxi, que je le suivrais, que je le reverrais à distance, dans les délices poignantes de la perspective. Mais il fallait attendre qu'il rechargeât l'appareil chez maman, qu'il le rechargeât entre les robes, les cartons à chapeaux, la literie inutile, les relents de la vieille naphtaline. Je le suivrais comme un automobiliste suit une jeune fille.

— Oui, le petit qui sort de l'immeuble, oui le petit qui marche vite, oui le petit avec l'appareil photographique. Suivez, suivez toujours, dis-je au chauffeur.

Je me tapis dans un coin du taxi, je baissai la vitre : l'air des rues de Paris était composé de milliers d'autres petites vitres entre lesquelles miroitait Marc. Il alluma une cigarette à des milliers de kilomètres de notre chambre.

Que le ciel gris s'attriste et se décide, qu'il neige et que sur Marc fondent mes pleurs. Qu'il neige et que sur lui mes pleurs se glacent et meurent.

Marc entra dans un café. Le taxi ralentit, s'arrêta. Marc serra les mains de la serveuse, cel-

336

les des patrons. Il leur souriait. Il se donnait dès qu'on le négligeait. J'eus une blessure dans le côté quand il ôta son portefeuille de sa poche revolver et qu'il paya. Son argent... Son argent qui traverse notre chambre en passager. Marc serra la main des gentils indifférents. Je me le promis : je viendrai aussi dans le café, je les ensoleillerai, je me réchaufferai en les réchauffant.

Nous allions. Nous prîmes derrière lui le chemin d'une église. Nous nous sommes arrêtés dans la rue de la Forge-Royale. Marc entra dans le square et le bruit du portillon dérangea le sable. Un instituteur jouait au ballon avec ses élèves sur un terrain entouré de grillage neuf. Une odeur de vieillesse décolorée, celle de la poussière du terrain de jeux, emplit le taxi. Les odeurs se répondent comme aux aurores les coqs : un parfum de clou de girofle se libéra des coussins. Marc ressortit de l'église, du square. Il s'engagea dans une rue sombre qui mène au faubourg. Marc monta dans un autobus. Il fumait sur la plateforme sans rien regarder. Il descendit. Je le suivis à pied et contournai un dandy de race noire, long pardessus, chamberlain au bras, feutre à bord roulé. Ce dandy sortait de la B.N.C.I., il rangeait une liasse de billets dans du crocodile. Qu'il est confortable l'homme seul avec son nouvel argent.

Nous sommes arrivés sur la place : des pigeons se dandinaient autour de la fontaine. Les concurrents étaient prêts. Marc entra chez Ricardi, il but et il bavarda : un cocher lui taquina la nuque avec le nœud papillon de son fouet. Les concurrents sur le qui-vive flânaient devant le parvis, les cloches sonnaient, les pommiers se rhabillaient. Les objectifs glissèrent sur les rails, les badauds s'attroupèrent. Les cloches encensaient le ciel : villes et villages se rencontraient. Penaud, le cocher accourut. Les portes s'ouvrirent, j'entendis les orgues.

Viens mon miserere, viens que je te chante dans la chambre. Il vient et je retombe sur mon amour. Je suis vierge, je suis une larme qui tremble.

La foule de badauds se rangea derrière les photographes au bas de l'escalier. Je me mêlai à elle. Paul avança sur le parvis, splendide charbonnier déguisé en Louis XIV. Ses gants blancs étaient impeccables. Marc s'éleva de deux marches au-dessus des autres photographes, il photographia son ami. La foule les admirait : ils se souriaient loin de nous. Paul avait appris à sourire à Marc pendant qu'il regardait le commissariat devant lui, pendant qu'il ne le voyait pas, pendant qu'il ne voyait rien. Le suisse se rangea sur le côté, la foule attendit le voile. Paul et Marc se contemplèrent sous les clochers échevelés, les mariés avancèrent. Marc les attaqua. Il descendit, il remonta avec l'agilité d'un singe, il les cerna avec l'appareil, le déclic, l'objectif, le morceau de semelle de liège, les bouts de ficelle. Il se baissa, il prit le tulle, il disposa le flot, l'écume autour de l'épouse. Charmée, la petite mariée souriait. Marc lui indiquait des poses, il faisait des signaux avec le bras, avec les mains, avec l'appareil. Voilà ce qu'il appelait les coudées franches. On ne voyait que lui. Il rentra dans la corporation, il photographia machinalement et je le remis dans mon sein. Les pigeons s'envolèrent, l'ombre et le silence reprirent l'église. Marc aida un concurrent à monter dans une auto, il referma la portière, il s'inclina, il salua. Il y avait des photographes ambulants qui réussissaient. Les chevaux galopèrent, le nœud papillon du fouet donna de l'esprit à cette noce. Les badauds se sentirent plus forts.

Marc ne l'attendit pas longtemps. Paul avait changé de costume, Paul accourait, Paul offrait la primeur de son vieux costume noir. Bras dessus, bras dessous, ils allaient enterrer midi chez Ricardi.

Je m'assis sur un banc. Elle prisait.

— Il y a eu un beau mariage, n'est-ce pas, madame?

— ...

L'enfant déplia une nappe à carreaux entre les tables du restaurant Ricardi.

— Vous êtes mariée, madame?

— ...

L'enfant mit deux couverts sur la nappe.

— C'est un beau jour quand on se marie,
n'est-ce pas, madame?

— ...

— C'est un jour inoubliable, n'est-ce pas?

— ...

L'enfant souffla sur le sel, l'enfant disposa le
moulin à poivre, l'huilier sur leur table.

— Je vis dans une chambre... à soixante-dix-
huit ans...

L'enfant apporta la soupière, elle plongea la
louche.

— ... dans une chambre sous les toits. Je viens
tous les jours pour les pigeons.

Paul donna une large claque sur le dos de Marc.
Ils se mirent à table.

Je m'enfuis.

Je savais pourquoi il mentait, pourquoi il revenait à trois heures de l'après-midi quand il revenait, pourquoi il mangeait du bout des lèvres
quand il daignait se forcer à manger. Il y avait à
midi des millions d'hommes et de femmes qui se
comportaient ainsi, qui mentaient par lâcheté.
C'était désespérément banal. Les mensonges
couraient le long des fils téléphoniques. Je décidai
que je m'introduirais dans le café-tabac où Marc
avait stationné le matin.

Les cafetiers déjeunaient avec leur serveuse
dans le coin le plus sombre. J'étais chez eux, je
déchantais. C'était repeint à neuf, vaste, délabré.

Une heure dix à l'horloge ronde périclitait. Pendant ce temps-là, la noce que Marc avait photographiée s'abreuvait, le tulle se salissait.

Je ferai ce qu'il faisait, je leur plairai, ils m'aimeront, me dis-je.

— Oui, un café, mais j'ai le temps. Mangez tranquillement, faites comme si je n'étais pas là.

Ils se regardèrent. Ils me jugeaient et me condamnaient pour abus d'amabilité. Je m'enfuis de chez eux.

Où aller, où me cogner, où tituber? Pas seule, pas seule dans les rues, pas seule dans la chambre, pas seule dans le square, pas seule entre les murs des rues. Je ne veux pas des trottoirs. Il y a trop de sentiers qui ne me mèneront pas à Marc. « Tu devrais rentrer dans la chambre, mon pauvre petit, tu devrais mettre de l'ordre et te remettre à ta machine à écrire, mon pauvre petit. » Besoin de lui comme ils ont besoin de l'opium. Protégez-moi, deux heures moins le quart à l'horloge de la pharmacie. Je le reverrai dans la chambre : les siècles me feront la révérence, les siècles se replieront en rideau de scène. Ciel de bouderie, déchire-toi et que le déchirement de la batiste me calme. Que je me voie vieille, que je me voie sac d'os assis au soleil et que mon azur soit ma mort.

Je me jetai dans le trou de cuisine. Son verre à dents, le collier de crasse de la cuvette me rassuraient. Je me révoltai. « Il me le paiera, dis-je à son cahier Job sur la cheminée. — Il ne te doit rien, répondait la voix pendant que je mettais de l'ordre dans la chambre. Il vit sur lui-même tandis que toi tu vis sur lui pour lui soutirer tes souffrances. » Que puis-je lui prendre? Où puis-je lui faire mal? Il règne chez Ricardi, il contemple son Louis XIV. Il règne et j'enlève les cheveux de son démêloir. Je me vengerai.

J'ouvris les portes du placard, je cherchai le carton à chaussures. Les fils électriques, les douilles, les clous, le tournevis et beaucoup d'autres choses tombèrent sur mes pieds. J'enlevai la ficelle du carton, je pris la liasse, je commençai. Je déchirai les frises d'arbres en hiver, je déchirai le champ finement peigné, je déchirai l'arbre solitaire, je déchirai les trois péniches, je déchirai le brassement du fleuve, je déchirai la berge, je déchirai les anneaux de fer sur la berge, je déchirai le ciel de Paris fabuleusement romantique, je déchirai la verrière, je déchirai les douze fenêtres, je déchirai le perron, je déchirai le banc renversé devant la maison de campagne, je déchirai l'arbrisseau en fleur, je déchirai la gare Saint-Lazare la nuit. Trois heures moins le quart chez Ricardi. Je déchirai les rails, je déchirai l'acier, les signaux. Du rhum, c'est ça qui est bon. Je déchirai les traverses de lumières. « La viande quand tu viendras, est-ce que tu la veux saignante? » je déchirai le disque blanc, je déchirai la faute en haut, je déchirai la faute à gauche. « Je la veux bleue, vieille fripouille. » Je déchirai et brûlai ses photographies.

Marc avait écrit Léone sur une photographie au fond de la boîte. Cette Léone aux cheveux mousseux, au teint laiteux, la jupe levée à mi-cuisses, était assise sur le capot d'une automobile garée à l'entrée d'un chemin de terre. Elle versait du champagne dans un gobelet de campeur. Des branches de marronnier, éventails assoupis, décoraient l'espace autour de son visage, Marc me parlait quelquefois de la chic fille qui le faisait inviter avec elle dans les maisons de rendez-vous de Ville-d'Avray pendant que nous nous étions perdus de vue. En amour, Marc aimait les restes. Je lui laissai ce reste. J'attendis Marc de toutes mes forces. Quelqu'un donnait des coups de marteau à quatre heures moins vingt.

Je courus jusqu'à leur immeuble, je vis ce que c'était au grand jour. Leur concierge regarda de travers mon manteau. Leur concierge astiquait la boule de cuivre au bas de l'escalier. Ils avaient une boule de cuivre, des portes à deux battants. Je croisai un gardien de la paix. Ce ne serait jamais mon immeuble. J'attendis un long moment loin de leur porte, je saluai deux vieillards poussiéreux qui s'étaient décrochés des mansardes. Ces transporteurs de résignation me répondirent en baissant les yeux, en ne voulant pas voir sur ma tête la cage dans laquelle était enfermé mon drame. Le tapis-brosse de la mère de Marc m'intimida. On n'entrait pas n'importe comment chez eux. J'imaginais que j'avais sonné à leur porte et, à l'avance, je regrettais ce que je n'avais pas fait. Je me dis que je m'étais égarée sur une fausse piste. Marc buvait du cognac chez Ricardi avec Paul ou bien ensemble sur les terrasses de l'église, ils tendaient des ficelles, ils préparaient des pièges au-dessus du roulement des voitures, loin des odeurs d'essence, ou bien dans les tours Marc plumait les pigeons que Paul engouffrerait. C'est cela l'amour sans discours.

Je chuchotai :

— Ouvre, ouvre...

Je ne voulais pas qu'on m'entende et je voulais m'en désoler. On mit un aspirateur en marche dans un couloir.

Je criai :

— Ouvre!

J'écoutai : le silence dans leur appartement était hostile. Je donnai des coups dans leur porte.

On marcha sur la pointe des pieds, on accrocha la chaîne de sûreté, on s'éloigna. Je me jetai sur la porte. Marc ouvrit. La colère ratatinait son visage. Je le revoyais. Rien ne me soutenait. C'était le bonheur, c'était le néant. Il empoigna ma fourrure, il me jeta dans l'entrée, il referma poliment la porte :

— Je ne veux pas d'histoires. Je ne veux pas de toi ici.

Sa présence d'esprit m'affola :

— Je suis venue après ce qui s'est passé. Tu t'étais sauvé... J'avais besoin de te voir. Ton vieux chandail... Je ne demande rien. Je te regarde. Je te vois avec ton vieux chandail.

Marc eut un tic d'impatience.

— Ma mère est malade, Thérèse. Elle se reposait et toi tu frappes à tour de bras. Ma mère a le cœur malade et tu cries. Sois raisonnable. Va-t'en.

Je m'élançai vers Marc :

— Tu ne peux pas me renvoyer. Je t'aime.

Marc grinça des dents :

— Écoute, Thérèse, ma mère a besoin de calme. Pourquoi es-tu venue?

— Pour te regarder.

— Pour faire du drame.

— Dans le temps, tu n'avais pas de mère. Tu n'avais pas de domicile fixe, tu n'avais rien!

— J'avais la paix. Maintenant tu vas partir.

— Tu as deux maisons. Il te faut deux maisons, il te faut une mère, une sœur, les rues... Fâche-toi, ça m'est égal. Je te parle, je t'ai.

Je perdis mon souffle, je poussai une plainte.

— C'est ma joie, dis-je. Ton chandail... Ton chandail qui m'éblouit...

Marc hocha la tête. Le hochement signifiait :

345

« Je ne pourrai rien faire d'elle. » Je tombai dans un abîme de solitude. Je me respirai dans l'odeur rance de mon manteau.

— Ta mère, dis-je dans ma fourrure, ta mère c'est de la frime.

Marc partit sur la pointe des pieds. Il écouta; il ferma la porte de leur salle à manger :

— Elle s'est rendormie.

Il tapota la cigarette sur le paquet, il se ravisa comme si l'odeur de tabac pouvait éveiller la vieille femme.

— Ton chandail... Je vous regarde. Je ne m'y habitue pas. Je te revois. Quel bonheur, quel supplice.

C'est son visage qui le dit à mon visage :

— Si tu penses m'avoir avec tes extases! Tu ne te coiffes pas et ce manteau que tu ne quittes plus! Si tu crois que c'est séduisant!

— Je ne pense qu'à toi. Je ne pense pas aux toilettes.

— Tu es sur une fichue pente, ma pauvre enfant.

Il gratta avec l'ongle le revers de son veston. « C'est moi, me disais-je, c'est moi la vilaine tache dont il ne peut pas se débarrasser. »

Marc prit la brosse à habits dans leur porte-brosses.

— Tu m'emmèneras? Je livrerai les photos avec toi?

La tache disparut. Il remit la brosse dans le porte-brosses.

— Tu viendras si tu es sage.

— Tu voudrais?

Je joignis les mains :

— Je me calme, Marc, je me calme tout de suite. J'étais venue pour te dire que dans la chambre...

— L'air te manque quand je n'y suis pas. Je sais.

— Je voulais te dire que j'ai mal agi.

Son visage redevenait méchant.

— Tu t'accuseras à un autre moment. Et ces yeux suppliants, et ce regard malheureux que je rencontre partout!

— Je ne te demande presque rien. Vivre près de toi. C'est toi le petit que je porte quand tu es près de moi.

— Je développais, dit-il. Mes plaques seront voilées.

— Je suis venue pour tout te raconter, je suis venue pour t'aider. Apprends-moi à développer les clichés. Commande. Je t'obéirai. Je vais te dire ce que j'ai fait.

— Je sais.

— Tu ne sais pas.

— Tu m'as espionné pendant le déjeuner. Je t'ai vue à travers la vitre.

— Et tu ne m'as pas appelée...

— T'appeler avec la tête que tu as? Paul croirait que je te martyrise.

— C'est important ce que pense Paul?

— C'est mon meilleur ami. Je n'ai que lui.

Je me tournai du côté du mur, je me désolai. « Il n'a que lui », disais-je en me donnant des coups coups dans la poitrine. Je voulus braver le chagrin

— En ce moment, à la seconde même, Marc, nous pouvons tout recommencer. Veux-tu que j'aille chercher des plaques neuves pour toi? Veux-tu que je cherche des mariages, veux-tu que je me renseigne dans les immeubles?

Marc tapa du pied.

— Mon hyposulfite, mes plaques, oui, mes plaques qui seront tachées... Mais qu'est-ce que tu voudrais à la fin? Un homme, Thérèse, ça va, ça vient, ça se lève, ça se couche, ça dort. Tu entends : ça dort, ça se repose, ça se sent libre. Tu ne le savais donc pas?

— Je l'ai oublié. Je ne veux pas te quitter. Dis-moi : va me chercher ceci, va me chercher cela et tu verras comme je courrai. Devenir ton garçon de courses, ton petit télégraphiste...

— J'ai compris.

— Pourquoi n'ouvrais-tu pas, pourquoi te cachais-tu?

— Je travaillais. Il a fallu que tu viennes me relancer, il a fallu que tu viennes ameuter l'immeuble.

348

— Je voudrais entrer... Je voudrais m'asseoir à votre table. Tu veux?

— Elle dort.

Marc recula. Il protégea la poignée de leur porte.

— C'est insensé. Ta mère te déteste. Liliane se fiche de toi. Tu n'existes pas pour elles.

Marc cacha son visage dans ses mains.

— Quand je t'ai appelé, tu as mis la chaîne.

— Je travaillais.

— Tu voulais me torturer.

— Tu nous uses. Je n'ai pas autre chose à te dire.

La sueur coulait le long de ses joues. Je le pris dans mes bras, je me dis que je le massacrais.

— Il faudra en finir, dit Marc.

— Tu voudrais qu'on se tue? Mais alors, tu ne me détestes pas.

Marc sursauta :

— Me tuer! Moi me tuer? Est-ce que tu n'es pas un peu malade? Va chez toi, va te calmer.

— Chez moi?

— Je veux la paix, dit Marc, et je l'aurai.

— Allons, ne joue pas les durs! Tu n'es pas vraiment fâché?

— Tu m'emmerdes, dit Marc.

Je cherchai ses mains pour les couvrir de baisers.

— J'avais un laboratoire, tu me l'as pris. Je travaillais librement dans la chambre, tu m'as pris la chambre. Tu m'as tout pris.

Je me mis à pleurer.

Marc recula, il s'adossa au mur, il s'installa. Il me fixa, il se détendit, il rajeunit. Mes larmes : de l'eau de Jouvence pour son âme et pour son visage. Marc croisa les jambes, il appuya seulement son épaule au mur, sans se défaire de mes yeux pleins de larmes. Son visage devenait palpitant, fragile comme la rose sous l'églantine. Ses rides, ses vieilles ruses, son amertume, ses moisissures de solitude disparaissaient. Des larmes de mercure roulaient sur mes joues pendant que Marc me regardait ainsi. J'aurais pleuré vingt ans pour qu'il devienne la plus simple des fleurs de toutes les prairies de France. J'étais le ciel, j'étais la pluie et je pleurais pour le jardin que j'embellissais.

Être désespérée ne veut pas dire qu'on n'espère plus. Je me soulageais d'un surplus de chaleur, d'un surplus de fougue. Marc bougea comme nous bougeons, pendant que nous faisons l'amour. Je pleurai jusqu'à ce que son visage embellît, jusqu'à ce que douceur et lumière apparussent après le plaisir. Je me souviens de la coulée de clarté sur son front, des étoiles dans ses yeux. Nous avons fait de grands et mystérieux mariages dans la vallée des larmes.

Mais tout de suite, il les renia :

— Quelle plaie! dit Marc. Mes clichés seront fichus.

— J'ai faim, Marc.

— Pourquoi n'as-tu pas mangé?

— J'ai faim. Ne me demande rien.

— Va chez Ricardi. Ils servent à toute heure.

— Je n'irai pas. Un sucre, seulement un sucre pour le croquer près de toi.

— Il y a une malade dans cette maison, **une** malade qui se repose, une malade dont le sommeil est léger, et toi qu'est-ce que tu veux? Croquer du sucre, du sucre qui est dans le buffet, de l'autre côté du mur. Tu veux qu'elle s'éveille, qu'elle ait peur. Tu veux l'achever. Du sucre. Pourquoi **du** sucre? Descends. Entre dans un café, ou bien va dans la chambre et vide le sucrier si ça te plaît. Prends garde. On le paie, ce qu'on fait.

Marc allait et venait dans l'entrée. Il grinçait des dents.

— Je veux que ce soit toi qui me le donnes.

— J'éveillerais maman.

— Tu éveillerais maman.

Je tombais à genoux. Il me heurta malgré lui.

— Donne-le, donne-le...

— Est-ce que tu vas me foutre la paix? Est-ce que tu vas te taire? Je te le donne, je te le donne. Je t'en donnerai dix si tu veux.

Il ouvrit la porte de leur salle à manger avec brutalité, il renversa une chaise.

— Elle dormait si bien, dit-il.

J'attendais à genoux.

— Plus bas, encore plus bas, toujours plus bas, chuchotaient les roses étiolées de leur tapisserie.

— Le voici ton sucre, mais ce n'est pas pour toi. C'est pour la paix de maman, c'est pour le sommeil de maman. Lève-toi, croque et va-t'en.

Du givre, ma misère fondante, fondait sur ma langue.

Il se tourna, il s'arracha à ses réflexions.

— Maintenant, tu files.

— Je ne partirai pas. Je t'aiderai.

Il me prit sous les bras, il me traîna sur le plancher.

— Au secours! Je ne veux pas le quitter. Je ne veux pas quitter Marc, au secours!

Il me lâcha :

— Toi, les femmes t'ont détraquée.

Sa remarque ne m'effleura pas.

— Jusqu'à quand vas-tu nous crever?

Il fit les cent pas dans l'entrée.

Je reculai jusqu'à la porte de leur salle à manger, je glissai dans les délires habituels :

— Ta taille de jeune fille, tes mains d'adolescent, ta légèreté de danseur...

— Tu n'as pas honte!

— Ta taille fine... Ma déesse, ma statue devant le feuillage...

— C'est ça, parle, parle. Si tu crois m'étourdir!

352

Il s'adossa au mur, il ferma les yeux. Son masque douloureux me désaltérait.

Je m'approchai de Marc. Je cherchai les cigarettes, le briquet dans les poches de son veston. Il tendit son visage, il entrouvrit les lèvres. Il fumait sans voir comme lorsqu'il en avait donné plus qu'il ne pouvait et que je lui allumais cigarette sur cigarette après que nous avions fait l'amour.

— Si tu y tiens tant, viens.

Je le suivis dans la cuisine.

— Merci, Marc, merci. Tu me laisses entrer. Merci. Je me tairai, je te regarderai, je m'empêcherai de respirer. Merci.

— Tu te contenteras de la lampe témoin, dit-il.

La lumière de la lampe témoin au-dessus des cuves à permanganate était louche. L'eau du robinet avait continué de couler sur les clichés.

— Pleure. Pleure encore.

— C'est de bonheur. Je te vois, tu me supportes.

Marc plongea ses bras jusqu'aux coudes dans les cuves.

— Tu ne comprends pas, Marc. J'ai besoin de toi.

— Je boulonne.

— Oui, Marc.

Il sortit un cliché de la cuve, il le regarda à la lueur de cette lampe témoin. Il replongea le cliché dans le bain.

— Je peux m'approcher? C'est le mariage de ce midi?

— Oui, de ce midi!

— Tu crois que tu auras une grosse commande?

Marc sortit les clichés qu'il plongea dans un autre bain.

— Moins près. Je me fais comprendre? Je dis moins près.

— Si tu voulais... Je te les paierais toutes ces photographies... Tu n'aurais pas besoin de développer. Nous irions au cinéma, dans un bar, dans une cabine où nous écouterions des disques.

— Je ne mange pas de ce pain-là, dit Marc.

— Demain tu travaillerais. Je ne peux pas me retenir, mon amour.

Je couvris de baisers le bas de son pantalon.

— De l'espace, du large! Va dans ton coin! Mes clichés viennent trop vite.

— Tes clichés viennent trop vite. C'est ma faute. Veux-tu que je les remue? Je ne prendrai aucune initiative. Tu commanderas. Je ferai de mon mieux.

Marc se pencha encore sur les cuves : il sortit les plaques noires et blanches, il les plongea dans la cuvette au-dessous de l'eau courante.

— Les esclaves, ça m'a toujours répugné, dit-il.

— Je peux apprendre et quand je saurai...

354

— Je te l'avais dit que mes clichés venaient trop vite. Il faut que je les replonge.

— Plonge-les, Marc, plonge-les, plonge-les...

— Tu t'en fous. Tu me dis n'importe quoi.

— Plonge-les, Marc, plonge-les...

Je lui dis que je l'aime dans une langue qui ne l'impatientera pas.

— Je ne peux tout de même pas leur proposer des têtes d'adjudants. C'est trop dur, ça vient trop noir. Il faut que je les affaiblisse. Il faut que je les plonge dans le permanganate.

— Je peux voir? Je te donnerai mon avis.

— Non. Il faut que je les rince encore à grande eau.

— Tu crois que ça s'arrangera?

Je me traînai derrière lui, je serrai son mollet dans mes bras.

— Ne m'aime plus, dit-il. Il faut qu'ils viennent en douceur ces chameaux de mariés.

— Travaille, Marc, travaille et ne fais pas attention à ce que je fais. Ne pense qu'à ta commande...

J'abaissai sa chaussette de fil, je caressai son mollet, j'idolâtrai sa cheville.

— Je veux fermer l'eau! dit-il.

Il me donna un coup de talon sans le vouloir. Il m'écrasa la main; je poussai un rugissement de plaisir.

Marc ferma l'eau, il m'aida à me remettre debout.

— Mon pauvre bonhomme... Ton pauvre manteau, tes pauvres cheveux... Il faut voir un médecin. Tu y laisseras ta santé.

— Non, Marc, non, Marc... Sois moins gentil, je ne suis pas malade.

Il m'observa comme on observe un épileptique quand la crise est finie.

— Je vais rentrer dans la chambre, je vais t'attendre. Travaille sans t'inquiéter. Je t'attendrai.

Il me promit qu'il me retrouverait dès que les épreuves photographiques seraient collées sur l'album.

Marc remit la chaîne de sûreté après que j'eus refermé la porte.

Une vieille femme dans l'escalier me rendit mon salut et mon sourire. Son ignorance me réconforta. Je traversai les rues à grands pas de vicaire, je rêvai de ce rendez-vous que j'avais avec Marc dans notre chambre, je m'engouffrai dans notre rudiment de cuisine, j'allumai le gaz. La chaleur eut la force d'un alcool bu à jeun. Je m'accoudai sur le réchaud, je pris un bain d'optimisme.

Je sortis de la cuisine, j'ouvris le livret de famille à la page Enfants, je comptai les feuillets suivants. Il y en avait six en tout et c'était vacant pour douze nouveau-nés. A chaque page un trait vertical séparait la naissance du décès. Au-dessous de né le... et décédé le... « L'Officier d'état civil » imprimé en italique résistait : au-dessous de la vie et au-dessous de la mort. A la suite de ces douze naissances hypothétiques, il y avait un avis important : « Si les paupières de l'enfant sont ou rouges ou enflées ou collées, si elles laissent suinter du liquide ou du pus, sachez qu'il ne s'agit pas d'un courant d'air mais d'une maladie grave. »

Il faisait trop chaud dans la cuisine, les murs avaient des yeux souffreteux et des larmes malsaines. « Tu te vois affublée d'un enfant aveugle? Est-ce que tu te vois affublée de ça? » me demanda la voix de ma mère. Je remis le livret à sa place : entre un petit et un gros dictionnaire.

Mon enfant viendra à six heures, pas plus tard viendra mon petit avec les épreuves qu'il aura développées. J'espère qu'il n'aura pas de clef, qu'il frappera à la porte et qu'ainsi mon petit me donnera trois coups de pied dans le ventre. Quand Marc réapparaîtra, c'est mon petit à naître qui remuera. Un enfant de Marc ne serait qu'une reproduction. Faisons notre toilette pour l'aimer avec plus de fraîcheur, attendons-le dans les moindres replis de ma peau. Son linge... Où a-t-il mis son linge?

J'enfouis mon visage dans le pyjama de Marc, je le respirai à en perdre le souffle. Je me droguai avec l'odeur : je me crus veuve. J'ouvris les yeux : la chambre était désaxée, un cercueil avait

357

été enlevé. « Il vit, dis-je dans les profondeurs du pyjama, il vit », dis-je comme si c'était un mystère. Je l'attendis, hébétée, je l'attendis pendant trois heures près de la fenêtre.

On frappa deux coups légers. Mon cœur devint fou. Mes entrailles me disaient : « Crois-nous : c'est lui. »

— C'est Marc, dit-il derrière la porte.

Marc entra dans la chambre. Il tenait un paquet soigné et ficelé. « C'est une visite que je reçois. Il n'habite plus ici », me dis-je avec effroi.

— Viens, dit-il. Nous allons livrer.

— Montre-moi la mariée de ce matin...

— Vous y tenez vraiment, madame?

— Je veux voir de près celle à qui tu arrangeais le voile.

— Vous l'avez vue ce matin?

— Ne revenons pas là-dessus.

— Quel raffut ils font dans l'escalier, dit Marc.

Les écoliers l'agaçaient. Oui, Marc avait de grandes ambitions de rajeunissement.

— Vous êtes calme, madame. Vous êtes redevenue raisonnable. Pour me plaire, soyez simple. Je ne vous en demande pas plus. Comme vous êtes sage. Vous vous taisez. C'est bien.

Je ne peux pas parler. Je vomis ce qu'il me dit.

— Quel désordre! dit Marc. Que cherchiez-vous dans le placard? Moi je cherche mon canif. Impossible de mettre la main dessus.

358

— Ton canif est dans le tiroir.

— Je vous fais un beau placard en ordre, dit Marc.

Son gâtisme m'envoûtait. L'amour, c'est aussi de la pitié incrustée.

— L'ordre, c'est quand même une bonne chose, dit Marc.

Il traversa la chambre en me souriant. Il était content de lui.

— Pourquoi as-tu mis ma boîte aux photos sur la table?

— Je les ai brûlées.

— Tu les a brûlées? Tu es folle?

Il ouvrit le carton à chaussures, il regarda sans voir la photographie de Léone collée au fond, il lança le carton sur le lit.

— Où sont-elles?

— Dans le poêle.

Il souleva le rond avec deux doigts, il se tourna de mon côté. Son visage était hagard.

— Dis-moi que tu les as cachées.

— Non, je les ai brûlées.

Le rond tomba sur le poêle.

— La gare Saint-Lazare aussi?

— La gare Saint-Lazare aussi.

Il sanglotait sans larmes.

Il souleva encore le rond. On entendait au plafond le roulement d'une machine à coudre. Marc avait frotté ses chaussures avant de me retrouver,

Marc était venu avec ses petits miroirs. Le rond tomba sur le marbre et tourna sur lui-même. Je voulus le ramasser.

— Inutile. Ne te baisse pas, dit Marc.

Il m'arrêta avec la pointe du tisonnier.

— Je verrais les cendres si c'était vrai.

— Les cendres se seront envolées dans la cheminée. Pourquoi ai-je fait cela? dis-je tout bas.

Je partis au fond de la chambre et comme lui je sanglotai sans larmes.

— La boîte, je te prie, qui est sur le lit et le petit balai dans le placard, dit Marc.

J'obéis.

— Attends que je sorte le tiroir, dit-il.

Je me tenais devant lui, inutile et encombrée, avec une chose dans chaque main.

Il s'agenouilla devant le poêle. Marc avait brillantiné ses cheveux, il avait changé de chandail. J'évitais de le frôler. Je gardais mes distances. Ma docilité me déprimait.

— Maintenant donne la boîte, dit Marc.

Il leva les yeux parce que mes mains tremblaient.

— Il faut enlever la photographie. C'est Léone, dis-je.

Marc ne répondit pas. Il vida le tiroir de cendres dans le carton à chaussures, sur la photographie de Léone. Il me reprit la boîte.

— C'est le poussier que tu as mis dans le carton. Les cendres se sont envolées.

— Tais-toi, dit Marc.

Je lui tendis le ramasse-poussière. Marc balaya autour du poêle avec le balai de crin vert, il amena le surplus de cendres dans le ramasse-poussière qu'il vida dans le carton.

— Est-ce que tu peux faire un nœud coulant? demanda Marc.

— Je veux bien essayer...

Il déposa le carton sur la table. Marc sauta devant le placard, il prit la pelote de ficelle, les ciseaux. Il me les donna :

— Alors, fais-le, et noue solidement la ficelle autour du carton.

— Je ne crois pas que je pourrai...

Il rangea le balai dans le placard. Il n'en parlait plus.

— Je ne peux pas, dis-je.

— Assieds-toi, mets la boîte sur tes genoux, dit Marc.

J'obéis. Marc chiffonna du papier, il alluma le poêle pendant que je nouais la ficelle autour du carton.

Je me jetai dans ses bras :

— Je te demande pardon. Oh! comme je te demande pardon...

— N'en parlons plus, dit Marc.

Mais il avait l'air de me dire : « Ce sont nos

cendres, ma fille, que tu as mises sur la table. »

Je partis de ses bras. Je me sentais plus coupable qu'avant.

Marc prit une pelletée de boulets dans le coffre à l'intérieur du placard.

— Je vais te montrer les mariés, dit-il.

— Nous ne livrerons pas?

— Je verrai, dit Marc.

— Je vais mettre mes gants? dis-je.

— Pourquoi tes gants?

— Pour tourner les pages de ton album.

Il sortit l'album du papier neuf. Je m'assis près de lui sur le lit, avec mes gants de daim noir.

Marc avait relié les feuillets de l'album avec du cordonnet de soie blanche. C'était nuptial, c'était délicat. Mais il avait serré le nœud avec ses doigts d'homme. Il avait fait aussi un double nœud à chaque extrémité, ainsi la soie ne s'effilochait pas. Je palpai avec mes doigts gantés les boules qui avaient la douceur des chaussons de chair, de ces gommes angéliques sous les pattes des chats. J'eus l'illusion que le cordonnet de soie me pardonnait.

Marc tourna une feuille blanche.

— Le marié et la mariée, annonça Marc.

— Oui, oui...

Il mit l'album sur mes genoux.

Je les regardais autant que je pouvais, mais je voyais sur leur visage ce que j'avais détruit dans le poêle. Je me suppliais de ne pas sangloter. Je demandais force et courage à l'image de cette enfant que j'avais vue de loin à midi. Elle avait des yeux rêveurs sous de gros sourcils sensuels. Des fleurs fixaient son voile, emplissaient ses oreilles.

— Sa robe est simple, sa robe me plaît, et toi? demanda Marc.

— C'est une bien belle robe, dis-je en m'étranglant.

Le petit pied de la mariée se soulevait et se montrait pour mieux poser devant l'objectif.

— La tresse...

— Quelle tresse? demanda Marc.

Je la montrai avec mon index de daim noir. La tresse : mes remords qui s'entrecroisaient sur du satin. La tresse, exquise geôlière. Elle emprisonnait et entourait le cou. L'épaule sous la manche kimono était chaste. L'épaule ne ferait jamais le mal. Une larme coula sur mes lèvres, une larme disparut dans ma bouche, passa inaperçue. Le tulle du voile mettait l'épaule de l'épousée dans un berceau.

— Quelle gentille petite fille, dit Marc. Ce n'est pas ton avis?

— Oui... je pense comme toi.

Mes lèvres tremblaient.

— Tourne la page, dit Marc.

— J'ai peur de salir.

Il tourna le feuillet de l'album.

— Tu lui avais mis son voile sur le devant...

— C'est le pli de la robe que j'avais arrangé, dit Marc.

— J'aurai rêvé.

La virginité du tulle s'étalait. D'un hyménée, les pavés recevaient frôlements et caresses. Sur le côté, un monsieur, chaussures de bottier, chamberlain — houlette de dandy —, un monsieur venu à la bénédiction se sauvait.

— Qui est-ce?

— De la haute, dit Marc.

Les mariés avaient tourné la tête pour la deuxième pose. Ils se regardaient et se souriaient. De profil, les mariés étaient niais. J'enlevai mes gants.

— Tourne, tourne la page, dit Marc.

Je rendis l'album à Marc pour ne pas le mouiller. Je me jetai dans ses bras :

— Je regrette... Je regrette tout ce que je t'ai fait!

— Les larmes. Encore les larmes. Toujours les larmes, dit Marc. Viens!

— Nous allons livrer? Tu veux bien m'emmener?

— Je ne veux pas livrer. Je veux faire l'amour, dit Marc.

Il m'empêcha de me dévêtir. Il éteignit.

Au début, j'étais si triste que je sentais en moi le mufle du désespoir qui me fouillait. La ceinture de chaleur orange du poêle nous éclairait. Le sexe ocre entre le bord à bord du pantalon gris me fascinait.

Je m'endormis sur Marc. Sa voix m'éveilla :

— Tu es lourde, dit-il.

Il me fit basculer contre le mur. La chambre sentait le gaz carbonique.

— Le feu est tombé. J'ai soif, dit Marc.

— Et moi j'ai faim. On n'entend rien...

— Tu sais l'heure? dit Marc.

Il mit sa montre-bracelet sous mes yeux. Il craqua une allumette. Il était minuit moins dix.

— Pendant tout ce temps! dis-je, reconnaissante.

Il n'y eut pas d'écho dans la chambre.

Marc se leva. Il alluma quand il eut mis de l'ordre dans ses vêtements.

— Tu as dormi?

— Je t'ai laissée dormir, dit Marc.

Il disparut dans la cuisine. Il fit couler l'eau et le bruit de l'eau dans la cuvette rajeunit la soirée. Je me levai, je remi s aussi de l'ordre dans mes vêtements.

Marc revint dans la chambre avec la bouteille de vin : il avait une sale mine. On eût dit ses joues poudrées avec les cendres dans la boîte.

— Tu veux boire? dit Marc.

— Une larme, seulement une larme.

C'était pour lui plaire que j'acceptais de boire avec lui à toute heure du jour et de la nuit ce vin d'Algérie, ce coup de massue. Je voyais Marc de plus près en buvant ce qu'il buvait.

Je ramassai une escarbille. Mon ventre défriché était endolori. J'avais quatorze ans, c'était le premier jour des règles. Je pris un croûton sur la cheminée :

— Une Gauloise, une gorgée de vin, une bouchée de pain... Je ne suis pas exigeante.

— Quand on se sent léger, on n'a besoin de presque rien, dit Marc.

— Tu ne te sens pas léger?

— Non, dit Marc.

Ses yeux cernés m'attendrirent. Je connaissais l'origine de ces deux coups de pinceau. Si je lui dis que je le vois nu, sortant d'un flot de coquillages, non, d'un flot de cailloux... Si je lui dis qu'il est ma Vénus des graviers, il se fâchera.

Marc but deux verres de vin dans un verre à bière.

— Je m'en vais, Thérèse.

— Tu t'en vas où?

— Je suis fatigué. Je m'en vais. Je veux me reposer, je veux partir.

J'attendis qu'il finît de ranger la bouteille et les verres dans le placard.

— Je ne comprends pas ce que tu me dis. Tu viens de te reposer et nous allons nous coucher, dis-je.

Marc fit signe que non.

366

— Je ne coucherai pas ici cette nuit. Je te verrai demain.

Il baissa les yeux, mais il était sûr de lui. Il se mouilla les lèvres.

— Je comprends de moins en moins.

— Il faut que tu comprennes. Ni cette nuit ni les autres nuits, dit Marc.

Ses yeux étaient actifs. Il se mordit les lèvres. Son visage redevint énergique.

— Cette nuit et les autres nuits où seras-tu?

— Dormir, dit Marc, je veux dormir.

— Pourquoi pas ici? Où?

Marc alluma deux cigarettes avec son briquet de fer-blanc.

— Chez maman. Chez Liliane, dit-il en refermant le briquet.

Je pris la cigarette, je l'écrasai dans le cendrier.

— Dans la chambre de maman ou dans celle de Liliane?

— Dans leur débarras, dit Marc.

— Elles ne voudront peut-être pas de toi.

Il me regarda par en dessous :

— Elles voudront.

— C'est à cause des photos?

— C'est à cause de tout, dit Marc.

Il éteignit sa cigarette entre ses doigts. Je crus le mauvais rêve fini.

— Pardonne-moi. Je ne recommencerai plus.

— Je t'en prie. Je vais dormir. Je reviendrai demain.

Je lui pris la main, je l'enfermai entre mes mains glacées.

— Non, ne le fais pas... Tu verras, tout va changer.

Marc retira sa main :

— Non! Il faut que je dorme, mais je ne dormirai plus ici.

— Pourquoi, Marc, pourquoi pas ici? Qu'est-ce que je t'ai fait?

Marc me regarda. C'était gênant.

— C'est une question de santé, mon vieux. Pour toi comme pour moi. Nous tomberons. Il y a des moments où je me sens vide, vide... Je me lève, je suis flapi. Je me couche, je suis flapi. Ça ne tourne pas rond. Que veux-tu que je te dise!

Mon cœur me donna deux gros coups entre mes seins comme si Marc me disait deux fois adieu.

— Écoute, Marc...

Je gémis puis je me secouai. Je peignais mes cheveux à deux mains.

— Parle, mon petit, parle. Si tu pouvais devenir raisonnable, dit Marc.

— Écoute, Marc... Je te le promets : je ferai attention à ta santé. Demain si tu veux te reposer, je quitterai la chambre toute la journée. Ne te fâche pas... Je te dis que je quitterai la chambre. Je reviendrai avec des coquilles Saint-Jacques de chez Prunier. Je te servirai... Avec un bocal de framboises du quartier de la Madeleine... Nous aurons chaud, nous serons heureux.

Marc soupira. Le soupir finit en plainte de colère. Il se domina :

— Tu ne veux pas comprendre, tu ne voudras jamais comprendre, dit Marc en élevant la voix.

Il se mit à marcher dans la chambre, il se mit à le dire aux quatre murs : « Mais pourquoi ne veut-elle pas comprendre? »

— Je ne veux pas qu'on me quitte, dis-je tout bas.

Marc n'entendit pas. Il me prit par les épaules :

— Pourquoi ne veux-tu pas comprendre que j'ai besoin de tranquillité?

— Je ne veux pas que tu me quittes.

Marc retira ses mains avec rage.

— Évidemment. Tu ne veux pas que je te quitte et moi j'y laisserai ma peau. Tu ne te le dis pas? Eh bien, non! Je m'en vais.

Je courus me mettre devant la porte.

— Tu ne vas pas faire ça? Tu n'oserais pas. Qu'est-ce que je deviendrais? Demain, nous irons respirer à Saint-Lambert. Tu aimais Saint-Lambert...

— Non, mon vieux, non! Je pars et je serai ici demain matin.

Marc prit l'album sur le lit et la boîte de cendres

sur la table comme s'il était venu en visite, comme s'il repartait.

— Je t'ai épousé pour que tu ne me quittes plus. Nous sommes mariés, criai-je.

— Laisse-moi passer, dit Marc avec calme.

Il s'approcha. J'ouvris les bras, je les mis en croix sur la porte. Marc respirait fort. Son souffle éventait mes lèvres.

— Tu te décides?

— J'en mourrai si tu me quittes.

— Je veux dormir. Ça te dépasse? dit Marc.

— Je me tuerai.

Il mit le carton et l'album sous son bras.

— Tu me laisseras passer!

Il m'arracha de la porte, il m'envoya sur le lit avec une force que je n'avais pas devinée jusque-là. Il ouvrit les deux portes comme un fou. Il se sauvait.

Je courus sur le palier, j'eus le temps de me jeter à ses pieds. Déjà il tenait la rampe de l'escalier, déjà il avait levé le col de son veston.

— Je comprends pourquoi j'avais la crève. Il neige, dit-il.

Il me repoussa avec son pied comme nous repoussons un mendiant la nuit, dans ses paquets de chiffes. Marc s'envola dans l'escalier. Je me disais que j'avais épousé un assassin, je me disais qu'il aurait froid et que je ne pouvais pas lui donner sa pèlerine.

Son pas dans la cour. Je m'élançai vers la rampe graisseuse que j'embrassai. Mon baiser fut une grimace d'amour : je ne voulais plus entendre le pas de Marc. La porte d'entrée se referma, un chagrin généreux comme une pluie d'orage me terrassa. Je m'affaissai, je pris deux barreaux de fer dans mes bras. Je ne sentais plus rien, je n'avais plus personne. J'ouvris mes yeux brûlés et usés : le tapis de haute neige qui couvrait la plate-forme aux rats éclairait la fenêtre dans l'escalier. Je me mis à pleurer comme pleurait le silence. Je rentrai dans la chambre, je vis sur la cheminée les deux petits fours desséchés que Marc avait chipés pour moi à un repas de noce : je les rongeai. C'était du sable sucré que je crachai sur le poêle. Je voulus me laver les yeux mais la pèlerine pendue au clou m'attira. Je m'enveloppai dedans sans l'enlever du clou. Le parfum de sa brillantine, le parfum de son tabac, l'odeur de son veston, l'odeur de sa nuque, comme des chacals me déchiraient. Sa pèlerine lui était fidèle tout en étant prête pour n'importe qui. Ce fut intolérable.

Je descendis dans la rue. Il neigeait sur Paris, les flocons taquinaient mon front, les uns s'affaiblissaient, le ciel menaçait mes épaules, de la mousse crissait sous mes pieds, de l'ouate fondait sur mes doigts. Je vivais mon agonie cotonneuse, mon suaire tourbillonnait dans mes cheveux. J'allai vers la station de métro la plus proche. Un banc, toujours en disgrâce, avait été changé en banquette de fourrure aux reflets de cristal. La neige dans l'entrée du métro était de l'eau noire, les grilles à demi tirées. J'entrai avec le roulement royal d'un train. Aucun voyageur ne vint. Il était une heure moins dix. J'avais trouvé un bout de papier défraîchi dans mon porte-billets, j'attendais l'employé qui fermerait les grilles. On avait éteint dans les couloirs et dans la cage aux tickets. Le train suivant s'enfonça dans les souterrains. Il n'y avait plus de voyageurs. Le personnel se disait bonsoir de quai à quai.

— Monsieur, dis-je aussi, j'ai un domicile à deux pas, mais il me faut écrire ici, tout de suite. Prêtez-moi votre crayon.

— Il y a quelque chose qui ne va pas?

J'écrivis sur mon papier : « Je t'attendrai jusqu'à cinq heures du matin. Je me tuerai si tu ne viens pas. » Je remerciai l'employé, j'espérai. Je repartis vers la maison de ses parents, je me racontai qu'il neigeait des duvets.

Un car de police tourna à l'angle de la rue Jean-Macé et de la rue Jules-Vallès. J'entrai dans leur maison : l'immeuble était un bloc de sommeil, le ciel me menaçait encore de son poids. Je n'osai pas glisser mon petit papier sous leur porte. J'avais dans la gorge le repos de cette maison raisonnable et ce repos m'étouffait. Une heure un quart du matin tomba insouciant. C'était le temps cristallin d'une pendulette. Je m'assis sur la première marche de leur escalier, je respirai l'odeur rance de mon manteau. On vint avec lourdeur dans les escaliers. Je n'eus pas la force de me lever et de me dissimuler. J'espérais que le pas las d'un homme qui se rapprochait me supprimerait, que ce serait un tank fatigué qui m'écraserait. Cet homme frôla mon genou, une lampe de poche m'éclaira. Le gardien de la paix en uniforme s'excusa.

— J'apporte un petit papier, dis-je.

Le gardien braqua sa lampe du côté de leur porte. Je glissai mon papier. Je descendis. J'attendis cinq minutes et remontai. J'écoutai à leur porte. Silence. Je m'assis sur leur tapis, je ne me dis que Marc avait trouvé mon mot, qu'il allait ouvrir et me prendre dans ses bras, qu'il soulèverait une loque, qu'il la changerait en statue d'ébène. Marc n'ouvrait pas. Je m'enfuis après avoir gratté avec mes ongles le plancher sous la fente de leur porte. Marc n'avait pas ramassé mon papier. Il dormait. L'innocence de ce paquet de viande me désespérait. Il fallait rentrer dans la chambre et j'y allai comme un malade va à pied dans une salle d'opération.

Mettre de l'ordre dans la chambre, mettre tout

de suite de l'ordre dans la chambre. L'ordre est une bonne chose. Il l'a dit à la fin de l'après-midi. Fin de l'après-midi dont je me souviens : cela gonfle comme du levain. Fin de l'après-midi : gonflement de ma lèvre supérieure sur laquelle tomberont mes larmes. L'ordre dans la chambre sera clarté. Cette clarté éveillera Marc. Marc va revenir, Marc jettera mon petit papier. Il vit. Il ne veut pas que je sois la veuve d'un vivant. Le silence me donnera le vertige si je ne parle pas dans la chambre. Je dis que je range la pelle sur les boulets dans le placard, sur la foule d'abricots funèbres, sur la foule d'yeux couchés. Je suis vêtue de ma tunique de diamants noirs qui attendent Marc. La pelle est rangée. Poussin qui ne dérangeait rien dans la chambre... J'ai peur. Marc voudra venir mais le silence, comme une sentinelle dans sa longue capote de brouillard, l'en empêchera. Marc sortira de leur immeuble mais il se perdra dans le silence. Il neige pour les sept jours de la semaine. Le ciel a de la peine. Marc rebroussera chemin. L'inexorable silence, la sournoiserie d'une armée à l'affût de l'autre côté des monts. Marc est parti, Marc est l'associé du rigide janvier. La neige tombe sur des parements d'hermine, le feu dort sous le silence. Non, ce n'est pas le silence des taupinières avant l'aurore dans les forêts. Les photos que j'ai déchirées sont ensevelies sous une pyramide de silence. « Reviens. Je ne suis plus mauvaise. » Il reviendra : je lui mettrai avec mon haleine des compresses chaudes au creux des mains. Est-ce qu'il reviendra?

Je partis de la chambre, je m'en allai espérer dans la cuisine. Je songeai aux rats, j'enviai les damnés à l'abri avec les ordures. J'ouvris la fenêtre : le ciel s'effritait en tristesse et mélancolie, le silence contre les murs de ce coin de la ville était malsain. Un silence, un froid de glacière. Je refermai la fenêtre. Une araignée poursuivit sa route, sur le mur. Elle devait croire qu'il faisait jour. J'éclatai en sanglots : j'éteignis. Je pleurai sur sa brosse à dents, sur son peigne, sur sa brosse à cheveux. Marc ne revenait pas, le feu dans la chambre baissait. Lorsque la neige tombait des toits, je criais : « Que vais-je faire? » Et puis je rentrais dans mon chagrin comme dans une trappe.

J'ouvris le robinet à gaz, j'allumai. Les flammes en fer de lance, le tremblement, la trépidation, cela était encore l'espérance. Je ne me réchauffai pas à cette chaleur qui ferait bientôt pleurer les murs. Je fermai le robinet. Comme la plante du côté de la lumière, je tournai la tête du côté de son rasoir rafistolé. Orgueil de la lame d'acier. « Non, hurlai-je dans la chambre où je m'étais enfuie, non, non... Il ne peut pas ne pas venir... » Le feu n'en finissait pas de s'éteindre. Je soulevai le gril avec le tisonnier de Marc et je restai là à regarder les derniers boulets qui grisonnaient dans les cendres. Je m'assis près de la fenêtre, j'attendis avec la neige sur la toiture du hangar aux poubelles. Une automobile disparut dans un bruissement de boue. Je n'osais pas respirer, je n'osais pas me souvenir, je n'osais pas espérer. Je me levai de la chaise et tâtai le poêle. Il était froid. Une fenêtre s'éclaira et s'éteignit. Je vins me rasseoir près de la fenêtre, j'attendis encore avec la neige sur la toiture du hangar aux poubelles. J'avais du silence dans mes membres, dans ma gorge, entre mes dents, entre mes cheveux. Le ciel écoulait sa neige. Je me pris le front mais le silence sépara mon front de ma main. Enfin je regardai l'heure. Il était cinq heures moins le quart et je ne regrettais rien et je ne me souvenais de rien. Je pris sa pèlerine, je la mis par terre, en bourrelet le long de la porte d'entrée. Je revins dans la chambre, j'ouvris la fenêtre et me penchai pour l'attendre dehors autant que je pouvais. Il neigeait lentement. Je l'attendais et suivais seconde après seconde, la marche du temps sur ma montre, sur les flocons qui tombaient dans la cour. Je me dis que les employés de métro s'animaient, que celui à qui j'avais demandé le crayon dormait. Il était cinq heures deux et je ne me lassais pas de lire Nironax, Ancre 15 rubis sur ma montre en ferblanterie. Je respirai quinze fois jusqu'à cinq heures quatre, je regardai dehors pour voir et je voyais que Marc n'était pas venu, et je voyais que Marc ne viendrait pas. J'avais dépassé cinq heures cinq. Je fermai la fenêtre, je retournai dans la cuisine mais en passant je poussai la pèlerine en bourrelet contre la porte. J'ouvris le robinet à gaz, j'écoutai le bruit ménager dans le brûleur et ce bruit n'eut rien de funèbre. L'odeur tout de suite nauséabonde monta jusqu'au sinus, se logea sous le front, refroidit l'âme, gela ma plaie. J'allumai dans la cuisine, je regardai le cercle de petits yeux vides du brûleur. Ce serait lent, ce serait encore sourdes manœuvres, travaux de patience. Je revins dans la chambre. Je marchais comme d'habitude, je me tenais sur mes jambes comme avant. « Avant quoi? » dis-je tout haut. Le gaz répondit chuuuut. Je me souris dans la glace, je me pris la main, je me conduisis jusqu'à la fenêtre. Le ciel avait repris courage. C'était le même carnaval de flocons serrés, le même silence légendaire. « Elle a ruiné ses frères », dis-je à la neige. C'était une phrase qui me venait de je ne sais où. Pour parler, pour m'entendre. Le gaz redit chut, chut... Je me tournai du côté de la chambre. Je croyais que l'odeur morbide serait un spectacle. Il n'y avait pas d'odeur morbide, il n'y avait pas de spectacle. Je pris mon tube de rouge, je me fardai les lèvres, je calculai que je pourrais me lécher et que je m'en irais avec un goût de framboise dans la bouche. Je rangeai un pyjama, je respirai une dernière fois l'odeur verte du linge propre. Ma houppe tomba sur le plancher : il me semblait que je ne la ramassais pas avec la même aisance. Ma mère soulèvera les épaules. Je soulevai d'avance les épaules comme elle les soulèverait. Je ne mourrai pas et je ne pourrai pas payer la note de gaz. J'entrouvris la fenêtre pour écouter si Marc venait. Je lui dirais : « C'est pour toi que je fais cela. » Il fermerait le robinet, il m'aimerait toujours. Marc ne venait pas. Je retournai dans la cuisine. Les yeux du brûleur avaient même malice, le souffle ressemblait à celui de l'évaporation de l'eau dans une casserole. C'est fade le début d'une asphyxie. Soudain, l'odeur glaciale me chassa de la cuisine. Il y avait progrès. L'odeur me suivit dans la chambre, l'odeur de métallurgie se plaqua sur mon front. L'idée que je pouvais arracher le tuyau de caoutchouc au réchaud et me rattacher plus vite à la mort en mettant son cordon ombilical dans ma bouche ne me vint pas. Je touchai une dernière fois la pèlerine de Marc, je poussai le bourrelet le long de la porte. Quelqu'un tira à lui la porte de notre immeuble. Quelqu'un s'en allait vers le métro de cinq heures et demie du matin. Je fis les cent pas dans la chambre, je crus entendre le roulis d'une chaîne de bicyclette dans la cour mais la cour se reposait. Je ne cessais pas de me dire qu'on ne mourait pas par asphyxie, que les faits divers étaient des inventions. Si je pouvais perdre connaissance, si au même instant il entrait, si je pouvais le reprendre avec de la pitié... L'odeur dans la chambre devenait nauséabonde. Je pris son cahier Job sur la cheminée, je remis l'élastique mais je dus m'appliquer.

— Je m'ennuie, je m'ennuie, je m'ennuie, dis-je aux choses de la cheminée.

J'avais mal à la tête et j'avais peur de la plaque sur mon front. Je m'étendis, l'odeur fut en suspens, la plaque de plus en plus dure. Je voulus pleurer. J'étais vieille, usée, desséchée. Marc ne vient pas et je ne meurs pas. Je me mis debout. Je marchai vêtue, plombée dans une salopette en bourrelets de caoutchouc. Mais je marchais. J'entrouvris la fenêtre pour vivre sainement. Marc va venir. Je ne dois pas partir. La neige me désola Toutes les larmes se ressemblent. Je refermai la fenêtre, je titubai. Je passai par-devant le poêle, mon bras frôla le coin de la cheminée, le cahier de feuilles à cigarettes tomba sur le poêle. Je voyais que j'avais pris notre poêle de douanier dans mes bras, j'apprenais que j'étais tombée. Je parvins à me relever, à remettre le cahier Job sur la cheminée. Je titubai jusqu'au lit mais j'étais fière et rassurée : la mort se décidait. Mes jambes qui s'affaiblissaient rapetissaient, devenaient flasques comme des bajoues. J'étais courtaude, molle, intoxiquée. L'odeur pullulait. « Délivre-moi de cette odeur », dis-je à moi-même. Mais elle m'envahissait comme aucun amant ne m'envahirait. La mort serait charitable : je me quitterais sans me débattre. Je me pris par la main en pensée, je m'entraînai de tunnel en tunnel. Mourir c'était écouter. J'écoutais les rumeurs et le lessivage dans les lavoirs. Je vis la chambre : elle était bleue. Nos meubles étaient partis. Je fus inconsciente.

« Je ne veux plus, je ne veux plus, dis-je en revenant à moi, en me dressant sur le lit : je retombai. Vous en ai-je donc tant fait, Isabelle et Cécile, pour que vous me punissiez ainsi? » Je parvins à tomber en masse du lit, à me traîner, à ramper jusqu'à la fenêtre que j'entrouvris. Je parvins à me tenir en équilibre sur des colonnes de gélatine. J'ouvris la fenêtre, je m'écroulai avec le soleil, avec la neige durcie.

— Au secours, au secours, criai-je à la concierge.

On ouvrait des fenêtres, on se demandait comme je me le demandais faiblement si c'était vrai.

J'eus honte. Je n'avais pas osé mourir. Il faisait froid. C'était sain, c'était énergique. Je repartis en me traînant jusqu'à notre lit.

On enfonça la porte.

— Vous, vous avez fait une bêtise, dit la concierge.

— Je ne sais pas...

Elle jeta la pèlerine de Marc sur mon corps. Je devinais qu'elle me méprisait mais j'étais à l'abri dans la tanière de l'échec. Je vis sous mes paupières ses cheveux gris, sa graisse.

— Votre mari, où perche-t-il? dit-elle en ouvrant la fenêtre.

— Je ne sais pas, madame. Chez lui.

J'eus honte de vivre sans blessure, sans maladie. Je ne voulais pas revoir Marc, surtout ne pas le revoir en public. Des curieux piétinaient sur le palier. C'est fini : nous n'aurons plus de porte à nous, plus de rasoir à nous, plus de cahier Job à nous.

— Qu'est-ce qui vous a pris?

— Je ne sais pas.

Elle me palpait les mains. Il avait fallu tout ce gaz pour réveiller en elle des sentiments maternels.

— Ils vont venir. Je vais les prévenir, dit-elle.

Je perdis mes forces quand elle fut partie. Je voulais mourir de dégoût. Vivre était une trop grande déception. Je disparus.

Ma chaussure tombée de mon pied me fit revenir à moi. Ils allaient et venaient, nombreux et roses dans notre chambre. Les casques en cuivre étaient des miroirs changeants qui se rencontraient. C'était le groupe des sauveteurs.

— Ses pieds ne réagissent presque pas, dit le médecin-pompier en retirant l'aiguille.

Je vis que l'un d'entre eux tenait mes bas et je compris qu'on me faisait des piqûres. Tous regardaient des mollets blancs de suicidée. On avait jeté plusieurs couvertures sur moi et la concierge était parmi eux, mélangé à cette armée. Je me mis sur mon séant. Deux pompiers me recouchèrent. Tous croyaient que je mourrais. J'escroquais les vivants comme j'avais escroqué la mort.

— Je vais bien, je me sens mieux, dis-je.

— Chut! dit le médecin-major.

— Je n'ai pas osé. Laissez-moi, partez.

— Elle divague, dit le médecin.

— Je ne divague pas.

Ils me firent respirer dans un ballon et à mesure que je respirais je me fortifiais, je rajeunissais et m'assainissais. Je levai les yeux : un pompier lisait les titres de nos livres. Notre chambre était tombée dans le domaine public. Je respirais, je respirais. Bientôt j'éclaterais de santé.

— Vous pouvez me laisser, dis-je, je suis guérie.

Deux pompiers m'accompagnèrent jusqu'au cabinet. Ils m'attendirent sur le palier pour me soutenir encore et me surveiller. « Je le reverrai, je l'aimerai, je serai parfaite », me disais-je pendant que je me vidais de tous ces déchets funèbres. Je tirai la chaîne mais je retombai sur le siège et appelai. Ils m'aidèrent à remettre mon manteau sur mes épaules.

Ils m'allongèrent sur leur civière et m'emmenèrent entre deux haies de curieux. Leur dévouement m'affligeait.

La neige s'était changée en boue, le soleil aimait leur casque en cuivre. On m'enferma dans leur camionnette. Je partais avec les pompiers. Je lus sur leur visage pendant le court trajet que ce n'était pas du travail pour des hommes qui attendaient le feu, les exercices périlleux. Je n'osais pas leur demander où nous arrivions. Nous roulions à l'intérieur d'un établissement, nous avions dépassé un porche. J'avais si peur qu'on m'enferme que je n'osai pas regarder. Ils ouvrirent les portes de leur camionnette, on me transvasa d'une civière sur une autre, on m'emmena encore.

— Vouloir mourir! En voilà des folies.

J'ouvris les yeux. L'infirmière qui m'interpellait me déshabillait. « On veut mourir, on se retrouve poupard passant de main en main. » Les pompiers s'étaient envolés, le soleil bleuissait le voile et la blouse amidonnés. Je m'en remis à la chaleur non étriquée de l'hôpital, à l'organisation, au bourdonnement de cette ruche à soins.

— Ne me le prenez pas. Je n'ai que lui. Ne me l'enlevez pas. Je vous dis que je n'ai que lui.

— C'est le règlement, ensuite une désinfection ne fera pas de mal à votre peau. C'est autant de pris sur l'administration.

— Je veux mon manteau. Je n'ai que lui!

— Ne t'occupe pas, elle déraille, dit une autre infirmière qui vérifiait et comptait du linge. Toutes les mêmes : elles veulent mourir, on les sauve et ce sont chaque fois les mêmes simagrées.

Elle m'avait dépouillée. La chemise de nuit de l'Assistance publique était rugueuse.

— Je n'ai mal nulle part, dis-je. Je veux rentrer chez moi. Je pourrai y aller à pied. Je ne suis pas malade, je n'ai besoin de rien.

— Ça, c'est le médecin qui le dira, dit l'infirmière.

Elle m'enveloppa dans une couverture; elle arrangea une deuxième couverture sur le chariot.

Je vivais mais je ne m'appartenais pas.

« Mon pauvre, pauvre petit mignon », dis-je sur le lit d'hôpital, en pensant à Marc, en l'appelant ainsi pendant que je m'accusais. Dans le noir pétillant sous mes paupières, dans mes orbites que je rapetissais pour me concentrer, je revoyais la nuit passée, mes stations sur leur palier, ma navette de notre chambre à leur immeuble. Mon micmac tragique était mort. Comme un terrien qui a, tatoués sur les biceps, des souvenirs de marins, de tempêtes, de tropiques, j'avais, ancrés dans ma peau, mon champ de bataille, le carnage refroidi des heures sinistres. Ma crise se pétrifiait.

— Vous tremblez, dit l'infirmière.

Je craignais que Marc ne vînt pas me voir.

L'odeur de gaz flottait comme flotte l'odeur de poudre à canon au-dessus de la défaite. Je découvrais ce qu'il y avait eu pendant que j'avais attendu l'asphyxie. Il y avait eu, dans la loque couverte d'un vieux manteau, un duel entre vie et trépas. J'écoutais le temps qui me ramènerait Marc, le temps et son indifférence divine. Les malades crachaient, toussaient, se plaignaient, réclamaient. J'étais seule, je l'attendais, je l'espérais.

Une femme stricte, vêtue d'un pardessus d'hôpital, souleva le tableau jaunâtre accroché aux barreaux du lit.

Je reconnus Marc parmi les jeunes gens.

— Marc est venu! dis-je au groupe devant le lit.

Les étudiants en médecine sourirent. Marc ne s'approcha pas.

La doctoresse entra dans l'allée entre les deux lits :

— Avez-vous mal à la tête? me demanda-t-elle.

— Je n'ai pas mal, dis-je en regardant Marc.

Les yeux verts me reprochaient de le regarder.

— Avez-vous mal au cœur?

— Je n'ai pas mal, dis-je en regardant Marc.

Marc eut son tic d'impatience. Un étudiant le dévisagea.

— Avez-vous eu des vomissements?

— Je n'ai rien eu. Je me sens bien.

Les yeux des étudiants disaient : « Vouloir mourir, ce n'est que ça! »

— Vous pourrez manger ce soir, dit la doctoresse.

— Ce sera long. J'ai faim.

La doctoresse rit :

— On vous donnera à goûter.

Les étudiants s'éloignèrent. Marc se retrouva seul devant le lit.

— Je veux m'en aller, madame.

— Pas avant deux jours. Sotte, dit-elle. Ne recommencez pas.

La doctoresse me tenait le poignet :

— Elle n'a rien, dit-elle à Marc. Vous êtes son mari?

Il répondit oui avec la tête.

La doctoresse rejoignit les étudiants. Elle souleva le tableau jaunâtre accroché aux barreaux du lit suivant.

Nous n'osions pas nous parler. Nous échangions nos émois avec nos paupières. « Je serais morte pour ce veston verdâtre », me disais-je avec tendresse.

— Tu as l'air de m'en vouloir, dis-je.

Marc haussa les épaules avec indulgence mais il avait son air buté.

— Tu ne sais pas t'arranger, dit Marc.

386

Il entra dans l'allée entre les deux lits, il arrangea le traversin.

— Tu aurais eu le torticolis demain, dit Marc.

Il ne sut plus quoi dire.

— Tu es fâché? ai-je demandé.

Marc se butait. Il regardait la docteresse qui continuait ses visites, lit après lit.

— On t'a dit que j'avais appelé au secours?

— On me l'a dit.

Marc s'approcha. Il toucha du bout du doigt mes peignes sur le drap.

— Au début je croyais que je pourrais, dis-je.

Marc me regarda dans les yeux :

— Tu aurais pu y rester.

— Je n'ai pas osé. J'ai eu peur.

Son visage se contracta.

— Évidemment tu as eu peur.

— Maintenant je me tourmente pour la note de gaz.

— Pense à te guérir, pense à devenir raisonnable, dit Marc. Ils ont forcé la porte...

— Je sais. Je les ai entendus.

— Tu n'avais donc pas perdu connaissance? demanda Marc.

— Ne parlons plus de ça!

— J'ai réparé la serrure, dit Marc, les serruriers ne sont jamais pressés.

— Tu as revu la chambre?

— Je viens de la chambre, dit Marc. Il fallait que je me rase...

Marc regarda mes voisines. L'une sommeillait, l'autre repoussait les peaux autour de ses ongles. La salle était paisible comme un hamac entre deux arbres.

— Tu ne veux pas me donner ta main, Marc?

Il me la donna, il me la reprit.

— Console-moi, dis-je.

Marc se ferma. Il regarda les taches de lumière sur ses chaussures.

Je chuchotai :

— Assieds-toi, parle, approche-toi. Parle, oh! oui, parle...

Les exigences qui recommencent, me dirent les yeux verts.

Marc s'assit sur le lit. Il était rasé de près. Ma main frôla sa joue.

C'est doux mais je n'espère plus. Je voudrais passer ma vie à le consoler pour me consoler de ce qui m'échappe. Je voudrais passer ma vie à lui tenir la main jour et nuit dans le brouillard.

Je lui caressai la joue :

— C'est lisse. C'est vrai, la chambre ne te faisait pas peur?

— Ils avaient aéré. Ils ont piétiné ta houppe, dit Marc.

Les larmes me montèrent aux yeux. « Thérèse, oh! Thérèse, ne pleure pas », me disais-je.

— Mon papier que j'ai glissé... Pourquoi n'es-tu pas venu comme je te le demandais?

— Je ne l'ai pas trouvé ton papier. Je dormais.

— Est-ce que tu m'as entendue?

— Je dormais.

Une femme de ménage traversa la salle avec la peau, le loup pour les vitres. Elle disparut et je m'empêchai de pleurer. Des infirmières entrèrent avec les morceaux de pain, les quarts de vin.

— Je vais te laisser, dit Marc. J'ai un mariage à midi.

Les infirmières commençaient la distribution. La salle se réveillait.

Je me souvenais. Je m'acharnais. Une heure du matin...

— Je vais te laisser, tu as l'air fatiguée, dit Marc.

... Je revenais du métro avec mon petit papier. Je l'appelais, je me disais qu'il est imposssible de tant aimer pour rien, de tant donner sans recevoir. J'étais désespérée : c'était comme si Marc m'aimait. Son amour me venait de mon chagrin. C'était hier. C'est le passé.

— Comme fruits, qu'est-ce que tu voudrais? demanda Marc.

« Je voudrais vivre toujours en toi », lui dirent mes yeux.

Ce vieux singe, ce vieux cygne ne s'est pas rengorgé.

Marc a demandé :

— Est-ce que je préviens ta mère?

— Non, ne la préviens pas.

— A demain, dit-il.

Il est parti.

Elle viendrait, elle n'enlèverait pas son foulard rouge, elle aurait froid quand elle quitterait la salle. Ses pouces exagérément petits. Je me mords la lèvre, ma lèvre saigne pour ses pouces exagérément petits. Elle me dirait : « Sais-tu ce que tu veux, ma pauvre enfant? On t'enfermera si tu ne changes pas ton fusil d'épaule. Quand on est dans un asile c'est pour longtemps. C'est moi qui te le dis. Ouvrir le gaz! Faire cela à ta mère. Il n'y a pas de plus grand affront pour une mère. Tu n'y as donc pas pensé à ta mère? » J'y pense chaque fois et sur ma prière Marc chaque fois se sacrifie. C'est pour vous que je le chasse comme si c'était l'ordure. Et c'est de la si belle soie. Je ne connais pas l'amour à cause de vous. Tout est de votre faute. L'arc-en-ciel jamais ne prendra son élan dans mes entrailles. Toujours la police dans mes ovaires.

Je suis rentrée deux jours plus tard.

— Je t'ai fait du bon feu, dit Marc. Soulève le rond.

Je n'ai pas soulevé le rond, je ne me suis pas approchée du poêle.

— La chambre n'est plus la même. La chambre, dis-je à voix basse.

— Qu'est-ce qui ne va pas, mon petit? demanda Marc.

Il me prit mes objets de toilette qu'il m'avait apportés la veille. Il s'en alla dans la cuisine.

« Ce n'est pas la chambre », dis-je à moi-même. C'était un rafiot prêt à partir.

— Contente de te retrouver chez toi? demanda Marc.

— Je ne sais pas.

« Contente de quoi »? me disais-je.

— Tu n'enlèves pas ton manteau?

— Tu sais bien que je n'aime pas m'en séparer.

Marc ne devinait pas que je me retrouvais étrangère entre des murs étrangers. Je me sentis très proche et très loin de lui. Non, je n'étais pas dans la chambre. J'étais sur une passerelle entre la chambre et la rue.

Il souleva le rond :

— Quel beau feu quand je veux. Viens voir.

— Non!

Je suis allée dans la cuisine.

— Braves petits, dis-je aux yeux vides des brûleurs, aux robinets qui avaient ouvert le passage à la mort.

Marc tisonna. Il dit dans le bruit :

— Ah! dis donc, qu'est-ce que nous allons faire? J'avais dit à Paul de venir. Il faudrait peut-être le décommander.

— Mais non! Qu'il vienne!

391

Marc cessa de tisonner. Je pris la cuvette dans l'évier. Il faudrait casser dans le cabinet le bloc de glace sur lequel Marc avait uriné. Il l'entendit, il se fâcha. J'ai remis la cuvette dans l'évier, je suis revenue dans la chambre.

— Nous pourrions dîner tous les trois dehors...

Il ne leva pas les yeux. Il arracha une feuille de cahier Job.

— Qu'il vienne ici puisque c'est convenu, dis-je.

Le fer avec lequel il avait tiédi le lit, le fer qui avait passé la nuit avec Marc avait brûlé le drap.

— J'avais froid, je me suis réchauffé, dit-il.

— Tu as bien fait.

Il avait vidé les cendres sur le marbre. Des épluchures de pommes pourrissaient sur la table.

— Je vais nettoyer et mettre de l'ordre, dit Marc.

Je ne pouvais plus me supporter dans cette chambre.

— Sortons vite, dis-je, sortons, nous ferons les courses.

— Mais ça ne va pas te fatiguer?

— Mais non! Je vais très bien.

J'avais hâte de me sentir loin de la chambre. Je poussai Marc dehors.

Dans la rue je dis :

— Qu'est-ce qu'il aime, Paul?

— Il aime tout, dit Marc.

« Que tout est beau, que tout est nouveau, que tout est appétissant », me disais-je.

Les crevettes, le bouquet, rangées une à une en arceau dans la caissette, étaient exposées comme en décembre ces catins de poupées. De la morue empaquetée soutenait la châsse. Le coloris rose qui a du panache assombrissait le lamé, les orfèvreries des bouffis, l'automne orangé sur le cuir du haddock. La morue en souples quartiers avec ses frimas de gros sel me réconforta, l'hécatombe de langoustines désarticulées me déprima.

— Avez-vous des belons? dit Marc.

— Nous ne les vendrions pas, dit le poissonnier. Nous avons des claires.

Nous avons jeté un regard de compassion sur la rocaille des portugaises, sur la mesure en bois noir des moules de Hollande, sur les effilochures à désoler les araignées. Nous avons changé d'éventaire :

— Avez-vous des soles?

— De la limande, des carrelets, de la dorade.

Les harengs ne brillaient pas dans la caisse malgré l'abondance, le glacis de la laitance, le granulé des œufs.

— Je ne peux pas lui donner de la raie, dit Marc.

Je mis mon doigt sur la peau mouchetée de capucine des carrelets.

— Nous avons du thon, je vous le recommande, dit le commerçant.

Le poissonnier couvrit de sa main protectrice la chair sirupeuse. Je touchai le fourreau, les stries, le bronze, les rayons d'argent des maquereaux, je touchai l'ébène timide de l'anguille.

— Il commencera par une queue de colin au court-bouillon, dit Marc.

— Je lui achèterais des belons, des soles, des oursins... Je lui donnerais tout l'iode de la mer si j'étais toi.

— Entre dans la poissonnerie, dit Marc, et ne t'exalte pas.

Leurs bottes, leur tablier sanguinolent m'enhardissaient. Je chipai une branche de persil. La vendeuse sciait la queue de colin.

— Du thym, de l'ail, des oignons, as-tu cela? me demanda Marc.

La tête basse, je lui répondis que non.

Nous avons fait une halte devant la dentelle serrée, le blanc vieillot des choux-fleurs, devant le terreau, l'hermétisme du salsifis, devant la carotte transie d'Algérie.

— Achète-lui des endives belges.

— Ce sont les plus chères.

— Justement!

— Paul se fiche des légumes. Je connais ses goûts.

Nous avons longé les voitures, chaque voiture

des quatre-saisons, avec sa lampe à carbure, avec ses flammes et ses ailettes, avec son clair de lune à elle. Des nègres fixaient les brillants à l'étalage d'une bijouterie.

— Allons voir les poulets, dit Marc.

Nous avons acheté l'ail et le thym à l'homme sans bras. Épouse, mioches, offraient la marchandise, rendaient la monnaie sous sa dictée, fignolaient les trios de têtes d'échalotes après que le client était parti.

Une femme fendit la foule : une fleuriste en faillite qui dialoguait avec une botte de chrysanthèmes.

— Allons aux poulets! dit Marc.

Deux jeunes hommes, deux aveugles, bras dessus, bras dessous, l'un chantant au bout de leur nuit, l'autre faisant sauter et résonner l'argent dans une boîte à cigares, divisaient la foule et, pas à pas, tiraient le câble de la fatalité.

Marc lança une pièce dans la boîte.

— A quoi penses-tu?

— Au dîner de Paul, dit-il.

Son aumône était un souhait.

Nous sommes arrivés près du corail et des holocaustes.

Il y a de la parade militaire et de l'alignement de music-hall dans cette revue des martyrs. Je veux parler des régiments de lapins dépouillés, suspendus à la barre fixe, offrant l'effusion de leurs cuisses ouvertes comme des femelles chavirées. Ces cadavres cuiront à la casserole.

— Ils sont bleus vos poulets, dit Marc.

— Vous avez plus blanc à l'intérieur, dit le marchand.

Je l'abandonnai à ses rachitiques poulardes de Bresse, je hantai le panier qui me fascine, le panier dans lequel la fraternité des têtes de lapins et des chevreaux est sanglante. Je regardai les yeux égarés dans la houle de crânes rouges. Je rebroussai chemin.

Marc hésitait. Il était malheureux.

— Bleu... C'est la viande qu'il veut bleue!

— Tu m'enlèves une épine du pied, dit Marc. Je lui achèterai de l'aloyau.

Il s'accusait d'avoir oublié le nom de la viande que Paul préférait.

La viande, comme les plus beaux bijoux des joailliers, était cachée. Le boucher heurta l'énorme quartier avant d'atteindre la glacière. Le doux tableau... Le jaune d'or, le rose thé, le rouge fuchsia, l'ocre foncé, étaient pris dans la graisse de bœuf. Le doux tableau se balançait comme linons et festons aux fenêtres. Une ambulance s'annonça avec le timbre, avec la candeur du timbre. De la boucherie, je la vis s'engager sous le porche de l'hôpital. Le boucher aplatissait les escalopes avec le couperet. Il nous demanda ce que nous désirions.

— Ce que vous avez de plus rouge. C'est ce qu'il aime, dit Marc.

Le boucher coupa sans hésiter dans la viande persillée. Marc paya. Nous sommes sortis de la boucherie.

Je vis : la brise s'enroule autour de mon cou. Je vis : le jour dans le bois de Vincennes attache son collier de jais à la nuit. Je vis, je respire Paris, j'incendie mon avenir.

— Qu'est-ce que tu lui donneras à boire?

— Du Cepal, dit Marc.

— Du champagne, voyons.

Marc me prit le bras. Je l'intéressais.

— J'ai comme l'idée que tu te fiches de moi et de mon dîner, dit-il. Du champagne! Je ne suis pas Rothschild.

— Tu n'es pas Rothschild mais tu es son meilleur ami.

— Pour ça oui!

Que de terrains vierges il y avait encore à défricher en Marc. Sa bonne volonté était incommensurable.

— Crois-moi : achète-lui du champagne et du bon.

— Sacré bonhomme… Que tu es gentille quand tu veux. Tu ne diras rien à Paul. Tu ne lui diras pas que tu as voulu faire une bêtise, dit Marc.

— Je ne lui dirai rien.

Nous avons acheté le champagne.

— Je te confie la bouteille : ne la casse pas. Presse-toi, dit Marc.

Nous sommes revenus dans la chambre. J'ai mis le couvert, j'ai coupé en biseau les tiges des œillets pendant que Marc vidait la cuvette, enlevait les cendres, couvrait le lit, préparait le repas. Il voulait tout faire et faisait tout avec empressement.

— Je ne dînerai pas.

Marc s'occupait du poisson. Il arriva dans la chambre. Il s'était piqué avec une arête. Il saignait.

— Qu'est-ce qui te prend? Ce sera gentil de dîner tous les trois.

Je jetai un comprimé d'aspirine dans l'eau des œillets. Marc aspirait son sang.

— Non, je ne dînerai pas. J'irai au cinéma.

— C'est ridicule!

— Mais non! Vous serez très bien sans moi tous les deux.

— Il me demandera où tu es. Qu'est-ce que je lui dirai?

— Tu lui diras n'importe quoi.

— C'était trop simple, maugréa Marc.

Il retourna dans la cuisine. J'ouvris la fenêtre, je respirai.

Je vis : le froid est tombé. Je vis : la brise du soir me met des bagues de fiançailles aux doigts. Je vis : les nuits endimanchées des ciels d'été seront à moi.

Je refermai la fenêtre. L'odeur de son tabac ne me troubla pas. Marc était venu sur la pointe des pieds, Marc ne me surprenait pas. Il me semblait que je l'avais trompé avec ce faux automne qui amollissait l'hiver.

Marc se nicha dans mon cou, il joua avec la boucle de ma ceinture. Il me le chuchota à l'oreille :

— Veux-tu que nous fassions l'amour? Après nous nous dépêcherons et nous dînerons tous les trois.

— Ce ne serait pas raisonnable. Paul sera ici d'un moment à l'autre.

L'eau s'enfuit de la casserole. Je courus dans la cuisine, je baissai la pression.

Je me disais que Marc m'avait offert de se prostituer pour la tranquillité de Paul.

Il me demanda les ciseaux, il écouta :

— C'est lui. Je reconnais son pas, dit Marc. Ne lui dis pas que tu as voulu te suicider.

On frappa.

Marc jeta les ciseaux dans l'évier, il se passa la main dans les cheveux, il sourit. Il recevait Paul avant qu'il fût dans la chambre. J'ouvris.

Paul entra sans dire bonjour, il rit sans émettre un son : il avait le vent du large dans la bouche. Paul était venu avec son costume noir d'été. Il réchauffa ses mains à distance du poêle parce qu'il avait de belles manières, parce qu'il voyait que nous l'attendions. Il me serra la main. Il dit :

— Qu'est-ce qu'elle fricote cette fripouille?

— C'est pour toi que je fricotais, cria Marc. Je te préparais un hachis d'ail.

— Bonne idée!

Marc surgit de la cuisine avec la promptitude calculée de l'acteur qui attendait dans les coulisses.

— Comment va depuis ce matin? dit Marc.

— J'ai faim, mon vieux, dit Paul.

Marc avait boutonné avec soin les poignets, le col de sa chemise. Paul regarda, sous l'étoffe que les lavages avaient affinée jusqu'à la transparence, la courbe du maillot de Marc.

Ils ne se serrèrent pas la main. Ils s'étaient quittés une seconde avant sous le bleu prolifique des glycines. C'est cela revoir un ami dont on est sûr.

— Tu grelottes dans cette serge, dit Marc.

— Je ne te ressemble pas, dit Paul. Je n'ai jamais froid.

Marc palpa l'étoffe du revers :

— Je me demande à quoi tu penses pour sortir ainsi, dit Marc.

Nous l'avons vue. Nous n'avons vu qu'elle.

Paul avait autour du cou, en plastron, une écharpe de soie blanche. Ce luxe épais qui devait crisser évoquait l'incendie précieux aux fenêtres de l'Opéra.

— Je l'ai trouvée sur une chaise à midi, murmura Paul.

— Dans l'église? ai-je demandé.

— Dans l'église, répondit Paul.

— Mais elle vient de la place Vendôme, dit Marc. Rien qu'à voir le grain...

— Ou bien de la place Pigalle, dit Paul. J'en vois des caïds dans l'église. Ils vous mettent de ces billets...

— C'est peut-être un riche Anglais qui l'aura oubliée, dit Marc.

— Il n'y a pas d'initiales, dit Paul.

Paul appuya son menton sur la soie. Il la revoyait mais il n'en était pas l'escalve.

— Je peux? demanda Marc.

— Vas-y, dit Paul.

Marc commença de dérouler l'écharpe.

— Assez. Je ne suis pas beaucoup vêtu, dit Paul.

Marc continua. Paul avait le torse nu sous son veston noir, Paul était naturellement bronzé. Marc détourna son regard. Il tenait l'écharpe à deux mains.

— Tu peux toucher, dit Paul.

Marc toucha les franges.

— Remets-la, dit Paul. Je n'ai pas d'ongles et pourtant elle accroche.

J'ouvris la radio. De la musique déferla sur la soie blanche. Marc remettait l'écharpe autour du cou de Paul.

— Je ne dînerai pas avec vous, dis-je entre deux vagues de musique.

— Laisse! dit Paul à Marc. Ça, je peux le faire moi-même. Vous m'avez parlé? me cria-t-il.

J'ai fermé la radio. Marc est allé dans la cuisine.

— Je ne dînerai pas avec vous.

— Quel dommage. J'espérais qu'on ferait connaissance, dit Paul.

— Oui, c'est dommage. Ma mère est souffrante.

— C'est sacré, une mère, dit Paul.

Il me fixait avec bonté. Paul était chaussé de brodequins défraîchis qui ne lui tenaient pas aux pieds.

— J'espère que vous ne m'en voudrez pas. Vous avez toujours été si gentil...

— Vous m'avez vu une fois, dit Paul.

Il leva le col de son veston, il cacha l'écharpe avec les revers. Il devait croire que cette écharpe me faisait dire ce que je ne pensais pas.

Je voudrais lui dire que c'est son détachement qui me torture et que c'est cela qui séduit Marc.

— Vous voulez peut-être rouler une cigarette...

Je me précipitai sur la cheminée. Je tendis le rouleur et le paquet de gris à Paul.

— C'est le photographe qui sait faire ça, dit Paul.

— Du Cinzano blanc… Je ne connaissais pas, dit Paul qui s'approcha de la table.

Marc entra. Il avait entendu.

— C'est nouveau. On n'en trouve pas partout, dit Marc.

— Elle va prendre l'apéritif avec nous, dit Paul. La maladie, vieux, ça ne se discute pas.

— La maladie? demanda Marc.

— Elle m'a dit que sa mère est souffrante, dit Paul.

Marc eut son sourire de canaille désabusée.

Je mis mon manteau pendant qu'ils discutaient Noilly, Vermouth, Martini.

Je suis partie. Dans l'escalier, je suis revenue sur mes pas, j'ai écouté à notre porte : sur la cheminée, un basson philosophait.

C'est l'amour et je ne peux rien leur reprocher. Des filles qui caresseraient Marc me feraient moins souffrir. Ils sont bons l'un avec l'autre; ils se laissent porter sur les ailes de l'amitié. Ils mangeront la queue de colin au court-bouillon, ils boiront le champagne, ils s'appelleront vieille fripouille, vieille branche, ils se tairont, mais ils seront mieux mariés que les autres.

Je sortis de l'immeuble.

Oui, un orchestre, oui, j'ai les trente francs… J'aime Marc. Est-ce que je l'aime encore? Nous n'avons pas de projets, nous n'avons pas d'avenir. « Oui, je me placerai, mademoiselle. — La séance finit à onze heures et demie. — Merci. » Je l'aime : je suis exilée. Je vais m'asseoir entre deux vieilles. J'aime : je suis une personne déplacée. Il ne veut pas que je l'entretienne et il ne veut pas m'entretenir. Je ne veux pas savoir, je ne veux pas chercher si je l'aime encore. Les actualités. Je vais me noyer dans les actualités...

La séance finit à onze heures trente-cinq. Je calculai que Paul devait être parti. Je rentrai lentement à pied pour lui laisser du temps. Notre fenêtre était éclairée. Je vis au bas de l'escalier que notre porte était entrouverte. Je montai, j'attendis sur le palier. Silence et clair-obscur. J'entrai dans la chambre. Ils étaient partis, ils s'étaient souvenus que je n'avais pas de clef. L'un avait mis des pelletées de charbon dans le poêle, l'autre une part de gâteau dans mon assiette et à côté le quart de la bouteille de champagne. Pourtant deux fous s'étaient envolés. Qu'ils étaient adroits, qu'ils étaient innocents... Je ne les prendrai jamais en faute. Ils avaient débarrassé la table mais ils avaient oublié sur la cheminée la soucoupe avec un reste de hachis d'ail. Je contemplai le reste avec la mélancolie d'un homme trompé contemplant la boîte de suédoises que son rival a oubliée. Je bus et mangeai ce qu'ils m'avaient donné : leurs dons manquaient de saveur. Il fallut s'effa-

cer et s'occuper. Je rangeai la chambre, je net-
toyai les verres et les assiettes, je tournai souvent
la tête du côté des œillets. J'avais les gestes ma-
chinaux d'une femme de ménage. J'enlevai le capuchon de la machine à écrire. Quelqu'un qui
rentre chez lui, me dis-je en entendant des bruits
de pas dans la cour. Je changeai le papier carbone,
je me mis au travail avec le détachement et l'assi-
duité d'une recopieuse d'adresses recopiant sous
l'intimité d'une lampe de chevet, sous la protec-
tion du tic-tac de sa montre-bracelet. Je pensais à
ce que j'avais pensé, je me demandais ce que je
m'étais demandé. Non, je ne le quitterai pas. J'irai
au cinéma chaque fois qu'il verra Paul, je m'occu-
perai dehors, nous trouverons deux pièces, nous
ferons chambre à part. Je deviendrai sa souris
énergique. Je trottinerai, il régnera. Je combinais.
Ce n'était pas sérieux. Le quitter? Je n'y crois pas.
Ne pas le quitter? Je n'y crois pas non plus. Je n'ai
pas de forces pour vivre avec lui, je n'ai pas de
forces pour vivre sans lui. Est-ce que je vais
continuer d'arracher chaque instant à sa vie, à la
mienne? Je m'arrêtai de taper, je vis que nos quatre murs étaient épuisés, je sentis que la mort
m'avait servie, qu'elle était repartie avec mes délires. J'avais besoin de tranquillité, j'avais besoin
d'un capuchon de silence sur ma tête, j'avais
besoin de serrer du coton hydrophile dans mes
bras. La mort vous émousse quand vous êtes le

contraire d'un héros. Je mis une nouvelle feuille de papier blanc sur la machine à écrire, je me dis que je recommencerais et continuerais de vivre avec lui, que près de lui j'en serais toujours au lundi 1er octobre. Je ne sais pas, je ne sais plus, soupirai-je. Je quittai la machine et cherchai les douze coups de ce minuit gigantesque à la radio de Londres. Je vis à ma montre qu'il était une heure moins le quart. Je me souvins et me sentis protégée par le temps passé. D'autres souffraient sur le cadran de ma montre-bracelet, d'autres se diraient dans deux jours qu'ils avaient souffert. Je promenais l'aiguille du poste de radio. Il me semblait que l'Europe se taisait, que c'était une faveur, qu'elle me laissait l'espace pour décider si je quitterais Marc ou non. J'entendis un saxo. Il jouait lentement. Je pouvais le décider dans la moelle du saxo. Je ne décidai rien. Je revins à ma machine. Je taperais jusqu'à deux heures. Cela je pouvais le décider.

Le bruit de la clef dans la serrure me fit sursauter. Je me raidis puis je m'assoupis.

— Bonhomme! Bonhomme qui travaille à cette heure-ci...

La femme au foyer le surprenait et le rassurait.

— Bonhomme... bonhomme qui a tout rangé...

Il précisait trop. Il m'amollirait.

— Tu pourrais t'arrêter. Je n'entends pas ce que tu me dis.

406

Il marchait difficilement. Il se cogna au poêle.

— Tu as beaucoup manqué à Paul. Il t'a réclamée tout le temps. Il t'aime bien.

— Oui, Marc.

— C'est vrai, tu sais.

Marc était dans mon dos. Il mit ses mains autour de mon cou, il voulut me troubler. Il me troubla. Je tapais encore à la machine comme une chaste et timide secrétaire.

— Pourquoi étais-tu partie? Tu aurais bien mangé, tu te serais remontée.

Je soulevai les épaules.

Marc appuya sa main sur ma bouche. Je l'embrassai pendant que je recopiais.

— Tu ne t'arrêtes pas? Il est deux heures moins le quart. J'ai raté le dernier métro, dit Marc, et je n'avais plus le sou pour prendre un taxi. Demain est là. Arrête-toi, bonhomme...

Je m'arrêtai.

— Tu ne m'en veux pas? Tu veux fumer?

— C'est trop tard, dis-je. Je vais me coucher.

J'ai rangé mon travail en trois exemplaires.

— Tu ne me demandes pas où j'ai fini la soirée?

— Où as-tu fini la soirée, Marc?

— Ça ne t'intéresse pas.

Il a penché ma chaise en arrière, il m'a privée de points d'appui.

— Ne serre pas les dents, dit Marc. Je veux t'embrasser. C'est défendu?

Marc avait bu mais il fallait entrer dans sa bouche pour s'en apercevoir. C'était à Paul et à l'alcool que je devais ce long baiser.

— J'avais décidé que je travaillerais jusqu'à deux heures, dis-je.

— Tu veux que je m'en aille?

— Range ma machine, Marc.

Marc buta contre le pied de la table. Oui, il avait un peu trop bu et de nous deux c'était lui le plus malheureux et le plus offrant.

— On a fini la soirée dans les tours, dit Marc, on a joué au jacquet, on a fait cuire des châtaignes... J'ai tenu ses gosses sur mes genoux... Où étais-tu?

— Au cinéma. Il faudra parler demain matin, Marc.

— C'est mon intention, dit-il. Je rêve ou bien je te retrouve? Nous avons un peu bu dans les tours mais je vois que tu es redevenue raisonnable. Thérèse, Thérèse... j'ai un peu bu. Aide-moi à me déshabiller, donne-moi un verre d'eau.

Il s'assit sur le lit en invité. Je lui donnai un verre d'eau. Il me dit :

— Je peux le croire? Tu seras raisonnable?

« Pauvre petit étriqué, pauvre petit douillet », me disais-je. Il faut que je décide pour nous une fois pour toutes.

— Demain matin nous nous séparerons comme tu l'as exigé. Nous ferons ce que tu as proposé, dis-je.

— Déchausse-moi, Thérèse.

Il me le demande trop tard. J'ai trop souffert.

— Je peux t'aider si tu veux.

J'ai soulevé ses pieds, je les ai posés sur une chaise.

— Défais les nœuds.

J'ai brossé mes cheveux quand les nœuds ont été défaits. « Qu'il est facile de se dominer », me disais-je. Je me méfiais de mon enthousiasme.

— Mon col, ma cravate... Dis, Thérèse, aide-moi. Je ne peux pas, je ne peux plus, mon petit.

Il faudrait donc toujours réentendre ce qu'il se disait la nuit. Je me suis recoiffée, je suis venue en m'interdisant d'accourir.

— Je ne m'impatientais pas, dit Marc. Mon petit, mon petit. Tu te sens mieux? Si tu pouvais en être sortie!

J'ai desserré le nœud de cravate, j'ai ouvert le col. Je m'arrêtai à temps.

— La lumière me fatigue. Les œillets sont déjà fanés, dit Marc.

Je le laissai. Je refaisais connaissance avec la fraîcheur de la pâte dentifrice.

— Éteins dans la chambre, Thérèse; viens, Thérèse.

— Tu ne pourras pas te dévêtir dans le noir.

— Je voudrais tant que tu viennes, Thérèse.

J'éteignis dans la chambre sans revoir Marc. Je fermai la porte pour me séparer de lui, je commençai ma toilette, je calculai que si je ne faiblissais pas, tout pourrait être sauvé et reconquis. Je supposai qu'il dormait lorsque j'enjambai son corps. Il ne dormait pas. Marc vérifiait de temps en temps le fossé entre nous, il risquait sa main qui effleurait la place froide. Marc était un peu ivre. Il se jeta sur moi avec une audace de timide. Mes jouissances, parce que je retenais mes gémissements, mes effusions, parce que je retenais mes délices de pauvre qui rend tout de suite ce qu'on lui donne, mes jouissances furent multiples. Il n'eut pas la volonté de s'en aller ni moi celle de l'exiger. Il y a des harmonies qu'on ne peut pas sacrifier. Il dormait en moi pendant que j'écoutais le chant solitaire de ma bonne étoile à la fin de la soirée, il dormait pendant que du bout des lèvres, pour ne pas éventer ses paupières en ténèbres, je me suppliais de demeurer ferme et conciliante.

Je voulus m'éveiller avant lui et m'éveillai à huit heures, ainsi je me raisonnai. Je laissai Marc au lit, je préparai le petit déjeuner, une table accueillante, me voulant avec mes préparatifs amicaux plus décidée que lui. Je brisai malgré moi une tasse mais je me ressaisis. Marc se mit la tête sous le robinet quand il fut debout; il rangea dans l'armoire le pyjama qui n'avait pas été déplié.

Je coupai du pain, j'attendis. Marc tournait la

clef dans la serrure de la porte d'entrée, il vérifiait
ce qu'il avait réparé.

— Ce sera froid, dis-je.

Marc tourna encore une fois la clef; il revint
dans la chambre. Il changea de place son rouleur
sur la cheminée, il ouvrit la radio. Il se penchait
au-dessous des œillets fanés.

— On ne s'entendra pas, dis-je.

Il ferma la radio :

— Je viens, p'tit, je viens.

Il déplia sa serviette avec méthode; ses mains
entourèrent la tasse.

— Ça me réchauffe, dit Marc.

Un moucheron volait autour de la corbeille à
pain.

— C'est la première fois que nous prenons le
petit déjeuner à table, c'est la première fois que tu
nous fais une belle table, dit Marc.

Le moucheron se posa sur la nappe. Il croisait et
décroisait ses pattes à une vitesse diabolique
Marc le regarda. Le moucheron s'envola.

— Nous allons parler. Tu veux bien?

— Oui, parlons, dit Marc.

Marc étendit le beurre sur son pain. Sa main
avait un joli mouvement de barcarolle.

— Tu sais ce qu'on va faire? demanda Marc.

— Il n'y a rien de changé, dis-je.

— Écoute, Thérèse...

— Je t'écoute.

Il fut surpris. Le couteau glissa de sa main comme si un couteau pouvait rêver.

— Tu sais, Thérèse, il ne faut pas qu'on vive ensemble.

— C'est mon avis.

On appela un locataire au téléphone; on jeta des cageots dans la cour.

Marc mangeait sans appétit.

— Si tu veux fumer, il y a des cigarettes dans la poche de mon veston, dit Marc.

Il voulut se lever. Je l'empêchai.

— Les autres fois tu fumes au milieu du repas, dit Marc.

— Je préfère boire.

Marc s'empressa de verser le café. Marc s'empressa de donner ce qu'il pouvait donner. Il laissa tomber quatre morceaux de sucre dans la tasse.

— Tu sais...

Il s'interrompit, il souleva le filtre. Il regardait la couleur du café dans la cafetière d'aluminium.

— Tu sais, je crois que ça vaudrait mieux si nous vivions chacun de notre côté mais pas tout de suite.

— Pourquoi pas tout de suite?

Le chiffonnier lança son cri habituel. Il fit le tour de la cour avec sa cloche.

— Je peux quand même rester quelques jours ici, dit Marc.

On entendait les pas du chiffonnier qui s'éloignait dans le couloir, on entendait le frottement du sucre fondu, de la cuillère dans la tasse de Marc On n'entendit plus rien.

— A quoi penses-tu? demanda Marc.

— Pourquoi quelques jours? Va tout de suite t'installer chez elles.

Je bus trop vite, je m'étranglai.

Marc se leva.

— Bonhomme... Qu'est-ce qui t'arrive?

— C'est fini, dis-je.

— C'est vraiment fini? demanda Marc.

Sa main, comme un oiseau essoufflé et pourchassé par l'espace, se posa sur la mienne et vite se retira.

— Je vais en griller une. Pas toi?

Il palpa les poches de son veston sur le dos d'une chaise.

— Je les avais pourtant hier soir, dit-il.

Je le laissai à son petit souci.

Je me disais qu'il s'était endormi en moi la nuit dernière, je me disais que j'avais eu cette nuque de collégien, cette taille souple et cette ceinture de cuir beige en moi. Je me disais que la nuit dernière un visage d'homme était rentré dans mon ventre, je me disais que la nuit dernière ma tête s'était posée sur un coussin de sperme.

Marc décacheta le paquet de gauloises, il m'offrit aussi le bleu neuf du papier. Oui, ces petits riens, il les donnait avec générosité. C'était sa façon de s'arranger avec lui-même. Il avança le briquet, ma main trembla. Marc se sépara de notre vieil univers.

— Une punaise, dit-il.

Il se baissa.

— Viens à table...

— Je la ramasse, dit Marc. Avec ta manie de marcher pieds nus, tu pourrais te faire mal.

Il jeta la punaise sur la cheminée. Le silence ensuite fut délicat.

Marc revint à table.

— Tu as des mariages ce matin?

— J'en ai un à Saint-Ambroise. J'irai à pied, dit Marc.

Le ton signifiait que cette promenade à pied était un avenir qui se levait.

— Tu ne manges pas?

— J'ai trop bu hier. J'ai le cœur barbouillé, dit Marc.

Je pris les couteaux sur la table, je me levai :

— Où vas-tu? dit Marc avec inquiétude.

— Chercher un cendrier, dis-je.

Je courus jusqu'à la cuisine, je me débarrassai des couteaux, de la cigarette que je jetai dans l'évier. Je serrai les robinets du réchaud à deux mains. Je disais à mes vieilles connaissances que je me souvenais d'elles. Je me jetai sur le torchon.

— Qu'est-ce que tu fais dans ce trou? cria Marc.

— Je vide le cendrier, dis-je.

Mais j'enfonçais le torchon dans mes yeux.

Je suis revenue dans la chambre avec un cendrier. Marc raclait avec sa cuillère les miettes sur la table.

— A quoi penses-tu?

— ... Qu'un jour, peut-être, nous pourrons de nouveau vivre ensemble, dit Marc.

La cigarette qu'il me donna se décollait. Je la rendis à Marc. Il promena ses lèvres sur le papier.

— Thérèse... Tu ne vas pas refaire de bêtises si je m'en vais?

— J'ai l'intention de beaucoup travailler. Je lirai, j'irai aux expositions...

— Bravo, dit Marc. Tu ne t'intéressais plus à rien.

Je m'y repris plusieurs fois pour respirer normalement.

Il me rendit ma cigarette.

— Tu ne mets plus de brillantine?

— J'en mets comme avant. Pourquoi penses-tu à la brillantine? demanda Marc.

— J'y pensais souvent, dis-je tout bas. Tu as changé de marque?

— Je n'ai pas changé de marque. Veux-tu que je te montre le flacon?

— C'est inutile. Je n'y pense plus.

Marc semblait intrigué, déçu.

— Tu vas partir?

415

— Oui, je vais m'en aller m'installer chez ma mère. On sortira ensemble souvent. Par exemple samedi.

Marc prit le calendrier, il le mit sous la cigarette que j'avais à la bouche. Il suffisait d'entrer dans ses vues pour le changer en esclave des menus services.

« Samedi », redis-je en moi-même comme si j'élargissais un avenir contenu dans un nom.

— Tu es sûre que tu ne vas pas te sentir trop seule?

— J'irai au cinéma.

Marc s'affaira autour d'un bout d'allumette sur la nappe.

— J'irai tous les jours s'il le faut, dis-je entre mes dents.

Il ne voulut pas entendre. La cigarette qu'il avait recollée s'était défaite, le moucheron aiguisait ses pattes. J'admirais sa vivacité et sa vitalité, pourtant ma lèvre se remit à frémir. Marc leva les yeux, le moucheron s'envola.

Il poussa son paquet de gauloises de mon côté.

— Je préfère les miennes, dit Marc.

— Ce sont les mêmes, dit Marc.

— Non. J'ai acheté des Camel hier soir.

— Ah!

Je me levai de table, je triturai ma lèvre trop sensible. Mes genoux se dérobèrent.

— Qu'est-ce que tu fais, bonhomme? Tu entraînes la nappe.

Je réussis à m'éloigner de la table et comme Marc je palpai les poches de mon manteau pendu au clou.

— Samedi...

— Oui, samedi, dis-je comme lui.

Je tournai le dos à Marc, j'enlevai le papier cellophane du paquet. Je serrai les dents, je fixai le chameau, le palmier, la coupole mordorés. « C'est un tableau courageux, c'est une vignette courageuse », me disais-je.

— Nous livrerons. Tu aimais livrer...

— Je ne tiens pas tellement à livrer, dis-je.

Je m'accrochai à mon manteau. La doublure, sans bruit, se déchira. Je me dis que je devrais la remplacer.

— Qu'est-ce que tu fiches dans ce coin? demanda Marc.

— Je regardais le chameau.

— Viens donc! dit Marc.

Je me penchai sur la table, j'écrasai le moucheron.

— Il faut que je me remette à ma machine, dis-je.

— Il était si content de voler, dit Marc.

— Tu l'observais?

— Toi aussi tu l'observais, dit Marc.

Marc voulut me prendre la main. Je reculai.

— Un jour peut-être nous revivrons ensemble. Je vais te faire un bon feu avant de partir, dit Marc.

Marc se pencha sur la table :

— Je ne vois plus de traces, dit Marc. Même pas une tache!

— Je l'ai écrasé. Que veux-tu qu'il reste?

J'ai regardé sous mes ongles : j'ai trouvé un peu de saleté. C'était peut-être lui quand même.

— Je vais vous faire une chambre bien chaude, dit Marc.

Chacun se mit à son occupation.

J'allais et venais de la chambre à la cuisine pendant qu'il soufflait dans la bouche de son poêle de douanier. Je renvoyai Marc à son tisonnier quand il voulut m'aider à soulever la machine à écrire du plancher.

— Je n'ai plus de papier carbone. Je descends en chercher, dis-je.

— Comme tu veux, dit Marc.

Je pris mon porte-billets dans le tiroir :

— Je m'en vais faire des courses.

— Attends! Ne t'en va pas comme ça. On va prendre un rendez-vous.

Marc se chaussait. Marc me montrait sa nuque. Nous avons pris un rendez-vous pour le samedi.

L'absence, c'était plus dur que je ne pensais. Marc avait emporté son rasoir rafistolé, sa brosse à dents, son démêloir rose, ses ciseaux, son tube de Vademecum, ses chaussons de feutre noir, son rouleur, son cahier Job, son tabac gris, ses briquets sans ressort, ses tubes de pierres, mais il avait oublié un reste de savon à barbe, un pyjama dans l'armoire. Son poêle boudait. Je me ruinais pour ce qui demande à flamber ou dorer : les ligots, le charbon de bois. Quand je claquais les portes, son tisonnier accroché au marbre de la cheminée se balançait comme un pendu. Je me déshabillais et me rhabillais avec son pyjama aussitôt que j'avais fait les courses. J'étais émue, je tapais, je lisais sur les pages blanches, sur les pages dactylographiées, je lisais pendant des heures, pendant des pages : nous devions sous séparer, il n'y avait pas d'autre solution. Je tapais, je tapais : j'avais un paquet de marteaux et de caractères d'imprimerie sur le cœur. Je prenais son écharpe de laine qu'il avait laissée dans l'armoire, je l'enroulais autour de mon cou : un pan de misère tiède tombait sous la veste du pyjama, entre mes seins. Alors me balayait jusqu'aux délices amères la chevelure, le transparent argent de l'absent. Je prenais son reste de savon, je fermais les yeux, je grimais mes rides avec du blanc. Le miroir sous mes paupières avait un triste éclat, le soleil dans un trou de tombe me lançait des pierres. J'ouvrais les yeux, je levais la tête, je voyais le plâtre craquelé, les lézardes de pâleur, les raies blanches sur la poussière. Je baissais la tête : la chambre était un cimetière sans feuillages, les morts comme des munitions avaient été emmenés plus loin. Marc était parti, Marc les avait suivis. Je me disais que j'étais entourée de tombes dévastées comme une ruche est entourée d'abeilles.

Je sortis à cinq heures de l'après-midi. Je voulais revoir les lueurs convalescentes dans le ciel. Les rues criaient que Marc était à l'abri, qu'il développait, qu'il livrerait avec des étoiles aux talons. Une lueur palpitait derrière un toit, le printemps avec son gant fourré semait sur la ligne de tôle galvanisée, le ciel ailleurs était de la gaze gris perle. D'une écharpe de bal, il avait l'apprêt et la légèreté. Le ciel recevait. Cette lueur derrière le toit, c'était aurore venue surprendre l'après-midi. Je me disais que je guérirais de Marc, que je vivrais seule, je me disais que si j'espérais, aurore à domicile viendrait me voir. Le gardénal pris à dose modérée se chargea de mes nuits. Ce samedi-là, je fus prête une heure à l'avance. J'éteignis, je m'assis à côté du poêle, j'attendis. Ceux qui ne s'écoutaient pas vivre furent toute ma vie : la locataire qui piquait à la machine, la concierge qui prenait quelquefois de l'eau à la fontaine, les enfants qui parlaient entre une cuisine et une chambre à coucher. J'attendais : je recueillais les instants des autres, mon cœur s'épanchait sur le rebord des fenêtres. La sereine escarbille tombait, le temps pour les inquiets soupirait. J'entendis des pas dans la cour : un parterre d'alouettes devant le lit s'éveilla, illumina la chambre. Ce ne sera pas Marc comme avant. Je ne ressusciterai pas les oiseaux morts de froid. Ce n'était pas Marc. Le temps avec sa crosse, sa mitre et ses pompes passa sur les fouillis et les ronces des terrains incultes, un chien aboya où l'air se raréfie, un volet de fer retomba. On frappa.

C'était un télégraphiste avec un pneumatique de Marc :

« Ne crois pas que j'aie manqué de parole, bonhomme. J'ai des commandes en retard à développer. Je viendrai dès que je pourrai. »

Il y avait tant d'ordre dans la chambre, que je brûlai le pneumatique.

Quinze jours plus tard, on frappa à six heures du soir comme frappent les petites sœurs des pauvres. Je me raidis, je me refermai : c'était sûrement lui.

J'ouvris, je me gardai à distance. J'étais un cadavre et je me demandais comment ce cadavre qui voyait Marc, cet inconnu, tenait en équilibre.

— Ce n'est pas la peine de venir. Je ne te recevrai pas, dis-je.

— Maman est morte, dit Marc.

Il entra dans la chambre.

— Ta mère?

— Oui, maman.

— Comment est-ce arrivé?

— Je l'ai trouvée par terre dans la salle à manger.

Le visage de Marc rayonnait. Je lui ai offert une chaise. Il préféra rester debout devant son poêle.

— ... Elle avait voulu se lever. Une idée de malade. Elle avait entraîné la nappe avec la vaisselle et le vin. Il a fallu que je la change. Je lui ai fait une piqûre, je l'ai ranimée. Elle a voulu que je l'emmène tout de suite à la clinique. Elle disait qu'elle ne voulait pas mourir chez elle.

— Tu as appelé Police-Secours? Tu as fait venir une ambulance?

Marc souleva les épaules :

— Quand je peux me passer des autres, je m'en passe. Elle ne pesait pas lourd. Je l'ai portée dans mes bras.

— Tu l'as portée dans la rue?

— Oui. Je n'avais pas de quoi prendre une auto. Je me suis servi de mes bras.

— On devait vous regarder?

— Je ne sais pas. J'ai pris le métro. Elle avait peur de l'escalier mécanique. Ce n'était pas commode. J'ai failli la lâcher. Si, je me souviens : deux Nord-Africains nous ont dévisagés.

— Tu aurais pu me demander de l'argent.

— Je me suis débrouillé. J'ai eu chaud. Elle avait peur et elle trouvait le moyen de me dire qu'elle me fatiguait. Elle est morte le soir même. On l'a enterrée ce matin.

422

— Tu aurais pu me prévenir.

— Pour quoi faire? C'est Liliane qui a voulu un bel enterrement. Je trouve que c'est trop de frais pour rien.

— Toi, tu l'aurais jetée dans le trou comme un sac à charbon.

— Les morts, je les prends pour ce qu'ils sont. N'en parlons plus. Quoi de neuf ici? Comment ça va, toi? Ça marche ton travail?

— Ça marche, tout marche. J'ai un retard, Marc.

— Comment un retard? Qu'est-ce que tu veux dire?

— J'ai un retard de cinq jours, mais je ne me tourmente pas. C'est la première fois.

— Ah! Je vois, dit Marc. Ce sont les émotions, c'est le contrecoup de la séparation.

— Bien sûr. Je te le dis parce que tu m'as demandé s'il y avait du nouveau. Je ne suis pas inquiète.

— Je l'espère bien, dit Marc. Je t'emmène livrer? Nous dînerons dehors.

— Nous dînerons dehors si tu veux, mais je préfère ne pas livrer.

— Pourquoi?

— Je n'aime plus livrer.

— On pourrait se retrouver sur la rive gauche, dit Marc.

— Je préfère te retrouver dans un restaurant à

deux pas d'ici. Je te quitterai tout de suite après le dîner. J'ai beaucoup de travail.

— Comme tu voudras, dit Marc. Moi, je file livrer.

Je me remis à ma machine : je ne l'entendis pas s'éloigner.

Le soir, je l'ai retrouvé au restaurant. Nous n'avons parlé de rien pendant le dîner.

Le surlendemain j'ai couru comme une flèche jusqu'à leur immeuble. La boule de cuivre au bas de l'escalier, les tapis-brosses, les portes à double battant ne me fascinaient plus. Je sonnai sans hésiter et j'eus envie de siffloter pour me distraire. Je reconnus son pas dans l'entrée. Marc enleva la chaîne : ses doigts ne me troublèrent pas.

Marc fut surpris :

— Je n'aime pas que tu viennes ici.

Il me semblait que Marc se forçait. Le passé devenait une comédie.

Je suivis Marc dans la cuisine.

— Tu sais, j'ai réfléchi. Je voudrais divorcer.

Marc me regarda avec des yeux amusés. Il boutonna le col de sa chemise, il me priva; il me priverait toujours.

— Je veux divorcer.

— Je ne veux pas divorcer, dit Marc.

Deux yeux fixes insistèrent.

— Pourquoi ne veux-tu pas?

— Je ne veux pas. Je n'ai rien d'autre à te dire.

Marc tourna le dos à leur midinette. Il se chauffait les reins.

— On grelotte chez vous...

— Il y a 20°. C'est ce qu'il faut, dit Marc.

— Tu ne travailles pas?

— Pas beaucoup, dit Marc.

— Enfin, Marc!

— Enfin, quoi?

Il leva la tête, il me toisa.

— Nous ne nous entendons pas,

— ... Nous ne nous entendons pas, nous ne nous entendrons jamais. C'est toi qui voulais que nous nous séparions.

Marc prit son rouleur sur le rebord de la hotte au-dessus de la midinette.

— Tu disais que nous devions vivre chacun de notre côté.

— Je ne veux pas divorcer, dit Marc.

— Tu dînais. Dîne...

— J'ai toute la soirée pour dîner, dit Marc.

— C'est pour me tourmenter que tu ne veux pas?

— Je ne veux pas! dit Marc.

Il souriait à la cigarette qu'il roulait.

— Nous ne pouvons pas continuer ainsi, dis-je.

Marc leva la tête, il calcula dans mes yeux, il coupa le papier de soie avec le surplus de tabac.

— Je me trouve très bien comme je suis, dit Marc.

— Nous ne pouvons pas vivre à moitié mariés et à moitié séparés. Divorçons.

Marc alluma sa cigarette au ralenti :

— Je ne tiens pas le moins du monde à divorcer.

— C'est à cause des formalités? C'est à cause des frais?

— Ne m'insulte pas, veux-tu? dit Marc.

Il se chauffa encore les reins à la midinette. Il leva les bras, il posa les mains sur le rebord de la hotte.

— Les démarches, je m'en charge, dis-je. Je demanderai l'Assistance judiciaire, mais il faut que nous nous mettions d'accord. Ce serait si simple si tu voulais...

Marc sourit comme le solitaire sourit à l'étoile polaire :

— C'est simple, mon petit vieux, c'est très simple.

— Tu te décides? Tu as changé d'avis?

— Pas le moins du monde, dit Marc, puisque je me trouve bien comme je suis.

— Je t'empêche de dîner. Mange tes pommes.

— Je n'en suis pas aux pommes. J'en étais aux rillettes et j'ai tout le temps, dit Marc.

Il fumait béatement.

— Si tu es convoqué, tu viendras?

— Je ne viendrai pas.

— Dans ce cas j'irai chez un avocat. Il me conseillera. Ça se paie un avocat. Il faut que j'aille vite taper. Je m'en vais puisque tu ne veux pas.

— Salut, dit Marc. Ferme bien la porte.

J'ai refermé doucement la porte.

Javais un retard. J'espérai, je patientai pendant trois semaines. Je me disais ce que Marc m'avait dit. C'étaient les émotions, le contrecoup de notre séparation, mon suicide manqué. L'absence de nausées me rassurait, mon sommeil retrouvé m'inquiétait. Je n'avais pas de dégoût. j'avais faim des vitrines de victuailles. Un matin j'eus les jambes coupées, je fus foudroyée par un malaise : je tombai sur le lit. Cette fausse syncope me donna à réfléchir. J'avais un sérieux retard, je devais me mettre à la recherche d'une adresse. Je me souvins d'une cliente à laquelle j'avais vendu des dentelles. Elle m'obtint une adresse, un rendez-vous. La femme habitait aux environs du Bon Marché, elle me recevrait le matin à dix heures. Je me préparai pour mon expédition, je dépliai mon linge sur une chaise, je rassemblai le coton, les bandes, les épingles. J'avais l'émotion d'un explorateur qui part pour la terre Adélie. J'aurais été joyeuse et déçue si le sang était revenu pendant mes préparatifs. Je mis dans mon porte-billets l'argent que j'avais gagné avec mes travaux à la machine. Je me couchai plus tôt que d'habitude, j'attendis le sommeil avec l'impatience d'une bonne écolière la veille d'une rentrée. J'avais les mains sur mon ventre. J'écoutais. Rien ne remuait.

Je m'éveillai le lendemain à sept heures. Il faisait encore nuit noire dans la chambre. Je crus qu'il ferait nuit toute la journée. Je courus à la fenêtre, je m'agenouillai : le ciel se dérobait. La fumée par les cheminées s'échappait au-dessus d'un Paris transi. Je rangeai la chambre, je mis mon manteau neuf. Je partais soulagée des serviettes que je n'avais pas rougies. Du couloir, dans la maison qu'il avait fuie, j'ai cru revoir Marc : un fluet, un frileux comme lui rasait le mur. C'était Marc avec un bidon de lait. Je me disais : « Je suis décidée, j'y cours pendant que cet innocent fait les courses. » Marc entra dans la crémerie, un taxi en maraude frôla le trottoir.

Je montai dans le taxi, je dis au chauffeur de passer devant la crémerie. Marc attendait son tour, Marc tournait le dos à la rue. Qu'il avait vieilli, qu'il était las. Il tenait sa monnaie comme l'aurait tenue un enfant; il regardait la mesure que l'on plongeait.

Les immeubles s'éveillaient difficilement, le brouillard engonçait la ville, l'humidité glaçait les pierres. Je serrais tantôt mon porte-billets, tantôt le paquet contenant les bandes, le coton, les épingles de sûreté; j'épelais le nom de sa rue, je multipliais l'un par l'autre les chiffres du numéro de sa rue. Premier étage, porte face, me redisais-je. L'insouciance des touristes qui se promenaient rue de Rivoli me surprit. Je n'étais plus dans le même monde qu'eux. Eux, ils oubliaient qu'ils existaient, moi je vivais.

Que ma mère sera satisfaite quand elle saura que je me suis débrouillée, me disais-je en descendant du taxi. Je m'acheminai perchée sur mes hauts talons, je me crus un personnage. Des routiers déchargeaient des marchandises devant un Vini-Prix, des vieilles discutaient biscottes, pain de régime. Un facteur les bouscula. Sa rue ressemblait aux autres rues de Paris. Le facteur entra dans une boulangerie. Un poissonnier préparait son éventaire, un marchand de volailles suspendait ses poulets aux crochets. Paris traînassait. Le numéro existait, son immeuble existait. J'entrai. La porte vitrée de la loge était masquée avec de la dentelle écrue. Je montai au premier étage. Les murs avaient été repeints, les surfaces de crème à la vanille me donnèrent froid dans le dos. Encore un paillasson devant une porte.

Le timbre. Elle ne répond pas. Le timbre. On l'a peut-être enterrée hier. La sonnerie amplifia le vide d'un appartement, quelqu'un monta.

— Vous m'attendiez? dit-elle.

— Je viens de la part de Louise Richard, dis-je.

— Très bien, dit-elle.

Elle parlait comme nous parlons. Elle déposa sur le paillasson la laitière, une salade, des oranges dans un sac, une ficelle de gruau.

— Pour trouver ma clef, il me faut mes deux mains, dit-elle.

Elle avait la voix chantante des vieilles filles. J'aurais parié qu'elle s'appelait Victoire, Céleste ou bien Clarisse.

Je me baissai, je pris ses paquets.

— On est souple, dit-elle.

J'imaginai qu'elle s'exprimait toujours par sous-entendus.

Elle avait des mains potelées gantées de fil gris. Je la suivis avec ses emplettes dans mes bras.

— Je suis petitement logée, mais à l'heure actuelle il faut se contenter, dit-elle.

Elle me reprit ses achats, elle entra dans sa cuisine.

— Je suis à vous tout de suite. Asseyez-vous sur le divan.

Tant de photographies d'enfants, tant de dédicaces au-dessous des petites bouches édentées, au-dessus des cheveux lisses, de la mèche roulée ou bien des crânes chauves me surprirent.

— Je suis sage-femme, dit-elle. Le bébé que vous voyez là-bas est le père du gros bébé ici. Vous n'avez pas vu depuis quand?

— Depuis des semaines.

Elle enleva son chapeau de feutre gris garni sur le devant d'un fouillis de fleurs.

— J'espère qu'on n'a pas peur et qu'on n'est pas nerveuse.

Elle repartit dans la cuisine. L'eau du robinet coulait.

— Je suis décidée, ai-je crié.

Mais le ressort de son allume-gaz me fit sursauter. Elle mettait une casserole sur le réchaud et tout cela me concernait. Elle revint dans la chambre :

— On peut être décidée et avoir peur, mais il ne faut pas. C'est la première fois?

— Je n'ai pas peur et c'est la première fois, mad...

— Mademoiselle. Je ne suis pas mariée, dit-elle avec fierté.

Elle coiffa de son feutre une terre cuite : la tête ainsi que le bonnet d'un pêcheur napolitain.

— Il me faut des dates exactes. Vos rapports remontent à quand?

Je rougis. Je l'ai haïe parce qu'elle voulait tout savoir.

— Un mois, dis-je.

Elle rangea son manteau dans son armoire normande entre les robes et les tailleurs sur les cintres.

— Mon filet... que j'ai tant cherché ce matin! Avez-vous déjà été si longtemps sans voir?

Ses questions m'ennuyaient.

— Vous ne le ferez pas ce matin? Vous ne le faites pas tout de suite? dis-je avec anxiété.

Elle sourit. Elle ne douta plus que c'était la première fois.

— Je procède toujours avec méthode, dit-elle. Vous n'êtes pas cardiaque?

— Vous me faites peur, mademoiselle. J'ai le

431

cœur solide, il bat régulièrement. Il s'emballe souvent, mais je ne suis pas malade.

Il battait plus fort et plus rapidement pendant que je parlais de lui.

Elle rangea le filet dans son sac à main, elle tâta mon pouls. « C'est presque un docteur », me dis-je sans conviction.

— Pas de contrariétés, pas d'émotions, pas de disputes ces jours-ci? Je vois qu'on a de bons yeux heureux.

— Aucune, aucune, dis-je avec aplomb.

Elle tira à elle un drap sur une pile dans l'armoire.

— Si vous êtes mariée, il est encore temps. Je m'en voudrais d'influencer mes clientes. Avez-vous bien réfléchi?

— Je suis mariée, mais nous divorçons.

Elle venait avec son drap sur son sein. Je devinai à l'ombre sur son visage qu'elle était contre le divorce.

— Enlevez votre manteau, desserrez-vous.

— Le drap me fait un peu peur.

Je n'avais pas de sac à main et c'est, je crois, ce qui la fit changer d'humeur.

— Peur d'une alèse?

— J'en ai une aussi chez moi! dis-je.

Je voulais qu'elle comprenne que je ne l'offenserais plus et que je ne douterais plus de la charité qu'il y a dans un drap déplié.

— Enlevez votre jupe, roulez vos bas.

432

— Je cherchais mon porte-billets, dis-je, mais je l'ai! Il est dans ma poche.

Ses yeux pétillèrent.

Elle étendit le drap sur son divan étroit de célibataire. « C'est là, me disais-je, qu'elle boit des grogs, de la menthe, du tilleul, c'est là qu'elle se met de l'huile goménolée dans le nez. »

— Vous divorcez, mais sait-il que vous êtes venue?

— Il ne le sait pas. Il s'appelle Marc. C'est arrivé malgré lui, dis-je.

— J'ai un filleul qui s'appelle Marc, dit-elle. S'il ne sait rien, tant mieux. On dit que les hommes ne sont pas bavards. Mais si, les hommes sont bavards!

— Je préfère que nous ne parlions pas de lui, dis-je.

— Étendez-vous. J'éteins dans la cuisine. Surtout ne vous contractez pas. Vous arrivait-il de pleurer pour rien?

Elle le demandait et elle trottinait comme Marc dans leur cuisine.

— Je pleurais peut-être pour rien, mais je ne me rendais pas compte, dis-je.

J'arrangerai mes bas que j'avais roulés au-dessous des genoux. Je n'étais plus sûre de mes genoux ni de mes mollets dans la soie détendue.

Le drap était froid, les bouches édentées riaient dans les cadres, sur les murs.

Elle arriva dans la chambre, une main gantée de caoutchouc orange.

— Je vais vous examiner, dit-elle.

Sa main et l'objet avançaient. Avec ses deux spatules de métal l'une sur l'autre, il ressemblait à un revolver baroque, à un bec de canard sans les deux jolis petits trous. Je tendis le cou, je vis aussi la ressemblance avec un crâne de jockey. Les deux langues coupantes entrèrent et m'obstruèrent. Une larme coula sur ma joue. Une longue chose que je ne sentais presque pas avança entre mes parois de métal.

— Qu'est-ce que vous me mettez, mademoiselle?

— La sonde.

Quand je me rhabillai, elle me dit :

— Vous n'avez rencontré personne? Saluez la concierge mais ne lui parlez pas. Plus on se tait mieux ça vaut. Revenez après-demain, si vous ne voyez pas. J'attends une cliente, dit-elle en prenant l'argent et il vaut mieux que vous ne vous croisiez pas. Marchez le plus que vous pourrez. Marchez, marchez; vous ne marcherez jamais assez.

Je sortis de chez elle, je tirai vanité de chaque maison de commerce qui m'avait impressionnée avant. C'était une expérience et j'étais fière d'être une amazone. Il suffisait de faire le saut, il suffisait de se faire mettre un peu d'air pour devenir une femme qui peut gagner des tas d'or. Je bombais le torse, je me regardais dans les glaces. Je me crus irrésistible. J'allais seule, je me sentais liée aux femmes sur le retour qui se racontent à cinq heures, dans les salons de thé, qu'elles sont sorties de tout, que rien ne les a démontées. Je ris de leur rire gras dans un passage clouté. Il suffisait de serrer les fesses pour sentir le sexe qui tue. Je pensais à ma mère, je lui disais : « Tu peux le croire, maintenant, qu'il n'y aura pas de " jaune ", qu'il n'y en aura jamais. » Je pensais à elle avec une couronne de laurier, avec une croix d'honneur sur mon tablier d'écolière. La nuit revint à onze heures du matin. Les cafés s'éclairèrent. Je m'assis sur un tabouret de bar, je commandai un whisky.

J'y suis retournée quatorze fois. La femme me dit :

— Vous n'êtes pas assez souple. On n'y arrivera jamais.

Je n'y suis plus retournée. Je cherchai une nouvelle adresse, je ne trouvai pas et je ne m'inquiétai pas. Je dormais trop bien : j'oubliais que je ne saignais pas.

J'ai de l'indifférence dans le sang. Au rendez-vous des pigeons : c'est mon nom. Les colombes s'aiment sur mon cœur. Moi je n'aime plus. C'est anormal. Suis-je heureuse? Suis-je malheureuse? Les pommiers fleurissent dans ma chambre. Il pleut des pétales de roses pendant que je dors. J'ai faim, je rajeunis : mon pain a le parfum du soleil dans une chevelure d'infante. Je fais un vœu : si mon sang revient j'irai en pèlerinage à la porte du collège, si mon sang revient je redeviendrai une petite fille. Petites routes, sentiers qui fredonnaient, petites routes, refrains d'espace à travers les plaines et les jardins venez dans ma chambre. Entrez : il y a une halte pour vous dans la chaleur de mon lit. Il y a la mise à mort des rafales dans mes entrailles. Les petites routes ne veulent pas venir mais le bœuf bâille dans mon cou et deux brebis paissent la tranquillité de mon ventre.

Un matin, je me découvris, je montai sur une chaise et me regardai dans le miroir. L'étais-je, ne l'étais-je pas? Je ne savais plus. Quatre mois passèrent et un matin le miroir me révéla que je l'étais. Je fus secouée. Je cherchais une adresse du matin au soir, je ne trouvais pas. J'ai pensé que Marc pourrait m'en procurer une. Je courus chez eux sans réfléchir. Marc tira le verrou, il enleva la chaîne.

— Tiens, te voilà!

Il ne sut plus quoi dire. Je le suivis comme on suit un gardien de cimetière.

Son vieux tricot sera toujours beau. Mon amour finit dans une forêt, novembre s'épanche sur les trépassés. Mon tas d'amour, mon tertre de feuilles mortes.

Marc prit une chemise de nuit sur une chaise dans la cuisine.

— C'est à Liliane?

— A qui veux-tu que ce soit!

Ses mains semblaient plus douces que la mousseline de soie. Des nids d'abeilles resserraient la taille et les poignets de la chemise. Marc l'examinait.

— Pourvu que je ne l'aie pas salie! Liliane est méticuleuse.

— Elle te gronderait?

— Elle ne serait pas contente.

La chemise dans ses mains glissait comme une chevelure.

— Je ne l'ai pas salie, mais je vais quand même me laver les mains, dit Marc.

Il la remit sur le dos de la chaise, il se lava les mains. C'était chaque fois une cérémonie.

— Où est Liliane?

— Liliane est en ville. Elle aime la trouver toute chaude quand elle rentre.

Marc resserra sa ceinture pour faire valoir sa taille. Il alla dans l'entrée. Il avait les pieds nus dans ses chaussons de feutre noir. Je me jetai sur la lingerie, je respirai l'odeur puritaine de la mousseline de soie.

— Ne la chiffonne pas, dit Marc.

Marc portait l'escabeau poussiéreux sur son

épaule. Il avait l'air morose d'un laveur de carreaux. Il ouvrit l'escabeau, il monta les marches une à une, il s'éleva au-dessus du poêle.

— Tu l'attends tous les soirs?

— Je lui prépare du thé. Donne-moi sa chemise de nuit, dit Marc.

Je la pris à deux mains, je donnai à Marc un vêtement de druidesse, une blancheur d'une autre époque.

— La chaleur monte, dit Marc.

Marc étalait la chemise sur la corde au-dessus du poêle.

— Veux-tu que je t'aide?

— Est-ce que je t'ai demandé quelque chose? Donne-moi aussi ses chaussons de nuit, dit Marc.

— Liliane est frileuse, dis-je.

— Liliane est frileuse comme moi. Prends-les sur le tabouret sous la table, dit Marc.

Je les ai pris, je les ai donnés à Marc.

Ses longs cils seront toujours luxueux, ses mains seront toujours celles d'un prélat. Marc suspendait les chaussons de chaque côté de la chemise de nuit.

— L'eau sur le feu...

— C'est pour la bouillote de Liliane. Elle la trouve en se couchant, dit Marc.

— A quelle heure rentre-t-elle?

— Une heure, une heure et demie, quelquefois deux heures. Tu es venue et tu sais que je n'aime pas ça.

— Je suis enceinte, Marc.

Marc a descendu les marches une à une en me tournant le dos. Il s'est tourné de mon côté. Son visage n'exprimait rien.

— Je suis enceinte, Marc.

— Il y a des mois qu'on ne se voit plus. Tu te fiches de moi.

— Je ne me fiche pas de toi.

— Tu ne pouvais pas me le dire!

— Toi, dis quelque chose.

Il me prit par la main. Nous nous appuyâmes contre l'escabeau comme deux acteurs qui s'adossent au décor de l'acte précédent. Nos mains retombèrent.

— Tu savais où me trouver. Pourquoi le gardais-tu pour toi?

— Je voulais me débrouiller, Marc, aide-moi! Je suis venue pour une adresse.

— Comprends pas.

— Tu comprends. Je veux le faire passer.

Marc eut un rictus de suffisance.

— Et c'est pour me dire ça que tu es venue!

Il s'éloigna de l'escabeau, il regarda la chemise de nuit qui frémissait de chaleur comme frémit une fleur fragile.

— Tu l'es de combien?

— Quatre mois et demi, dis-je accablée.

Il me regarda.

Aurais-je le masque? Je n'ai pas le masque, je n'aurai pas le masque.

— Je ferai mon devoir, dit Marc.

Il souleva le couvercle de la bouilloire. Il ferait peut-être son devoir. Il ferait les cent pas devant les terrasses des cafés avec son carton à dessin sous le bras.

— Non, Marc. Je n'en veux pas!

— Et moi je ne veux pas être un salaud! Il faut que je range cet escabeau, dit Marc.

Il est allé dans l'entrée avec l'escabeau sur son épaule.

— Tu mets de trop hauts talons, dit Marc.

Ce n'est donc pas inscrit sur mon front que je peux tomber dans un escalier, que je peux perdre ça?

Marc revint dans la cuisine. Il trottinait comme avant. Il ne me disait pas que je pouvais m'asseoir sur leur tabouret de cuisine. Leurs vieilleries me fascinaient encore.

— Pourquoi ne veux-tu pas le garder?

— Qui l'élèverait puisque je n'en veux pas.

— Ça pousse tout seul un petit gosse!

Je me suis approchée, je l'ai pris par le revers de son veston :

— J'avais un petit, Marc.

— Après tout je suis un homme...

— J'avais un petit, Marc.

— Ce serait gentil un petit garçon qui me ressemblerait.

— J'avais un petit, Marc! Je l'aimais. Ce petit, c'était toi. Tu ouvrais la porte, tu entrais. Ta

440

présence c'était mon enfant. Je l'aimais et tu me le reprochais. « Ne me serre pas, Thérèse... Tu me serres trop, Thérèse... Il n'y a pas que cela au monde, Thérèse... » Il n'y avait que cela au monde, Toi.

— Il y avait la vie, Thérèse. Il fallait vivre.

Mes bras sont retombés.

— Marc...

— Oui, bonhomme.

— Donne-moi ta main.

Mais c'est lui qui a pris la mienne. Il l'a mise au chaud dans la sienne.

— Marc...

Sa main qui serrait la mienne m'encourageait.

— Je veux que tu m'aides.

Je l'ai pris par les épaules, je l'ai regardé dans les yeux :

— Je veux que tu m'aides. Je veux redevenir une jeune fille.

— Je t'aiderai, dit Marc.

Six jours après, il glissa l'adresse sous la porte de ma chambre pendant que je dormais.

— Mettez vos pieds mieux que cela dans les étriers, dit-elle.

Son cerveau devait être net comme sa blouse blanche, comme son visage, comme sa coiffure. L'homme en elle devait lui chuchoter : « Sois féminine, sois coquette, sers-toi de tes armes. »

— Plus de quatre mois, dit-elle. Tout est normal. Vous pouvez descendre.

Je sortis mes pieds des étriers.

— Pourquoi n'en voulez-vous pas?

— Je ne peux pas vous le dire d'un trait.

— Asseyez-vous dans le fauteuil.

— Je voudrais, je voudrais. Je voudrais redevenir ce que j'étais. Je le redeviendrais si vous interveniez. Faites-le. Je vous supplie...

Elle posa son stylo sur le bureau, elle mit ses poings contre ses tempes.

— Qu'étiez-vous, mon petit? Redevenir ce que vous étiez...

Curiosité et pitié chez elle se mélangèrent. Elle doutait de mon équilibre. Elle me surveilla, elle arrondit sa petite bouche de femme volontaire.

— J'étais, j'étais...

Je m'exaltai, je bégayai. Plusieurs Thérèse trop émues, dans ma gorge voulurent être la première à l'exprimer.

— Vous pouvez tout me dire. J'ai cinquante ans, dit-elle. Elle reprit son stylo.

Je penchai la tête sur le côté. Je vis au fond de ses yeux l'œil de la jeunesse qui se jouait de cinquante années.

— J'étais une jeune fille dans un collège, dis-je.

— Bien sûr, mais c'est le passé. Maintenant vous attendez un enfant.

— Je n'attends personne.

442

Sa bouche était tiraillée par les tics. Elle sourit. Elle désirait me rétablir.

— Voyons, mon petit... Tâchez de m'expliquer.

— Je veux redevenir une jeune fille dans un collège.

Le stylo tomba sur le bloc d'ordonnances.

Elle mit sa tête dans ses mains. Ses yeux me parcouraient de droite à gauche, de gauche à droite.

— Vous êtes enceinte de quatre mois et demi. Plus de quatre mois et demi. Je vous le répète depuis que vous êtes arrivée, dit-elle avec une autre voix, mi-désolée, mi-joyeuse dans le même rêve.

Elle mit ses mains devant son visage.

— Re-de-ve-nir u-ne-jeune-fille, dit-elle derrière ses belles mains calmes d'accoucheuse.

Le ciel au-dessus de l'avion qui survolait Paris était câlin.

— Pourquoi? demanda-t-elle.

— J'aimais. On m'aimait.

— Je comprends.

— J'ai été arrachée du collège...

Elle se leva. Elle ouvrit le tiroir de son bureau.

— Vous ne voulez pas? dis-je.

Elle ne répondait pas.

« Elle me torture, elle ne me le fera pas », me dis-je.

Elle referma le tiroir du bureau. Elle était perdue dans ses pensées.

Elle traversa la pièce. Elle fit couler l'eau dans la cuvette du lavabo.

— Est-ce que je dois m'en aller?

Je me levai, elle se tourna de mon côté :

— Vous avez été arrachée du collège au bout de combien de temps?

— Quelques semaines.

— Remontez sur la table, dit-elle.

Elle me conduisit à la porte, elle me poussa sur le palier, elle referma la porte d'un coup sec.

Je ne peux pas mourir maintenant puisque je pense à la mort. Mais je me demandai si je mourrais avant de me retrouver au premier étage. J'avais peur de m'asseoir dans l'escalier à cause des crayons. Je croyais à des pastels, je croyais que je casserais du bleu pâle si je me pliais et qu'il faudrait tout recommencer. Mourir n'est rien mais s'attendrir parce qu'on a peur de mourir, c'est cela la panique, c'est cela la frousse. J'ouvris la porte de l'immeuble avec difficulté, je me sentis une somnambule souffreteuse quand je sortis de l'immeuble. Il tombait de la neige fondue. Finis les pastels. J'avais du noir de corbeau dans les os. « Prenez régulièrement des sulfamides. »

J'entrai dans une pharmacie près de chez elle. Je m'assis à côté de la bascule, mes yeux se fermèrent. Si je ne soulève pas les paupières, je suis fichue. J'ouvris les yeux. Je vis puisque je lis midi trente-cinq sur le cadran de l'horloge de la pharmacie. C'est le temps aseptique, c'est le temps charlatan des prospectus dans les tubes. Midi trente-cinq et demi. Il y a une demi-minute, j'avais peur de mourir. J'ai encore peur de mourir. Je ne peux pas mourir puisque j'y pense. La mort vous prend pendant qu'on n'y pense pas. « Veuillez passer à la caisse, madame... — Je voudrais bien, mais... mais le dentiste m'a arraché une dent. — Reposez-vous encore un instant. » On meurt, on peut se reposer un instant avant. Je mourrais si je ne pensais pas à la mort. J'y pense. Une heure moins vingt. C'est une tonne de temps, une heure moins vingt. Le temps est dans une benne qui s'élève. Que je meure dans un taillis derrière une seconde. Si je meurs, qui pensera aux petites filles qui ont déjeuné à la cantine, aux petites filles qui s'ennuient entre une heure moins vingt et une heure moins le quart? « Nous fermons, madame. »

« Tu auras une brique chaude, tu auras un lit chauffé si tu pousses la porte, si tu t'approches du guichet, si tu achètes un billet de métro. » Je préfère mourir ici dans le tourbillon et les courants d'air. Un inconnu, des politesses. Il faut que j'entre avant lui. Mes crayons meurtriraient ton sexe, innocent! Ma mère disait : « Me voilà fraîche » quand elle était salement embêtée. Je suis sale-

ment affaiblie. Pourquoi n'ai-je pas pris un taxi?
Parce qu'elle m'a dit : « Un peu d'énergie, sa-
pristi. » Il faut que je monte dans le prochain train.
Aurez-vous pitié, voyageurs, si je meurs entre
deux stations? Il faut si peu pour glisser dans la
mort. Le battement de paupières d'un autre suffit.
Je paierai un supplément, je monterai... Je monte
en première classe. Il faut, coûte que coûte, prendre un peu de luxe au lasso. Je suis seule, je suis
une bête malade qui veut se cacher.

Le nom de ma station, le nom de ma rue, le
numéro de mon immeuble, le claquement de la
porte de mon couloir, le gras sur la rampe de
l'escalier, l'étincelle de mon allume-gaz, la loque
roussie pour ma brique me réconfortèrent. Que
nous aimons mourir dans nos propriétés...

J'épluchais des oranges, j'avalais des sulfamides, je réchauffais la brique, j'attendais assise
dans mon lit. Le troisième jour je me levai. Je
rôdai autour de la Faculté de Médecine, j'entrai
dans une librairie, je cherchai ce qu'est une fausse
couche de quatre mois et demi dans le *Larousse
médical*. Je refermai le livre. Je préférais l'ignorance aux crudités. Un médecin traitant me soi-
gnerait. Je ne voulais pas chercher plus loin. « Je
perdrai mon sang et ce sera fini », me disais-je
souvent.

« Je marche de travers, mais c'est la fatigue,
dis-je encore à la fin de la matinée. J'avance en
somnambule, c'est encore la fatigue. »

446

Je hélai un taxi : la mort frissonna sur ma nuque. Je dis au chauffeur que j'étais souffrante.

— Il ne faut pas salir mes coussins, dit le chauffeur. Il baissa le drapeau.

Je me nichai dans mon mal et dans ma fièvre : ma tête tomba sur mon épaule. « Mon petit me lance la pierre, je suis malheureuse comme les pierres », dis-je dans ma boucherie. Les rues montaient, les briques rouges de l'église moderne me donnaient froid dans le dos. La cendre ne tombait pas : il neigerait.

Les coups dans ma tête recommencèrent pendant que je me traînais sur les marches en ciment de leur escalier. Je ne la reverrai pas. Ce serait trop beau. Je sonnai.

Je reconnus son pas. Elle mettait la chaîne de sûreté :

— Qui est-ce?

— Ton petit gueux.

Elle enleva la chaîne, elle ouvrit :

— Tu ne venais plus, dit-elle.

Je l'avais revue. Je chancelai.

— Pourquoi n'entres-tu pas?

Elle m'attira, elle remit la chaîne

Je m'appuyai contre leur mur.

— Tu ne m'embrasses pas?

— Je vais t'embrasser comme avant, dis-je.

Je partis en avant, je partis en arrière.

Je ne parvenais pas à me rapprocher d'elle.

— Tu n'es pas ivre? Ce n'est pas possible!

— Ma tête... J'ai des pierres dans la tête.

Ma mère avait son foulard écarlate. La couleur éclatait dans ma tête.

— Comme tu es couverte! Tu n'es pas dans ton état normal, ma pauvre enfant.

— Ma tête, ma tête... J'ai des sulfamides. J'ai deux tubes de sulfamides.

Je les cherchai dans la poche de mon manteau. Je lui montrai.

— Tu n'embrasses pas ton petit gueux?

Elle m'embrassa près de la tempe, où la joue est anonyme. Elle avait peur.

— Appuie-toi sur ta mère, dit-elle.

— Les pierres, dis-je à voix basse. Je ne peux pas avancer.

— Elle n'est pas ivre pourtant, dit ma mère.

— Des pierres qui montent, des pierres qui se rencontrent, des pierres qui tombent, des pierres qui éclatent dans ma tête. Laisse-moi avec le mur...

Je vis l'éclair. Il lessivait son visage.

— Tu ne t'es pas empoisonnée pour lui? cria ma mère.

Elle venait sur moi, son visage déchiqueté de colère.

— Tu as pris du gardénal?

Elle me secoua. Je gémis.

— Tu tortures ta mère, dit-elle.

— Tu serres trop. Tu me feras mourir.

448

Je fermai les yeux. Je lui embrassai la main.

— Maintenant je peux te le dire : je suis enceinte.

— Tu t'es laissé faire ça!

Ma mère rejeta mes mains avec tant de violence que mes mains frappèrent mon ventre.

— Il ne faut pas que tu me laisses, dis-je.

Elle me prit par la taille mais elle me prit sans tendresse. Je trébuchai jusqu'à sa chambre.

— C'est comme avant, dis-je. Je laverai les pierres de notre maison pour toi. Tu auras trois pierres bleues. C'est comme avant.

— Avant quoi?

— Je peux gratter la terre. Je peux voler pour toi dans les champs. C'est comme avant.

— Avant quoi, mon petit gueux?

— Avant ton mariage. Couche-moi, dis-je.

Elle m'assit sur son lit.

— La radio! Je n'ai pas fermé la radio!

Elle courut dans leur salle à manger. Elle coupa la mélodie.

— Je t'apporte un sucre et du rhum, dit-elle.

— Plus de rhum, plus jamais de rhum... Des sulfamides, toujours des sulfamides. J'ai des sulfamides dans mes menottes.

— Pourquoi dis-tu menottes?

— Pour me consoler.

— Tu me feras toujours peur. Tu es mieux, tu te sens mieux, décida-t-elle.

— Et lui? Je ne vois pas son oreiller.

— Il voyage, dit ma mère. Dis-moi que tu te sens mieux.

— Les pierres, les pierres...

— A deux nous en sortirons. Moi, je t'en sortirai.

Elle enveloppa mes jambes dans leur édredon.

— Thérèse... Tu n'es quand même pas assez folle pour être enceinte de lui!

C'était bien elle : avide et craintive. Elle se regardait dans mes yeux. J'étais son miroir aux déceptions.

— Donne-moi la main.

— Je le verrais si tu l'étais. (Elle m'examina.) C'est vrai, tu n'as plus la même taille, dit-elle avec tristesse.

Je lui souris. J'avais un cadeau de reine pour elle.

— Je l'étais, oh! je l'étais, mais c'est fini. Félicite-moi.

— Laisse-moi respirer. Est-ce que je peux le croire, Thérèse?

— Je ne le suis plus, dis-je à voix basse, pour lui donner un cadeau plus solonnel.

« Merci, merci », me dirent ses yeux.

— Tu ne me demandes pas de combien?

— De combien, ma petite fille? Mets ta main dans la mienne.

Elle toussa pour tempérer son bonheur.

450

— De combien, mon petit fieu? De combien, de combien?

— Plus de quatre mois et demi.

Ma mère poussa un cri. Elle partit à reculons.

— Si tu veux que je m'en aille, je m'en irai, lui dis-je. J'étais venue te dire... Quand nous avions des lapins, une cabane, un panier pour l'herbe à lapins...

— Mon petit gueux... Tu me le cachais.

Elle joignit les mains :

— Il faut que je te tire de là. Il faut agir.

Son énergie m'était indispensable. Son amour me comblait et me ravageait.

— Il ne faut pas que nous pleurions. Il faut se retenir, dit-elle. Tu as mal? Tu te souviens de ma grippe espagnole? Tu ne quittais pas mon lit. Comme tu m'aimais! Tu avais huit ans, dit-elle avec nostalgie.

— J'ai huit ans. Je t'aime comme avant.

— Oui, mon petit gueux, oui. Mais j'aurai tout vu sur la terre.

Je regardais son visage dramatique, j'oubliais que l'infection se propageait.

— Ta mère vieillit. Si tu peux, aide ta mère à se relever, dit-elle.

Mourir avant elle fut encore mon plus profond souhait.

Je l'aidai comme je pus à se remettre debout.

— Maintenant nous allons agir, dit-elle.

Elle ouvrit les portes de son armoire d'acajou, elle décrocha un cintre; elle revint vite et rajeunie.

— Je cours chez le docteur. Je lui expliquerai...

— Je serai seule.

Ma mère cacha son visage dans ses mains.

— Si tu pleures, j'aime mieux mourir à l'instant.

Oui, j'aurais aimé mourir pendant que sa main, belle comme un visage de truand, m'aurait bénie.

— Moi pleurer! J'ai tous les courages, dit-elle. Maintenant il faut me laisser te déshabiller. Je suis ta mère.

Je ne voulus pas qu'elle m'enlève mes chaussures comme je ne l'avais pas voulu à onze ans, après une opération. Mon sang ne salirait pas ses mains.

Je laissai tomber mes chaussures sur leur smyrne.

— Plains-toi, ça t'aidera, dit-elle.

Les pierres éclataient dans ma tête.

— Mes vêtements me consolaient. Il ne faut pas me déshabiller.

— Ta mère aussi peut te consoler!

Sa jalousie m'épouvanta. Je lui avais tout sacrifié et je voulais mijoter dans mon fumier.

Elle s'en alla dans la cuisine et je l'oubliai parce que j'avais dans ma tête des pierres qui se massacraient.

Elle dit :

— L'eau chauffe, le fer aussi. Tu verras que je te réchaufferai.

Elle avait tant de volonté, tant de vivacité, tant de lucidité qu'elle pensait d'abord aux épingles de sûreté quand on venait lui demander si elle voulait ensevelir.

Elle repassa le drap, elle glissa la bouillote dans le lit. Elle m'aida à me coucher avec mon manteau. Je mis les mains comme elle sur les grandes initiales entrelacées.

— Pourquoi transportais-tu ton argent, tout ton argent? C'était imprudent.

— J'ignorais ce qui pouvait m'arriver. Avec de l'argent on est moins maltraité, dis-je.

— On te l'aurait volé, mon petit gueux. Tu le veux encore dans ta poche?

— Je le veux. J'ai froid, je ne vois plus clair.

— Ne fais pas de reproches à ta mère. Je cours chez ce médecin. Tu vas te reposer.

— Couvre-toi... ne tombe pas malade, dis-je.

— N'ouvre pas les yeux. Je t'embrasse avant de partir, dit-elle.

Son foulard rouge frôla mes lèvres.

— Si tu veux quelque chose, il est encore temps, dit ma mère.

Je ne pouvais plus lui dire que je voulais m'endormir pour toujours du sommeil bleuté des lavoirs le samedi soir.

Je me nichai dans mon manteau, je me tassai

dans le cloaque de la fièvre. Je perdis la notion du temps. Ma conscience s'était sauvée.

On me palpait. J'ouvris les yeux.

— Piqûre, piqûre immédiatement, dit-il.

Ma mère me caressa la main, les yeux de velours du médecin chauve me rassurèrent. Il éloigna ma mère, il revint seul :

— Pouvez-vous entrer dans une clinique?

— Je ne sais pas combien ça coûtera. Il faut que je compte mon argent.

J'aimais tant compter mon argent.

— Tu iras, cria ma mère, tu iras. L'argent n'existe plus.

— Je préfère être malade ici.

Je me soulevai. Le chagrin ravivé me donna des forces.

— Je ne veux pas la quitter. Laissez-moi dans son lit, laissez-moi sur son oreiller, dis-je au docteur. Je ne vous demande que cela : être malade dans son lit.

Ma mère était revenue.

— Nous ne serons pas séparées, mon petit fieu. Qu'est-ce que je vais devenir si tu es triste? Ta mère est près de toi. On ne peut pas te soigner ici.

Le médecin nous regarda. Il cherchait à comprendre.

— Elle reviendra dans deux jours, dit-il à ma mère.

454

— Je ne veux pas la quitter, docteur. Ne me quitte pas, ne me quitte pas…

Ma mère se jeta dans mes bras.

— Ne la fatiguez pas, dit-il, et ne tombez pas ainsi sur elle.

« Trouble-fête », lui dirent mes yeux.

Il envoya au plafond, avec sa seringue, un jet de médicament. Il fit la piqûre.

Le docteur emmena ma mère dans la salle à manger.

— Je ne veux pas être séparée d'elle, je ne veux pas qu'on me quitte, bredouillai-je sans forces.

Je me tus. Leur commode Louis XV m'intimidait. Je regardai leurs rideaux.

Il neigerait : la nuit dans un dortoir de collège revenait et assiégeait Paris à midi.

« Dites-le qu'on ne me séparera pas d'elle, dites-le! »

Je le demandais au ciel, au gris massif, je le demandais au fracas des patins sur le macadam. Je me terrai avec les bêtes qui souffrent loin des hommes et du ciel.

— Il faut qu'on t'emmène, mon petit fieu. Je ne te quitterai pas.

Ils attendaient mon consentement.

— Je veux mourir dans ton lit, dis-je.

— Tu ne mourras pas : je serai là.

— Tu le jures?

— Je coucherai dans ta chambre à la clinique.

— Votre mère sera avec vous dans l'ambulance.

— Ils m'interrogeront.

— Ils ne vous demanderont rien. Je leur ai téléphoné. Ils vont venir ici, dit-il.

— Je ne veux pas savoir où je vais, dis-je.

Mais je savais que j'étais dans les mains des médecins.

Ma mère l'accompagna dans l'entrée. La nuit venait à pas de tigre.

— Allume, ne me quitte plus, dis-je.

Elle alluma.

— Tu ne peux pas supporter tant de lumière, dit-elle.

Elle éteignit.

Elle s'assit sur l'oreiller : ma tête tomba sur ses genoux. Ma mère me parfumait le cœur, elle le saupoudrait d'amour. Une petite fille se mariait enfin avec sa mère.

— Il neige, dit-elle.

Il neige : c'est un conte. Ma mère est mon enfant que je réchauffe sous mon jupon.

— Nous serons à l'abri dans l'ambulance, dit-elle.

Il neige. Elle me tient la main. Il neige. Je guéris de mon enfance et j'en meurs.

— Je vais bien te couvrir, dit-elle.

Il neige. Mes douleurs dans la tête seront lisses.

— N'écoute plus. Tu écoutes toujours. Il neige. Tu n'as rien à écouter, dit-elle.

Elle enleva son foulard, elle mit la chaleur de ses cheveux dans les miens. Elle me donna sa cabane d'hiver : son fichu.

Ma mère fermait les yeux pour m'entraîner à fermer les miens. Nous nous reposions et nous les attendions. Quelquefois un locataire lisait le journal d'une voix mélodieuse.

— Ils ne vont pas tarder à venir mais n'y pense pas. Je te suivrai, dit-elle.

— Tu me quittes?

— Voir si ce sont eux pour te préparer, mon petit fieu.

— Le timbre de l'ambulance, dis-je.

— Leurs portes, dit-elle.

— La porte de l'immeuble, dis-je.

— L'ascenseur, dit-elle.

Nous écoutions les piétinements des militaires sur le palier. Un poing cogna dans la porte de leur appartement.

La capote de l'ambulancier, la pèlerine de l'infirmière exhalaient une odeur de froid, l'odeur d'un mouchoir trempé de larmes.

— J'ai peur... Je veux être malade ici. J'ai des sulfamides...

— Il faut être raisonnable, dit l'ambulancier.

Ils glissèrent leur civière sous mon manteau. Ils m'emmenaient avec mon catafalque de pourriture dans le ventre. C'était leur métier.

— L'heure... l'heure...

457

— Une heure et demie, mon petit fieu. Tout le monde déjeune, tout le monde est chez soi, dit ma mère.

Mais le ciel avec son poids nous voyait. Le ciel s'affaissait derrière les murs.

Ils m'enfournèrent dans leur ambulance, un rémouleur mit sa meule en marche, l'ambulancier ferma les portes. Nous partions.

— Est-ce que je reviendrai? dis-je à ma mère.

Elle chercha ma main sous la couverture, elle me réconforta avec son pouce exagérément petit qui massait mes phalanges.

— Demande-lui d'ouvrir, dis-je tout bas.

L'infirmière posa son livre, elle baissa la vitre, elle se replongea dans la lecture.

— Il neige dans tes cheveux, dit ma mère.

Il neige. Si Marc travaille il ne pourra pas photographier les mariés. Marc ne travaille pas, Marc n'existe plus.

— Tu vois les arbres, mon petit gueux?

— Je les vois, dis-je.

L'infirmière leva la tête. Notre naïveté la surprenait.

— Qu'est-ce que tu fais?

— Je chasse les flocons, dit ma mère.

Le timbre de l'ambulance déblayait les rues. Paris était une grande allée pour notre voyage de noces.

— Déjà! dit ma mère.

L'ambulance s'était arrêtée.

Nous avons revu les joues fardées de froid de l'ambulancier. Ils m'emportaient. Les portes à deux battants de la clinique se refermèrent sur nous. Enfin j'étais protégée par les grandes ailes de la médecine légale. On remettrait de l'ordre dans ma boucherie.

L'entrée de la clinique ressemblait à l'entrée d'un collège. L'odeur du désinfectant me rajeunit.

Nous restions sur place.

— On nous oublie, dit ma mère.

— Nous n'avons pas le numéro de la chambre, dit l'ambulancier.

Des portes s'ouvrirent. Un mannequin habillé en infirmière sortit d'un bureau. L'infirmière s'éloigna; elle nous imposa la ligne de ses jambes. D'autres mannequins circulèrent autour de nous. Une infirmière qui n'était pas maquillée s'approcha.

— Je suis la directrice, dit-elle. Vous irez au six mais je téléphone...

Elle avait le visage effacé d'une couturière à la journée.

— Partons, dis-je, partons, partons... Tu mettras des briques dans le lit, tu me soigneras dans ta chambre.

— C'est impossible, mon petit fieu.

— Le six est prêt. Montez, dit la directrice. Le chirurgien la verra en fin d'après-midi.

— En fin d'après-midi! Comme c'est tard, dit ma mère.

— Il y a des cas aussi urgents que le vôtre, dit froidement la directrice. Votre médecin traitant m'a parlé au téléphone et j'aimerais que vous veniez dans mon bureau.

— Plus tard, dit sèchement ma mère. Je ne la quitte pas.

— Il faut pourtant que j'établisse sa fiche.

— Montons au six, dit ma mère.

Elle parlait comme si j'avais tenu sur mes jambes. Elle m'infusait de l'énergie.

Je voulus qu'on me couchât avec ma collection de tricots, de foulards, avec mon manteau.

— Trente-neuf six, dit l'infirmière avec indifférence.

J'écoutais et ne réagissais pas. Je me demandais où se cachait mon cœur. Je n'entendais plus ses battements.

— Si je baisse le store ce sera plus doux, dit ma mère.

L'infirmière fit la piqûre et elle nous laissa.

J'ai joint les mains sur mon ventre. La mort dans un départ de corbeaux prit un moment de repos.

Ma mère était assise dans le fauteuil modern style, loin de ma maladie. Elle avait sur la tête un fichu bleu décoré de poissons blancs. Les poissons nageaient sur la soie.

— Tu as peur? demanda-t-elle.

C'était une façon à elle de m'avertir qu'elle avait peur et qu'elle voulait se rapprocher.

— Nous n'aurons plus jamais peur. C'est fini, dis-je.

— Il ne faudra rien dire, Thérèse. Tu m'entends? Il ne faudra pas te trahir.

— Tu ne me défendras pas? Tu ne m'aideras pas s'il insiste?

— Je n'aurai pas droit à la parole. Je ne suis pas toi, dit ma mère.

L'acier dans ses yeux brillait.

— Nous avons fait ce que tu voulais. C'est l'essentiel, dis-je.

Elle se leva du fauteuil, elle s'approcha, elle mit sa main sur ma bouche pour avoir un baiser. Je lui en donnai trois. Je voulais assurer son avenir. C'est ainsi que je m'assoupis.

— Le chirurgien est dans la maison, me dit l'infirmière quand elle m'éveilla. Vous souffrez? Le chirurgien va vous voir. Vous souffrez?

— Attendez... Je cherche...

— Vous ne souffrez pas?

— Non... s'il n'y avait pas cette chaleur... Je ne vois pas ma mère.

— Votre mère est dans le bureau de la directrice, dit-elle.

Elle prit le thermomètre qui trempait comme un dentier dans un verre d'eau; il m'écœurait. Elle me le donna.

— Cinq heures, c'est la mauvaise heure, dit-elle.

— Il parle à la malade dans la chambre voisine, dit l'infirmière.

Elle mit de l'ordre autour du lavabo. Je lui rendis le thermomètre.

— Il est grand temps qu'il vienne, dit-elle.

Le chirurgien entra avec ma mère. Puissant, décidé, sanguin. Une armoire en marche. Il referma la porte, il remit la chambre d'aplomb. L'infirmière s'était transformée en sœur de charité. Ma mère désorientée battait des paupières. Je ne crânais pas non plus mais je retrouvais des forces. Un homme entre dans une chambre : c'est l'oxygène au commencement du monde.

Il souleva la pancarte au pied du lit.

— Je vous appellerai, dit-il à l'infirmière.

Il s'appuya à la barre du lit. Il prenait contact avec la maladie. Il souleva le drap.

— Pourquoi ne vous a-t-on pas déshabillée?

— Je n'ai pas voulu.

— Vous étouffez dans tout ça.

Ma mère s'approcha.

— Je suis sa mère, dit-elle.

— Faites glisser sa jupe, dit le chirurgien.

Elle me dévêtait mais nous n'osions plus nous regarder : le chirurgien était entre nous.

— Veuillez sortir. Je voudrais parler à votre fille, dit-il.

Ma mère partit sur la pointe des pieds.

Il palpa longtemps, il me regarda et il me signifia qu'il palpait en même temps ce chancre qu'on appelle la conscience.

— Plus de quatre mois et demi. Nous sommes d'accord?

— Oui, plus de quatre mois et demi, dis-je.

— Si vous voulez que je vous tire de là, il faut me dire ce que vous avez fait.

Nous nous sommes regardés. Bien ou mal elles avaient osé. J'ai dit adieu à mes rendez-vous clandestins chez elles.

— Qu'est-ce qu'on vous a fait? Dépêchons-nous. J'ai d'autres malades à voir. Il faut que je sache.

Il respira profondément, il admira ses mains.

— C'est une fausse-couche, dis-je avec mauvaise humeur.

— C'est une fausse-couche provoquée. Nous sommes d'accord, dit-il avec entrain.

— Je ne vous ai pas dit cela. J'ai dit : c'est une fausse-couche.

— Si vous vous méfiez, comment voulez-vous que je vous soigne?

— Je ne me méfie pas. Je veux me taire.

Il se pencha sur mon visage.

— C'est provoqué. Nous sommes bien d'accord?

— Je ne dirai rien. Je n'ai rien à dire. C'est une fausse-couche.

— Ne vous entêtez pas. Vous êtes mariée?

— Je divorce. Ça m'appartenait, ça m'appartient.

— Est-ce qu'il... remuait quelquefois? Le sentiez-vous?

— Il ne remuait pas.

— Vous a-t-on mis du coton? C'est avec ce coton qu'elles vous infectent.

— J'ai été bien soignée, dis-je.

Mes pauvres forces me quittèrent.

— Ne me questionnez plus. Je suis fatiguée.

Le chirurgien sortit de la chambre. Il ramena ma mère.

« Il va la cuisiner », me disais-je, et si elle avoue je n'aurai pas assez de volonté pour contredire. Ma mère lui dit :

— Je n'ai qu'elle, je n'ai toujours eu qu'elle.

Je pouvais partir. Le roman avec ma mère finissait bien.

J'entendis :

— Grave... Septicémie... pas pouvoir la sauver...

J'entendais et j'acceptais. La mort est plus facile qu'on ne croit. La fièvre m'abrutissait.

Ils sont venus autour de mon lit.

— Il faudra être courageuse, dit-il. Je vais mettre des laminaires, beaucoup de laminaires.

J'avais soif et l'on ne me donnait pas à boire. Le nom nouveau me désaltéra.

Le chirurgien sonna.

— Vous lui enlèverez son stock de vêtements, dit-il.

L'infirmière quitta la chambre avec lui.

Ma mère ne disait rien. Son visage n'exprimait rien : elle avait une chique de douleur. Ses lèvres avaient enflé, elles étaient tuméfiées. C'était une aveugle qui me fixait les yeux ouverts.

— Je te rends ton fichu, dis-je.

Je le mettais dans ses mains, je lui rendais ma vie.

— Prends-moi dans tes bras, dis-je.

Je la serrais aussi du mieux que je pouvais.

— Tu guériras et nous ferons une de ces fêtes...

— Nous boirons du champagne sous le pommier, dis-je.

Elle me déshabillait vite comme elle aurait déshabillé un mort encore chaud.

— Tu avais onze choses sur toi. C'était trop lourd.

— Ça m'aidait.

— Je voudrais voir où tu as mal, dit ma mère.

— J'ai mal au côté.

Elle mit sa joue sur mon ventre et sa joue pesa le poids exquis d'un oiseau des Iles.

Deux infirmières, deux écervelées, m'emmenèrent sur la civière. Ce fut une cavalcade dans les escaliers. Elles bavardaient, elles riaient, elles trébuchaient. Nous sommes arrivées quand même à la salle d'opération. Une infirmière plus pondérée me reprit ma chemise de nuit de finette. Elle m'étendit sur une table. J'étais nue au-dessous de trois inconnues qui discutaient congés payés.

Elles se sauvèrent avec la civière. L'infirmière cria :

— On a monté le six.

Je tournai la tête du côté de la voix. Des docteurs discutaient dans une pièce contiguë. La porte était ouverte.

— Allongez-vous sur le dos. Mieux que cela, dit l'infirmière de la salle d'opération.

— Je n'ai pas de forces. Je n'ose pas.

— Mieux que cela. Je n'ai pas dit recroquevillez-vous.

— Je préfère me nicher.

— Vous nichez dans quoi ? Les jambes au corps maintenant.

— Je ne comprends pas.

— Les jambes au corps ! J'ai dit ramenez les jambes au corps.

— J'ai peur d'un faux mouvement...

— Ramenez les jambes au corps. Vous n'avez jamais fait de gymnastique ? Vous n'avez jamais fait le mouvement de bicyclette ? Encore, encore... Maintenant les jambes verticales.

— Je ne pourrai pas.

— Vous pourrez. Encore, encore... Maintenant les jambes dans les anneaux.

— Quels anneaux?

— Au-dessus de vous. Ceux que j'ai descendus.

L'infirmière s'en alla dans la pièce contiguë.

Les anneaux sciaient ma chair, mes muscles.

— A nous! dit le chirurgien.

— Ces anneaux!

— Bien sûr... Ce n'est pas rigolo, dit-il.

Il s'éloigna. Il se lava les mains.

— A nous deux, redit-il avec entrain.

Je fermai les yeux sur la vision de sa nuque trapue.

Les jeunes infirmières me ramenèrent et de nouveau il y eut une cavalcade dans l'escalier.

Une minute après, il rentra dans la chambre :

— Préparez le propydon, dit-il.

Il me regarda avec bonté : nous avions collaboré.

— Permission de vous reposer jusqu'à huit heures, mais à partir de huit heures il faudra vous soigner vous-même, dit-il.

L'infirmière lui donna les comprimés coupés en petits morceaux.

— C'est avec ceci que vous vous sauverez. Mais il ne faudra pas vous endormir. Vous avez une montre? Il faut que demain matin vous ayez avalé le petit tas. Un tous les quarts d'heure. Vous en avez pour une grande partie de la nuit. N'oubliez pas.

— Je n'oublierai pas : ma mère m'aidera.

— Votre mère sera partie. Elle ne peut pas coucher ici.

Ma mère bondit :

— Mais c'est inhumain! Elle s'endormira.

— Vous ne pouvez pas passer la nuit ici. Le règlement le défend.

— Nous n'avons pas un seul lit de disponible, dit l'infirmière.

— Je vous répète qu'elle s'endormira!

— Elle ne s'endormira pas. Elle veut vivre.

— Je vous dis qu'elle s'endormira! Elle est trop malade pour se soigner elle-même.

— Pas d'histoire! Vous devriez être bien contente qu'on s'occupe de votre fille.

— Le médecin traitant nous a trompées, me dit ma mère.

— Maintenant il faut vous en aller, dit le chirurgien.

Elle m'embrassa dans les cheveux pendant que j'embrassais sa main.

Ma mère le salua. Elle partit brusquement, comme si elle voulait, par surprise, arracher notre chagrin et toute la clinique. Je tombai dans une totale inconscience.

— Il faut commencer votre traitement, mon petit. Je suis la directrice... Vous ne me reconnaissez pas. L'infirmière est débordée. Vous l'avez promis au chirurgien.

— Je rêvais, je dormais...

— Avalez votre propydon, dit-elle. Je vous mets votre montre dans la main. Il est huit heures.

Je commençai et continuai le traitement de quart d'heure en quart d'heure avec un quart de comprimé. Je surveillais l'heure dans le creux de ma main : chaque minute comptait.

Il était dix heures du soir et j'ignorais quand le mal avait commencé. Les coups dans mon ventre étaient sourds, espacés, supportables. Dix heures... Non : dix heures une... J'en suis à une minute près. De quart d'heure en quart d'heure. Je surveille sur le cadran de ma montre comme un saboteur qui attend. J'attends la mort qui sera dans un train et le train passera à dix heures quinze et je saboterai la mort avec mon propydon. La mort reviendra à dix heures trente et je la saboterai encore. J'ai du propydon. Je ne mourrai plus. Il ne pouvait pas la voir. Non, Aimé ne pouvait pas l'apercevoir de l'arbre dans lequel il se balançait. La lucarne de notre cuisine était trop haute, trop petite. Nous avions de bons rideaux froncés, nous étions au-dessous de la lucarne et des rideaux. C'était pour ma mère qu'il se balançait dans l'arbre du verger saccagé. C'était sablonneux, c'était

un clair de lune sur une grève ses bandes molletiè-
res... Ce jeune homme avait des mollets de jeune
fille. C'était un étranger de Quiévrain qui ne voulait pas dire son âge. On a su l'âge. Il entrait dans
sa dix-septième année, il était amoureux de ma
mère. Je peux calculer l'âge de ma mère. Qu'il a
chanté, qu'il a sifflé pour elle dans l'arbre qu'il
inclinait... Ma mère entrait dans sa vingt-
neuvième année, ma mère ne voulait pas voir le
jeune homme debout entre les branches. Que le
visage de ce gamin était grave et féminin... « Ta
mère est-elle chez elle? — Oui, Aimé. — Que
fait-elle ta mère? — Elle se lave les dents, Aimé.
— Elle est seule? — Elle est seule parce que je suis
venue sous l'arbre, Aimé. — Tu crois qu'elle
m'entend, tu crois qu'elle me voit? — Elle ne vous
voit pas, elle ne vous entend pas, Aimé. Elle
n'aime que moi. » Je vais m'assoupir. Mon sommeil me tuera si je m'assoupis. J'ai dormi deux
minutes. Le mal est venu pendant que je me reposais. Ce n'est pas le mal. Ce sont les douleurs dont
on parle tant. Je suis dans les douleurs, je souffre
pour accoucher de la mort. Ce ne sont pas des
douleurs obstinées. J'y pense davantage quand
elles sont parties. Je les guette. Elles reviennent,
elles m'éclairent. Je ne m'habitue pas à elles.
C'est l'accalmie à la sauvette, c'est l'orgasme du
malade qui ne souffre plus pendant deux minutes.
L'enfant à naître ne mourra pas. Il est mort. Elles

470

reviennent. Un spectre me harcèle. Je suis quand même dans les douleurs de l'enfantement. C'est le même passage pour les morts et les vivants. Je leur laisse toute la place, je me perds en elles. Je mourrai si je leur cède. Elles sont parties. Elles reviendront. Je crierai. Personne ne crie dans la clinique. Ils dorment. C'est une clinique de convalescents. Pourquoi ne m'a-t-on pas mise avec ceux qui hurlent? Elles reviennent. Quelle horde... Dix heures dix-sept... La lumière électrique. C'est la lumière qui me voit. Face blanche aux dents serrées, tu voudrais me juger mais tu ne me jugeras pas puisque j'éteins. Je m'assoupirai si j'éteins. Je compterai jusqu'à dix mille pour ne pas mourir, pour ne pas m'endormir. Je vais vivre jusqu'à deux mille. J'ai peur de m'endormir.

— J'ai mal... j'ai mal...

On ouvrit la porte.

— Il ne faut pas gueuler comme ça. Vous n'êtes pas seule ici, dit l'infirmière de nuit.

— Je n'ai pas crié : j'ai gémi.

— Vous avez gueulé.

Elle me donna le thermomètre. J'ai éteint, j'ai allumé, j'ai éteint.

— Qu'est-ce que c'est que ce manège?

— C'est ce qui m'aide à vivre.

— Donnez la lumière pendant que je suis ici.

— Vous n'avez pas mis votre voile, dis-je. Je peux éteindre maintenant?

— Pas quand je suis ici.

— Vous dormiez?

— Je rêvais sur ma chaise. Vous m'avez réveillée, dit-elle.

— J'ai tant à faire... Prendre le propydon, surveiller l'heure... Surveiller l'heure surtout...

— Vous auriez dû penser que ça n'irait pas tout seul.

L'infirmière de nuit avait aussi un visage neutre de couturière de campagne. Elle me prit le thermomètre.

— Combien? dis-je.

— Quarante comme prévu. Il faut que je voie ce qu'on a écrit sur le registre, dit-elle, sinon demain... eh bien, demain ce serait moi qui prendrais.

Elle sortit.

« Petite poire chérie à la tête du lit, petite poire chérie que la directrice a mise dans ma main, je n'ai que toi. J'allume, j'éteins, j'allume, j'éteins... Je n'ai pas la force de mourir dans le noir, je n'ai plus la force de vivre dans la lumière. Je me repose de la vie quand j'éteins, je me repose de la mort qui patiente quand j'allume. »

— Les douleurs... les douleurs...

— Vous avez encore gueulé, dit-elle.

— Je m'aide, mademoiselle, je m'aide comme je peux.

— Les autres se reposent et vous, vous gueulez, dit-elle.

472

Elle referma la porte.

Je pris le propydon, je léchai le vernis de ma petite poire chérie pour aimer avant de mourir.

De quart d'heure en quart d'heure... Le tas ne diminue pas.

« Je te le confie, petite poire chérie, je ne rallumerai pas. Ne me quitte pas, petite poire chérie. Tu es joufflue, je m'éteins avec une joue dans le creux de ma main, une joue vernie que je réchauffe. Finalement, je n'aurai eu que toi, petite poire chérie. » La porte s'ouvre.

— Piqûre. Préparez-vous.

— Les douleurs, les douleurs, ai-je murmuré à ma petite poire chérie.

— Qu'est-ce que vous racontez?

— J'ai peur. Je parle.

— A quoi ça vous avance?

L'infirmière a fait la piqûre. Elle quitta la chambre.

Les voici. Elles m'attendaient comme je les attendais. « Ne m'abandonne pas, petite poire chérie. » Des soudards me piétinent le ventre et ne me font pas mourir. Elles s'exaspèrent. J'allume, j'éteins, j'allume, j'éteins. Elles sont fortes mais nous deux, nous sommes fortes, petite poire chérie. Elles se cabrent, elles sont enragées. Empoignons leur crinière, enfonçons notre gueule dans la leur. Je n'ai eu que toi dans ma vie, petite poire chérie. Je vis et je meurs. Je disais : « Je ne veux pas qu'on me quitte. » Quelle comédie je me récitais, petite poire chérie. « Je suis anéanti, je suis flapi. » C'est Marc qui me disait cela. Il sentait le narcisse quand il était en nage. J'avale du propydon, je vois clair en arrière. Que de détours, quel marivaudage tragique pour ne pas m'avouer que je veux être seule, dormir seule comme je souffre maintenant. Bébé sanglant, j'étais la promise de mademoiselle la solitude aux yeux de verglas. Que d'inventions pour me détourner d'elle. « Si je guéris, mademoiselle, nous aurons froid ensemble sur une table d'altitude. C'est là que nous nous allongerons et que nous nous serrerons. » Être seule. Le soupirer comme soupire un andante; le subir comme la tuile rouge à midi subit l'été. Être seule, être sombre. J'étais triste avant de naître. Vous me l'avez dit, ma mère, pendant neuf mois, ensemble nous avons pleuré, ensemble nous avons grelotté. Si je guéris, petite poire chérie, je reviendrai avec un ruban pour ma prison. Avec un ruban simple comme le ciel. Les plaines sont ma prison qui respire à l'aise. J'ai mal. Je suis seule, je suis la statue qui veut se remettre debout dans la plaine. J'ai trop mal. Je guérirai. Je serai le marbre de la plaine. Les douleurs, les éclairs de douleur... Elles me jettent sur le carreau. Pauvre poulet qui vit encore, lame barbouillée, langue coupée. Les corbeaux tournent en rond; ils me font la cour avec leurs cercles. Pour toison dans la plaine, j'ai une étoile de chiendent qu'ils arracheront. Novembre langoureux sur ma nuque se tait; dans mes yeux vides habite un cimetière.

Le duel d'ombre et de lumière dura jusqu'à cinq heures du matin. J'avais avalé le tas de propydon mais je ne pouvais pas m'assoupir. Les douleurs sans répit me labouraient les entrailles. J'éteignis pour ne plus rallumer. Il faisait jour entre les fentes des volets. Aurore se levait aussi sur mon ventre pourri. Une odeur de chocolat et de pain grillé venue du dehors avant le retour des voix et des bruits me trouva. J'avais un pied dans la tombe, j'espérais. L'odeur dans le silence et dans les premières clartés ralliait un chant de bravoure. Elle exaltait le confort, l'intimité, la faim dans une maison que je ne pouvais même pas imaginer. Je reconnus le crochet d'un chiffonnier au tintement dans la poubelle. On mangeait, on cherchait, on chuchotait sur le palier : la clinique s'éveillait.

L'infirmière qui m'avait soigné la veille entra. Elle ajustait son voile. De la broche sur son sein gauche partaient des rayons de bonté. Les douleurs ralentirent.

Elle souleva le drap :

— Encore au même point! dit-elle.

Elle rabattit le drap, elle finit d'ajuster son voile.

— L'infirmière de nuit m'a dit que vous n'osiez pas. Vous le retenez. Il faut oser, dit-elle. Il est sept heures dix.

— Oser quoi?

— Vous délivrer. Ça ne s'en ira pas tout seul.

— Ça ne s'en ira pas?

Elle leva le store.

— On ne va plus se crisper sur cette poire.

— Ma petite poire chérie... Je n'avais qu'elle.

Elle me l'enleva des mains avec douceur.

— Les douleurs, lui dis-je.

— Je sais, dit-elle. Respirez le plus profondément que vous pourrez. Pas tout de suite.

— Je n'ose pas. Je n'ose plus rien.

— Maintenant vous êtes prête?

— Que me ferez-vous?

— Rien de grave. Commencez à respirer.

Elle se mit sur la pointe des pieds et, de tout son poids, elle fit retomber ses mains sur mon ventre.

— C'est chaud, mademoiselle... C'est chaud... Je ne souffre plus. C'est chaud...

Elle souleva ma chemise de nuit, elle prit le paquet de chaleur, elle s'éloigna en emportant mes douleurs.

— Je ne me suis jamais sentie aussi bien, dis-je.

Je ne souffrais plus. Je me demandais si j'avais souffert.

Mes genoux tremblaient, l'édredon aussi et dans ma bouche mes dents faisaient un bruit de danse macabre.

— Quarante et un, dit l'infirmière.

— Café tout de suite, dit le chirurgien.

Je disparus pendant qu'on me nettoyait. L'infirmière me desserra les dents.

Je mordais la cuillère, le café se répandait sur le drap.

— Piqûre et faites monter à la salle d'opération, dit le chirurgien.

On m'endormit dans mon lit.

— Mon petit gueux... Tu vis, tu vivras, tu guériras...

— Tu me parlais?

— Reviens à toi, dit-elle. Cet homme...

— Quel homme?

— Je n'ose pas m'approcher, dit-elle.

— Je te fais peur?

— Cet homme... Le chirurgien... Je voudrais lui embrasser les pieds.

Je revenais au monde et, à deux pas de mon lit, ma mère dans leur fauteuil se tournait les pouces. Je n'avais plus mal et je la revoyais.

Je sentis la masse de coton et de bandages.

— Je ne boiterai pas?

— Tu courras, tu voleras, dit-elle.

Je soulevai le drap :

— C'est mon sang?

— C'est ton sang. Tu seras toute neuve, dit ma mère.

Des semaines passèrent. Un matin je lui dis :

— Je veux me lever. Je me sens forte.

— Il faut réapprendre à marcher, dit-elle.

Je m'appuyai sur elle. Le sol se déroba de moins en moins. Ma mère releva mon col.

— Viens, dit-elle.

Elle m'entraîna dans le couloir. Elle me soulevait de terre. Je volais, j'étais guérie. Nous dépassâmes les portes des malades. La clinique se reposait. Ma mère me poussa en avant. Je me trouvai devant un miroir.

— Ta petite taille. Tu as retrouvé ta petite taille, dit-elle.

Pour la première fois, ses paroles n'avaient pas de résonance en moi. J'étais seule. Enfin seule.

DU MÊME AUTEUR

Aux Éditions Gallimard :

L'ASPHYXIE (« L'Imaginaire », n° 193)

L'AFFAMÉE (« Folio », n° 643)

RAVAGES (« Folio », n° 691)

LA VIEILLE FILLE ET LE MORT

TRÉSORS À PRENDRE (« Folio », n° 1039)

LA BÂTARDE (« L'Imaginaire », n° 351, « Folio », n° 41)

LA FEMME AU PETIT RENARD (« Folio », n° 716)

THÉRÈSE ET ISABELLE (« Folio », n° 5657)

LA FOLIE EN TÊTE (« L'Imaginaire », n° 319, « Folio », n° 483)

LE TAXI

LA CHASSE À L'AMOUR (« L'Imaginaire », n° 422)

Impression Maury Imprimeur
45330 Malesherbes
le 7 octobre 2013.
Dépôt légal : octobre 2013.
1ᵉʳ dépôt légal dans la collection : septembre 1975.
Numéro d'imprimeur : 184233.

ISBN 978-2-07-036691-0. / Imprimé en France.

261806